А. БУШКОВ

Борис Березовский

Человек, проигравший войну

МОСКВА
ОЛМА Медиа Групп
2013

УДК 94 (470)
ББК 84 (2Рос-Рус)6
Б90

Бушков А.

Б90   Борис Березовский.Человек, проигравший войну. – М.: ЗАО «ОЛМА Медиа Групп»; 2013. – 384 с.

ISBN 978-5-373-05401-0

Четверть века назад на историческую сцену России вышли «герои нашего времени», в ходе неслыханной по масштабам и цинизму аферы под названием «экономические реформы» смахнувшие в свой личный карман национальное достояние России.

Речь идет о новоявленных банкирах Александре Смоленском и Владимире Потанине, медиамагнате Владимире Гусинском, «узнике совести» Михаиле Ходорковском и неразлучном до последнего времени тандеме Абрамович – Березовский.

Пришло время подробно поговорить о них всех и особенно о Борисе Березовском – самом шумном, самом ярком и самом специфическом российском олигархе. Который, несмотря на все свои миллиарды и головокружительные авантюры, на подлинную гениальность в махинациях и политические амбиции, войну, объявленную нынешнему руководству России, похоже, проиграл…

Часть материалов, касающихся жизни и деятельности новоявленных российских миллиардеров, ранее уже публиковалась Александром Бушковым. Но в этой книге он использовал самые свежие факты о последних годах жизни Бориса Березовского. Как протекала его жизнь в Лондоне? Почему судебный процесс с бывшим подельником Романом Абрамовичем, на который он возлагал большие надежды, завершился полным крахом? Чем закончилось его многолетнее противостояние с высшим руководством России? И что стало причиной его преждевременной смерти: финансовые проблемы или нереализованные политические амбиции?

ББК 84 (2Рос-Рус)6

ISBN 978-5-373-05401-0

«В революции мы сталкиваемся с людьми двух сортов: теми, кто их совершает, и теми, кто их использует в своих целях».

Наполеон

Вступление

ТЕОРИЯ ЗАГОВОРА

Триста лет назад в нашей истории было время, получившее впоследствии название Смутного – многолетняя неразбериха, хаос, война всех против всех, едва не погубившая государство и народ. Отрезок самой что ни на есть новейшей нашей истории с 1991 г. по 2000-й, думается мне, как нельзя более заслуживает определения – Мутное Время...

Но сначала – обширная цитата из речи известного политика. Очень известного...

«Я вижу десятки миллионов людей, значительную часть всего населения, лишенную в наши дни того, что, даже по самым низким современным требованиям, именуется первостепенными жизненными потребностями.

Я вижу миллионы семей, живущих на столь скудные доходы, что семейная катастрофа каждодневно висит над ними.

Я вижу миллионы, чья каждодневная жизнь в городе и на ферме была бы названа неприличной так называемым приличным обществом пятьдесят лет назад.

Я вижу миллионы лишенных образования, отдыха и возможности улучшить свою судьбу и участь своих детей.

Я вижу миллионы не имеющих средств, чтобы купить промышленные товары или продовольствие, и бедность которых не дает возможности заработать на жизнь еще многим миллионам.

Я вижу треть нации, живущей в плохих домах, плохо одетую и плохо питающуюся».

Это не Зюганов, не Анпилов, не Макашов и даже не этот, как же его... Явлинский. Это – отрывок из обращения к нации президента США Франклина Делано Рузвельта 20 января 1937 г. Штаты в те времена переживали чертовски схожие с нами невзгоды, вызванные почти теми же самыми причинами...

Между прочим, отсюда закономерно вытекает, что наши собственные проблемы, чертовски схожие с американскими конца двадцатых годов, следовало лечить как раз примерно теми же методами и средствами, что применил для выхода из нешуточного кризиса президент Рузвельт. Благо «новый курс» Рузвельта был подробнейшим образом описан как в американской, так и в отечественной специальной и научно-популярной литературе, которую просто *обязаны* были знать иные деятели, именовавшие себя «видными экономистами» и «историками». То, что они вместо этого в один голос предлагали всевозможные глупости, помогавшие экономике примерно так же, как мертвому припарки, наталкивает не только на размышления, но и на нешуточные подозрения касаемо истинных целей авторов «реформ».

Но не будем забегать вперед. Начнем с начала, то есть с августа 1991 г., когда перестал существовать Советский Союз, а то, что принято именовать «Советской властью», обрушилось, словно пьяный в лужу. Что бы ни твердили потом «красные» всех мастей и оттенков, произошло это при молчаливом одобрении подавляющего большинства населения. Беспристрастная история, нравится это кому-то или нет, не зафиксировала ничего хотя бы отдаленно похожего на бледную тень сопротивления. Не нашлось ни единого секретаря райкома, который встал бы на пути «разгулявшихся демократов». Пусть даже не с грозным наганом, подобно шолоховскому Макару Нагульнову, который всерьез заявил толпе, собравшейся было поделить «обобществленное» зерно: «Семь гадов убью, тогда только в амбар войдете!» Пусть всего-навсего с красным знаменем наперевес и пением «Интернационала»...

Не было ничего подобного. Ни один партийный чиновник не закрыл грудью сейф с партбилетами и круглой печатью. Ни один заводской партком не защищал свою «ленинскую комнату» с дрынами наперевес или хотя бы посредством ядреного рабоче-крестьянского матерка. Советская власть обрушилась даже стремительнее известного домкрата: вчера была, а потом – бац! – и сегодня нету. Более того: Верховный Совет СССР, в коем подавляющее большинство составляли как раз коммунисты, проштамповал *все* изменения, придав им силу законов. Но об этом, опять-таки, – чуть погодя...

Секрет предельно прост. Собственно, нет никакого секрета – Советская власть в том виде, который она приняла к девяносто первому году, осточертела всем и каждому. Люди поддержали изменения почти единодушно по одной-единственной, простой, незамысловатой, житейской причине: все искренне верили, что, отказавшись от замшелых догматов, станут жить лучше. Что жизнь станет справедливее, достойнее, сытнее и правильнее.

Безусловно, не всё из опыта Советской власти следовало безоговорочно отбрасывать. Иные детали, частности, отдельные моменты бытия следовало сохранить, лишь чуточку видоизменив. Например, нельзя без сожаления вспоминать о некогда существовавшей системе работы с детьми – разветвленной, обширной, налаженной. Дома пионеров, пионерские лагеря, могучая сеть всевозможных кружков вроде «Юного техника», «Юного натуралиста» – вот *это* следовало сберечь в неприкосновенности... разве что очистить от идеологической шелухи. Смотришь, и не знали бы мы теперь о массовом беспризорничестве, детской наркомании и прочих раковых опухолях современного общества. И это не единственный пример.

Но что касаемо понятия «в общем и целом»... В общем и целом то, что именовалось Советской властью, лишь мешало жить и развиваться людям и обществу. Система в целом показала свою полнейшую неспособность к развитию, висела колодой на ногах – а потому и жалеть о ней не стоит.

Однако надежды на лучшую жизнь, простите за вульгаризм, накрылись медным тазом. Если обратиться к классике – произошло примерно то, что случилось с героем повести Н. В. Гоголя «Пропавшая грамота», лихим казаком, оказавшимся в пекле и усаженном тамошними рогатыми обитателями за богато накрытый стол. Бедолага сгоряча решил, что и ему удастся отведать всевозможных вкусностей. Однако...

«Не пускаясь в рассказы, придвинул к себе миску с нарезанным салом и окорок ветчины, взял вилку, мало чем поменьше тех вил, которыми мужик берет сено, захватил ею самый увесистый кусок, подставил корку хлеба и – глядь, отправил в чужой рот! Вот-вот, возле самых ушей, и слышно даже, как чья-то морда жует и щелкает зубами на весь стол. Дед ничего: схватил другой кусок и вот, кажись, и по губам зацепил, только опять не в свое горло. В третий раз – снова мимо...»

Примерно так с нашими согражданами и произошло. И аппетитно пахнущая ветчина оказывалась на вилке, и даже губы удавалось помазать, но волшебным образом яства попадали в чужую пасть, и некая морда смачно чавкала над самым ухом...

Не будем вспоминать о войнах и конфликтах, полыхавших на просторах бывшего СССР. Тема данной книги – исключительно экономика. Которая, что бы там ни твердили иные прекраснодушные интеллигенты, не умеющие ни вбить гвоздя, ни заработать хотя бы рублишко, как раз и лежит в основе всего и вся.

Увы, ситуация с некоторых пор идеально подходила под то самое описание американских дел, которое семьдесят с лишним лет назад озвучил Рузвельт, выступавший (вот символично!) под проливным холодным дождем. В России обстояло примерно так же. Миллионы оказались в неприкрытой нищете. За тринадцать (чертова дюжина!) годочков реформ с карты страны исчезли 290 небольших городов и 11 000 сел. Это не ошибка – тысяч! Еще 13 000 деревень остались без жителей и существуют, если можно так выразиться, «условно», потому что там до сих пор кто-то остается прописан, и это не позволяет полностью вычеркнуть те деревни из реестра населенных пунктов. И так далее, и тому подобное.

Но в то же самое время кое-кому весело и вольготно живется на Руси. Из всех примеров достаточно выбрать один-единственный: летом 1997 г. в Женеве был выставлен на аукцион знаменитый бриллиант «Эксцельсиор» весом без малого в 70 карат. Для тех, кто не в теме, напоминаю: один грамм равняется пяти каратам. Бриллиант в один карат уже довольно дорог, а с возрастанием веса в геометрической прогрессии возрастает и цена.

Камушек тут же купили. Появилась некая молодая пара из России, предусмотрительно пожелавшая остаться неизвестной, и сгребла брюлик в карман, выложив более трех миллионов швейцарских франков. Такие дела...

Что же произошло со страной и ее богатствами? Да просто-напросто они сконцентрировались в руках кучки индивидуумов, которых давным-давно принято именовать «олигархами». И это явление предельно несправедливо, неправильно, а главное, все происшедшее было не результатом хаоса, неразберихи, ошибок и упущений. На сегодняшний день известно достаточно, чтобы с уверенностью утверждать: речь может идти исключительно о крупномасштабном *заговоре* кучки помянутых индивидуумов против всех остальных.

Тема заговора – весьма скользкая дорожка. Вопрос этот, к сожалению, опошлен и дискредитирован полчищем весьма специфических субъектов, усматривавших заговоры там, где их никогда не бывало. Перефразируя классика, можно после знакомства с иными книгами в пестрых обложках сделать вывод, что в мировой истории *ничего и нет, кроме заговоров,* положительно ничего нет. Смерть Наполеона – результат заговора. И Февральская революция тоже, и Октябрьская. Мало того: оказывается, еще пару тысяч лет назад кучка индийских мудрецов основала тайное общество, которое до нынешнего дня старается загасить в зародыше самые смертоубийственные военные новинки. А примерно в те же времена кучка палестинских евреев злодейски решила установить свою власть над всем земным шаром (правда, совершенно непонятно, кто в те времена мог знать об истинных размерах и шарообразности Земли, но такие детали никогда не останавливали упертых борцов с «жидомасонством»).

И так далее и тому подобное. Некоторое правдоподобие всем этим «теориям заговора» придает, например, то, что убийство президента Линкольна и в самом деле сопряжено с мрачными, вполне реальными загадками, не вполне укладывающимися в классическую версию об убийце-одиночке. И это не единственный пример.

Но все же, все же... Лично я ни капельки не верю в большинство «грандиозных заговоров» вроде жидомасонского или индийского.

Прежде всего, оттого, что они носят в первую очередь «политический» оттенок, мало соотносясь с экономическими реалиями. А меж тем, как я уже говорил, в основе всей нашей жизни, хотим мы того или нет, осознаем мы это или нет, лежит прежде всего скучная, банальная *экономика*. О чем и в царские времена, и в советские, и в нынешние очень многие, к сожалению, предпочитали не думать. Большинство историков (в том числе и крупных) творили с этаких романтически-абстрактных позиций. Десятки страниц заполняли описаниями парадной одежды самодержца всероссийского, его любовных приключений или придворных интриг, а вот экономике посвящали столь скудные строчки, что стыдно и неловко становится за авторов: вроде бы взрослые, солидные люди, с учеными званиями и почетными мантиями зарубежных университетов... Был в России едва ли не единственный историк, Михаил Покровский, который как раз и видел в «презренной», скучной экономике фундамент всего и вся. Однако ему роковым образом не везло: и в императорской России, и в Советском Союзе, и в России нынешней о нем принято отзываться свысока, с приклеиванием всевозможных (в зависимости от конкретного исторического периода) ярлыков...

В общем, я подвожу внимательного и готового мыслить читателя к довольно простому утверждению: заговоры заговорам рознь. Если в основе лежит политика, «заговор» большей частью следует решительно заключать в кавычки и объявлять вымышленным.

К примеру, немало чернил потрачено и немало бумаги переведено на критику зловещих планов ЦРУ, якобы и развалившего Советский Союз в результате масштабнейшего, проработанного, изощренного заговора. Который год талдычат о циничной речи былого главы ЦРУ Аллена Даллеса – ну, вы наверняка в общих чертах знаете эту историю. Даллес якобы во всеуслышание призывал подменить истинные ценности нашего народа мнимыми, развратить умы и нравы...

Одна беда: все, кто об этом пишет, заходясь в истерике, не в состоянии указать *источник*. Я специально проверял: наши национал-патриоты, «цитируя» Даллеса, ссылаются исключительно на творения друг друга. Ни один из них (ни один, повторяю!) не смог внятно объяснить, где эту речь Даллес произнес, перед кем, когда именно. А это, согласитесь, уничтожает всякое правдоподобие. Поскольку *другие*, вполне реальные труды Даллеса, например небезынтересная книга «Искусство разведки», опубликованы у нас с подробнейшими ссылками на первоисточники и оригиналы. Совсем другое дело...

Так вот, версию о том, что наши беды – результат зловещих усилий ЦРУ, я категорически отказываюсь поддерживать. Еще и потому, что хватает прекрасно документированных фактов, говорящих против нее. К примеру, еще на заре перестройки Джордж Буш-старший, пребывая с визитом в Киеве, пытался охладить пыл украинских сепаратистов, заявляя во всеуслышание, что «разрыв с Москвой был бы равносилен самоубийству». Он же поддерживал сторонников сохранения Советского Союза и подписания нового Союзного договора. Это, как сказал бы Остап Бендер, медицинский факт, и отрицать его невозможно. Видные политики Макнамара и Киссинджер в беседах с Горбачевым вели себя так, что это категорически противоречит заманчивой версии о «развале Союза как результате американских интриг».

Безусловно, Штаты не раз предпринимали какие-то акции, направленные против советских интересов (как и СССР старался то в одном уголке земного шара, то в другом наступить янки на хвост). Безусловно, существовали американские «агенты влияния» – как, впрочем, и их советские аналоги в Западной Европе. Безусловно, какая-то агентура у американцев в советском истеблишменте была – как и у Советов на Западе. Если уж советская агентура проникла в руководство британских спецслужб и окружение английской королевы... Удовольствие, без сомнения, было обоюдным – не зря до сих пор в Штатах с подозрением смотрят на иных ближайших советников Рузвельта, прямо именуя кое-кого «советскими агентами влияния», но с покойников уже не спросишь...

Одним словом, рыльце в пушку у всех заинтересованных сторон. Но в одно я не верю: в ту дурную глобальность, пропагандируемую национал-патриотами. Поскольку эта дурная глобальность очень уж напоминает подвиги экранного Фантомаса, ухитрявшегося возводить под землей огромные дворцы и начинять обветшавшие замки английских лордов стартовыми площадками космических ракет...

Оставим фантастику фантастам. Нравится нам это или нет, унизительно это для нашего национального самолюбия или не особенно, но в большинстве наших невзгод, увы, виноваты мы сами.

И, разумеется, те наши сограждане, кто под прикрытием хорошо налаженного хаоса подготовили действительно глобальную операцию по изъятию из миллионов карманов немаленьких денег и перекладыванию их в собственный бездонный карман. Вот *этот* заговор, как я постараюсь доказать на страницах данной книги, был вполне реален, в отличие от россказней о всемогущих цэрэушниках и всепроникающих масонах...

Потому что речь, строго говоря, идет не о заговоре вовсе – об *афере*. А это совсем другое дело. Примеров масса. За последние триста лет и в нашей стране, и за рубежом случилось немало масштабнейших афер, проводимых с поистине глобальным размахом. Десятки, сотни тысяч людей оказывались облапошенными, и их кровные денежки утекали к хитрым проходимцам. Просто-напросто то, что случилось в России в годы так называемых «реформ», оказалось, пожалуй, самой крупной за последние триста лет аферой. Только и всего. Самая крупная афера века и тысячелетия. В том и суть. К «теории заговора», собственно говоря, эта история нс имеет ни малейшего отношения. Потому что во все времена хватало мошенников, ухитрявшихся под прикрытием пышных фраз и заманчивых обещаний повторить то, что проделали с бесхитростным Буратино на Поле Чудес лиса Алиса и кот Базилио. Принцип, в общем, тот же: на дурака не нужен нож, ему покажешь медный грош (вариант: ему немного подпоешь) – и делай с ним, что хошь...

О чем эта книга? О так называемых олигархах, как-то ненароком смахнувших в карман национальное достояние России, наши с вами денежки. О том, что этот процесс ни в коей мере не был стихийным и случайным, а представлял собой, говоря казенным языком милицейских протоколов, «заранее обдуманное намерение». О том, что деятельность олигархов, по большому счету, вступает в противоречие с государственными интересами. О том, существуют ли пути и планы выхода из нынешнего поганого состояния, и существуют ли люди, способные эти планы осуществить, пройти этими путями. О том, собственно говоря, есть ли у России достойное будущее, или все настолько мрачно, что следует, уныло вздыхая, приладить на место люстры петельку.

Но для начала я постараюсь более-менее подробно рассказать читателю о том, как все начиналось триста лет назад. О тех масштабных аферах, что сотрясали отдельные европейские страны триста, двести, сто лет назад. Чтение, самонадеянно полагаю, будет небезынтересное, читатель убедится, например, что *наши* мошенники, творцы «пирамид», не придумали ничего нового – основные сюжетные ходы, ухватки и приемчики были апробированы сотни лет назад вовсе не на наших предках. Читатель, помимо того, познакомится с примерами, как иные аферы, словно за дымовой завесой, оказывались *спрятаны* за отвлекающими «операциями прикрытия» – благодаря чему и завершались успешно для инициаторов, избегнувших суда и каторги.

Разумеется, мы поговорим и об аферах, имевших место в *старой* России – и здесь, оказывается, ничего нового не изобрели нынешние мошенники, все уже было под этим солнцем и этими звездами, разница, повторяю снова и снова, исключительно в масштабах, и не более того...

Итак...

Глава первая

О КРАСИВЫХ ЦВЕТАХ И ТВЕРДОЙ РТУТИ

1. Сумасшедший дом в Амстердаме

В феодальные времена не зафиксировано сколько-нибудь масштабных финансовых афер – таков уж был тогдашний уклад жизни и тогдашняя система товарно-денежного обращения. Не было исторических условий для массового облапошивания сограждан, хоть ты тресни! Мошенники вынуждены были, так сказать, заниматься «адресными» аферами: обманывать жертв поодиночке. Скажем, увлечь купца или богатого горожанина рассказом о закопанном невесть где богатом кладе и выманить под это дело некоторую сумму Или продавать фальшивые «священные реликвии»: перо из крыла архангела, кусочек креста, на котором был распят Христос. Доход от такой индивидуальной трудовой деятельности был, легко догадаться, невысок, а били при оплошке как следует, особенно крестьяне, у которых традиционно всегда под рукой набор тяжелых предметов вроде вил, мотыг и граблей. Чуть побольше зарабатывали господа алхимики – субъекты, уверявшие, будто им удалось изобрести волшебный эликсир, который превращает в золото неблагородные металлы вроде свинца, а то и просто мусор из ближайшей кучи. Поскольку «окучивали» они в основном не пахарей и не ремесленников, а герцогов, баронов и даже королей, доход был гораздо поболее, нежели у продавца «слез Девы Марии» в подозрительной скляночке. Однако и риск – посерьезнее. Считанным единицам из многочисленного племени алхимиков удавалось улизнуть с добычей. Гораздо больше их угодило на виселицу, причем сложилась даже такая традиция: вешать шарлатанов на добротно вызолоченной виселице, в виде черного юмора...

В общем, выбор был невелик: подделать завещание, торговать вразнос универсальным эликсиром от старости, глупости и супружеских измен... Те, кто не мог похвастать и крошечкой фантазии, не мудрствуя, уходили разбойничать на большой дороге.

Положение переменилось, когда настало так называемое Новое время. Строго по учебнику: зарождение буржуазных отношений, вообще появление буржуазии как класса, увеличение количества денег в обороте... А главное – появились первые фондовые биржи. Заведения, как нельзя более приспособленные для мошенничества с размахом. Так оно обычно и бывает с изобретениями. Тот, кто выдумал книгопечатание, тоже, должно быть, полагал, что издаваться будут одни возвышенные и умные книги, но уже в шестнадцатом веке издатели быстренько освоили сборники похабных частушек и скабрезных историй в прозе...

Самое интересное, что впервые *бабахнуло* не на знойном европейском юге, а – в Голландии. Давно известно, что существует «южный» характер и «северный». Южане, как известно, беспокойные, пылкие, темпераментные, северяне же – изрядные тугодумы, медлительные и флегматичные. Можно ли себе представить, что действие великой драмы «Отелло» разворачивается, скажем, в Швеции? С превеликим трудом. А понятие «плутовской роман» связано в мировой литературе в первую очередь с Италией и Испанией.

И тем не менее первая в европейской истории финансовая пирамида *рванула* как раз в Голландии с ее тяжелым на подъем, флегматичным народонаселением. Связана она была... с тюльпанами.

Эти и в самом деле красивые цветы завезли в Европу из Турции примерно в середине семнадцатого века. В Голландии они стали пользоваться особенной любовью, в конце концов отсутствие у богатого человека коллекции тюльпанов стало считаться признаком дурного вкуса. Достигший определенного уровня благосостояния голландец без оранжереи с турецкими цветочками смотрелся примерно так, как нынешний «новый русский» – без сверкающей лаком машины, часов от Картье и длинноногой блондинки рядом. Ну а за богатыми, как водится, подтянулись и те, что пожиже...

Собственно говоря, в торговле цветами и коллекционировании таковых не было вроде бы ничего плохого...

Вот только цены, цены!

Году к 1634-му в Голландии все прежние отрасли промышленности, торговли и ремесел оказались фактически заброшенными. Чуть ли не все поголовно спекулировали луковицами тюльпанов. За луковку сорта «Адмирал Лифкен» просили 4400 голландских флоринов, «Семпер Август» была еще дороже – 5500 флоринов.

Чтобы понять, много это или мало, нужно присмотреться к формату цен на так называемые обычные товары. А цены были таковы: хорошо откормленная свинья – 30 флоринов, бочка пива емкостью в 1144 литра – 8 флоринов, мужской костюм – 80 флоринов, кровать со всеми постельными принадлежностями – 100 флоринов. Интересно, верно?

Это было какое-то повальное безумие. За луковку помянутого сорта «Семпер Август» один спекулянт предложил четыре с лишним гектара земли (не буераки какие-нибудь, а амстердамская столичная землица для застройки, способная озолотить владельца не слабее, чем ныне пара гектаров в Барвихе...). За другую уплатили 4600 флоринов, плюс новая карета, плюс пара лошадей, плюс полный комплект упряжи.

История сохранила парочку трагикомических случаев, когда по незнанию, говоря нынешним языком, попадали на крутые бабки...

К богатому купцу пришел матрос – сообщить, что наконец-то прибыл корабль с партией товаров, заказанных означенным господином. Купец на радостях одарил посыльного здоровенной копченой селедкой. Уходя, морячок приметил на столе какую-то большую луковку – и, полагая ее обыкновенной «цибулей», украдкой сунул в карман. И пошел на набережную подзакусить.

Тем временем в доме у купца поднялся нешуточный переполох – неведомо куда улетучилась со стола луковка драгоценного сорта все того же «Семпер Августа» стоимостью ровным счетом в три тысячи флоринов!!! Слуги и служанки, чада и домочадцы – все во главе с хозяином долго и безуспешно шарили по дому. И наконец кто-то вспомнил: тут ведь морячок отирался...

Вся орава ринулась на поиски. Долго искать не пришлось – простодушный матрос присел тут же, на набережной. И, когда его обнаружили, успел стрескать и селедку, и луковицу...

Возможно, кому-то это покажется смешным, но простодушный матросик несколько месяцев отсидел в тюрьме за кражу имущества в особо крупных размерах...

Схожая неприятность случилась с заезжим англичанином-ботаником, который в теплице одного богача увидел любопытную луковицу и, не подумав о последствиях, разрезал на кусочки с научными целями. Бедолагу потащили к судье, где он узнал, что ненароком изничтожил «Адмирала Ван дер Эйка» рыночной ценой четыре тысячи флоринов. Жертву научного любопытства держали в тюрьме до тех пор, пока он не возместил ущерба...

Словом, цены взлетели до заоблачных пределов, спекуляции достигли наивысшего накала, превеликое множество народу, забыв обо всех прочих занятиях, занимались обычной биржевой игрой: играли то на повышение, то на понижение, когда цены падали, покупали задешево, когда цены росли – продавали задорого. Почему-то всем казалось, что так будет длиться вечно – или, по крайней мере, на их век хватит.

Размечтались... Уже через пару-тройку лет пирамида с грохотом и треском обрушилась. Поскольку огромные, то есть идиотские цены на примитивные луковицы, из которых произрастали, в принципе, самые обычные цветы, не имели никакой связи с реальной экономикой...

Это был самый настоящий крах. Масса народу разорилась окончательно и бесповоротно – в первую очередь те, кто отдал в уплату за луковицы вполне реальные ценности: дома и землю, лошадей и товары. В один далеко не прекрасный момент они вдруг обнаружили, что остались без кола и двора, лишь карманы набиты дурацкими луковицами, за которые не дают и одной десятой вчерашней цены...

Что интересно, владельцы тюльпанов поступили в точности так, как нынешние акционеры МММ и родственных контор: послали делегатов к правительству, чтобы то срочно придумало какое-нибудь надежное средство от кризиса. Голландское правительство показало себя вменяемым и толковым: оно заявило, что, поскольку ни с какого боку не причастно к возникновению «тюльпанной лихорадки», то и вмешиваться не обязано. Сами спекулировали – сами и выкручивайтесь. Логично, в общем...

Вдобавок куча народу решительно отказалась платить *прежние* цены по заключенным перед самым кризисом контрактам на продажу. Продавцы кинулись уже не к правительству, а в суд. Судьи опять-таки развели руками и заявили: подобные договоры «носят спекулятивный характер», а значит, любые долги по ним незаконны, и юстиция вмешиваться не собирается...

Те, кто получил реальный доход в звонкой монете или материальных ценностях, как легко догадаться, остались в выигрыше. Зато многочисленные обладатели луковок разорились начисто. Экономика Голландии угодила в состояние глубокого шока, от которого более-менее оправилась лишь много лет спустя...

В общем-то, нельзя назвать эту историю чистой воды аферой – как-никак это вовсе не было происками *кучки* мошенников или считанных торговых домов. В дурацкой игре с превеликим удовольствием участвовала добрая половина страны, если не больше. Но «тюльпанная лихорадка» – это первый в истории пример масштабной биржевой спекуляции, искусственного вздувания цен на предметы, не имевшие связи с общим развитием экономики. Триста лет спустя, в 1929 г., Соединенные Штаты пережили примерно то же самое – только за океаном в роли тюльпанов выступали акции (опять-таки с искусственно завышенной ценой, не отражавшей реальную стоимость и обороты предприятий, которыми были выпущены).

Что любопытно, тюльпанная шизофрения ограничилась исключительно Голландией. И на Лондонской бирже, и в Париже маклеры из кожи вон лезли, чтобы *задрать* цены на луковицы до амстердамских, но ничего у них не получилось. Ни англичане, ни французы не согласились платить бешеные деньги за эти самые луковки. Максимум, что удалось выручить в той же Англии, – сотня флоринов за штучку. А это, согласитесь, не сравнится с голландскими ценами.

Однако не торопитесь воздавать хвалу трезвости и деловой сметке британцев с французами. Прошло не так уж много времени – и в означенных странах раскрутились такие аферы, такие «пирамиды» выросли, что голландская «тюльпанная лихорадка» выглядела на их фоне детской забавой с фантиками...

Хотите подробностей? Извольте!

2. Бумага и золото

Родился однажды в столице Шотландии Эдинбурге, в семье ювелира и банкира Ло сынок Джон. Произошло это примечательное событие, если кто запамятовал, в 1671 г.

Означенный Джон Ло был личностью, приходится признать, незаурядной – с четырнадцати лет изучал основы банковского дела, обладал нешуточными математическими способностями, написал пару книг о торговле, финансах и банковских операциях, сочинил несколько проектов учреждения новых банков, причем один из них был едва не принят шотландским парламентом...

Однако, как частенько случается, у красавца и краснобая Джона Ло по прозвищу Щеголь и Жасминный Джон были еще и другие увлечения, помимо банковского дела. Девять лет наш герой болтался по английским игорным домам, в одном из которых и проиграл ненароком отцовское поместье. Да вдобавок застрелил на дуэли некоего господина (с которым поссорился из-за благосклонности некоей красотки). Попал в тюрьму. Бежал оттуда и перебрался в Европу, где еще четырнадцать лет болтался по игорным домам Италии, Франции, Фландрии, Голландии, Германии и даже Венгрии. Для разнообразия спекулировал ценными бумагами (в Амстердаме), по суду был выслан сначала из Венеции, потом из Генуи, предлагал герцогу Савойскому учредить земельный банк, но понимания не встретил.

В конце концов энергичного шотландца занесло во Францию, чьи финансы тогда находились в состоянии, для описания которого, честное слово, не подберешь слов. Годовой доход Франции составлял тогда 145 миллионов ливров, из которых ровно 143 миллиона уходили на содержание королевского двора и правительства, а на прочие государственные нужды, легко высчитать, уходило два миллиона. Долги королевства, между прочим, тогда составляли три *миллиарда* ливров.

А впрочем, помянутый «годовой доход» был величиной чисто виртуальной – поскольку чиновники, собиравшие налоги, ударились в такое казнокрадство, какого, пожалуй, с тех пор ни в одной стране не удалось превзойти. Тамошняя Фемида попыталась с ними бороться, набивая подследственными Бастилию и все прочие тюрьмы. То ли от обиды, то ли от бессилия приняли весьма пикантное решение: штраф за злоупотребления драли со всех, угодивших под суд, независимо от деталей и величины присвоенного. По очень простому принципу: налоги собирал? Собирал. Злоупотреблял? Злоупотреблял. Гони монету.

Однако как-то так само собой получилось, что персоны крупные то ускользали от следствия, то откупались от огромных штрафов за смешные, в общем, деньги, а суды оказались забиты делами на всякую мелкоту. Операция «Чистые руки» как-то незаметно сошла на нет. В отчаянии высшие судебные инстанции Франции приняли вовсе уж курьезное постановление: «Всякий, против кого до сих пор не возбуждено дела за злоупотребления, считается амнистированным».

Это *было*... Для полноты картины следует добавить, что тогдашнему королю было всего-навсего семь лет, и от его имени правил регент, его дядя. К этому-то регенту, герцогу Орлеанскому, и пришел Джон Ло, со скромным видом сообщивший, что у него есть верный рецепт спасения Франции и ее финансов. Мол, он один знает, как надо...

Идея была простая и где-то даже разумная: в дополнение к металлическим деньгам выпустить некоторое количество денег бумажных, то есть банкнот. Строго фиксированное количество, обеспеченное материальными ценностями. Ло объяснял регенту: банкиров, выпускающих необеспеченные бумаги, надо, не ломая голову, вешать.

Идея понравилась. В мае 1716 г. вышел королевский указ, по которому Джону Ло и его брату разрешалось учредить банк и выпустить банкноты, которые должны были приниматься при уплате налогов.

В течение следующего года дела шли настолько хорошо, что банкноты Ло стоили даже больше, чем металлические деньги. Банк Ло на волне успеха был преобразован в Королевский. И тут регенту пришла в голову «гениальная» идея: коли уж благодаря банкнотам ощутимо наладились финансы, и банкноты стоят поболее даже, чем звонкая монета, нужно напечатать еще бумажек...

И напечатали. На миллиард ливров. Уже ничем не обеспеченная эмиссия. Канцлер королевства, человек неглупый, попробовал было протестовать, но его моментально выгнали в отставку и заменили «своим парнем», которому к тому же доверили и министерство финансов.

И покатилось... Ло тем временем создал компанию, которой принадлежало исключительное право на торговлю в заокеанской провинции Луизиана (она тогда принадлежала еще Франции). Объявлено было, что означенная Луизиана невероятно богата драгоценными металлами (самородки на земле валяются), а потому – покупайте, господа, у Джона Ло акции этого надежнейшего предприятия!

Вот именно, еще и акции – двести тысяч штук, по пятьсот ливров штучка. Как-то незаметно так вышло, что Ло забыл о собственных заявлениях не выпускать необеспеченные бумаги...

Чуть погодя в довесок к луизианской компании была создана еще и индийская – еще пятьдесят тысяч акций, по которым Ло обещал дивиденды в сто двадцать процентов годовых.

Французы ломанулись обогащаться – рядами и колоннами, шеренгами и толпами. Пятьдесят тысяч акций разлетелись со свистом, их цена росла ежедневно. Пришлось допечатать еще триста тысяч, чтобы всем хватило. Все, от графьев до лакеев, кинулись спекулировать волшебными бумажками.

История сохранила интересный пример того, как в мгновение ока на обыкновенной бумаге сколачивались состояния. Некий богач послал лакея продать двести пятьдесят акций, которые стоили восемь тысяч ливров каждая. Пока лакей не спеша тащился на биржу, перемигиваясь с местными красотками и глазея на уличные скандалы, цена одной акции взлетела до десяти тысяч. Именно по этой цене лакей их и продал, после чего честно отдал хозяину денежки (двести пятьдесят умножить на восемь тысяч...), а неожиданный навар, ровным счетом полмиллиона, без колебаний прикарманил: мол, по сколько ему велели продать, по столько и продал... У мужичка хватило ума не лезть в дальнейшие биржевые игры – он взял расчет, сложил денежки в мешок и в тот же вечер уехал за границу «пожить барином».

Остальные проявили гораздо меньше здравого рассудка – спекуляция банкнотами и акциями, игра то на повышение, то на понижение продолжалась. Банкнот, имевших хождение наравне со звонкой монетой, по стране гуляло несметное количество – и, как неизбежное следствие, вверх поползли цены на все без исключения товары и услуги. Называется это незатейливо: инфляция.

В начале 1720 г. мелодично задребезжали первые тревожные звоночки. Среди массы увлекшихся азартными играми индивидуумов нашлись здравомыслящие люди, сообразившие, что пирамида рано или поздно должна рухнуть. Начали потихонечку менять бумажки на золото и серебро, ювелирные изделия и вывозить за границу. Некий брокер по фамилии Вермале, из простых, но не дурак, выручил за свои бумажки золотой и серебряной монеты на миллион ливров, сложил все это добро в простую крестьянскую телегу, завалил навозом, сам напялил крестьянский балахон и, перекрестившись, двинул к бельгийской границе. Все встречные полицейские воротили нос от этакого благоухания, и хитрец Вермале благополучно добрался до Амстердама, где положил денежки в банк и стал с любопытством ждать, чем кончится вся эта шизофрения, охватившая его любезное отечество. Таких, как он, к тому времени в Амстердаме набралось изрядно.

А во Франции Ло и его покровитель регент лихорадочно искали способы поправить ситуацию. Ло не придумал ничего лучше, как протолкнуть указ, по которому почти полностью запрещалось обращение металлических денег – ни один человек не мог иметь в собственности более пятисот ливров золотом и серебром. Любые сделки, превышавшие эту сумму, следовало оплачивать исключительно *бумагой*.

Герцог Орлеанский тем временем распорядился напечатать еще банкнот – на сумму в полтора *миллиарда* ливров. А параллельно два «великих финансиста» устроили то, что мы сегодня назвали бы «пиар-акцией». В Париже наловили шесть тысяч бродяг, выдали им новую одежду, кирки и лопаты и отправили средь бела дня пешим ходом в портовые города. Народу объясняли, что это, мол, отплывают в Луизиану добровольцы-золотоискатели, разрабатывать только что обнаруженные там богатейшие месторождения.

Некоторая часть бродяг и в самом деле сдуру отправилась в Америку, но большинство продали кирки с лопатами еще по дороге и разбежались. Тем не менее затея удалась, на какое-то время акции «золотых рудников» полезли вверх.

Но потом все обрушилось. Банкноты (которых успели нашлепать на два с половиной миллиарда ливров) начали изымать из обращения, платя за каждую четверть даже не биржевой цены, а обозначенного на них номинала. Весь Париж кинулся в банки, чтобы выручить за пустые бумажки хоть что-то. Давка была такая, что у дверей пятнадцать человек задавили насмерть.

Джон Ло, прекрасно понимавший, чем ему грозит дальнейшее общение с разъяренными парижанами, украдкой выехал за границу, а его брат оказался не таким везучим и попал в Бастилию, где задержался на три с лишним года.

Пирамида обрушилась.

Вообще-то многие исследователи тех времен и событий сходятся на том, что Джон Ло не был примитивным мошенником, а искренне верил в свою «систему», в то, что бумажные деньги вылечат хворую экономику. Это похоже на правду, потому что Ло, достоверно установлено, все свои прибыли вкладывал в земельные владения во Франции, за границу не перевел ни гроша и оказался за рубежом практически без денег, с одним-единственным алмазом в кармане. Умер, кстати, через несколько лет в совершеннейшей нищете.

Похоже, это и в самом деле поведение человека, не намеренного «украсть сто рублей и убежать». Но Франции от этого не легче: эпопея с «бумажками» искалечила тысячи судеб и нанесла экономике и финансам страшный удар, от которого страна не оправилась до самой революции. Некоторые полагают, что именно деятельность Ло революцию и приблизила...

3. А в это время в Англии...

А в это время в Англии добрые британцы, которым следовало бы сделать выводы из печального французского опыта, добросовестно и в массовом порядке наступали на те же самые грабли, прямо-таки по-детски изумляясь, когда грабли хлопали их по лбу...

Проще говоря, и в Англии пышным цветом расцвели натуральнейшие финансовые пирамиды: появилось превеликое множество сомнительных «компаний», которые наперебой выпускали акции, чья стоимость поначалу достигала заоблачных высот. Но впоследствии...

Печальное первенство здесь, безусловно, держит знаменитая «Компания Южных морей», основанная не безродным проходимцем из лондонских трущоб и не заезжим евреем, а родовитым джентльменом мистером Харли, носившим древний титул графа Оксфордского. Каковое обстоятельство, впрочем, тех, кто клюнул на посулы его сиятельства, не обогатило, скорее наоборот...

Ради экономии места историю данной компании лучше изложить кратко – тем более что она практически повторяет эпопею Джона Ло. Компания заявила, что она, во-первых, намерена наладить обширнейшую торговлю с теми самыми Южными морями, а во-вторых, договориться с испанским королем, чтобы он допустил английских золотоискателей в Южную Америку, где они моментально и в массовом порядке обогатятся. Под это дело была напечатана чертова туча акций. Далее – как во Франции. Какое-то время англичане упоенно спекулировали акциями (а они все росли в цене, все росли!), потом пирамида обрушилась. Выяснилось, что никакой торговли в Южных морях, собственно, и не ведется. И испанский король делиться американскими золотыми приисками не намерен. И акции – не более чем резаная бумага, на которой типографской краской что-то такое намазюкано...

Хитрее и предусмотрительнее всех оказался казначей компании мистер Найт – он собрал бухгалтерские книги и втихомолку улизнул «на континент» (надо полагать не с пустыми карманами). Оставшимся в Англии совладельцам и директорам «Компании Южных морей» повезло гораздо меньше: кто-то из них был изгнан из парламента, кто-то угодил в Тауэр, и абсолютно у всех в возмещение ущерба конфисковали примерно девяносто процентов движимого и недвижимого имущества. Что, впрочем, все равно не помогло возместить ущерб всем пострадавшим, отдававшим в свое время полновесные фунты стерлингов за пустые бумажки...

Глубоко ошибается тот, кто решит, будто эта печальная история британцев чему-нибудь научила. Держите карман шире! Они только-только вошли во вкус!

Акционерные компании, прозванные впоследствии «мыльными пузырями», учреждались в Англии в таком количестве, что точного их числа не назовут и самые дотошные историки. Все эти шараги действовали по шаблону: выпускали акции и торговали ими средь бела дня, обещая баснословный доход. С прискорбием рискуя оскорбить чувства монархистов, должен уточнить, что одной из таких фирм заправлял не кто иной, как наследник британского престола принц Уэльский, *срубивший* в одночасье сорок тысяч фунтов чистой прибыли (в пересчете на нынешние доллары США – около девяти миллионов баксов)...

Названия некоторых «пирамидок» – просто песня!

«Предприятие по обеспечению гарантированных выплат заработной платы морякам».

«Предприятие по сушке солода горячим воздухом».

«Компания по извлечению серебра из свинца».

«Компания по страхованию всех господ и дам от убытков, которые могут понести по вине прислуги».

«Предприятие по закупке и экипировке кораблей для борьбы с пиратами».

«Предприятие по усовершенствованию мыловарения».

«Компания по заселению острова Санта-Крус».

Смеяться не рекомендуется. Все до единой эти фирмы были действующими – то есть успели выпустить акций на приличные суммы (иногда – на миллионы) и собрать немалые деньги с любителей халявы. А ведь было еще «Предприятие по превращению ртути в ковкий чистый металл», «Компания по изготовлению пушек, стреляющих прямоугольными ядрами». По поводу последней тогда же в Лондоне появилась карикатура со следующей подписью: «Замечательное изобретение для уничтожения толпы дураков доморощенных вместо дураков заграничных. Не бойтесь, друзья мои, сей ужасной машины: ранены только те, кто на нее скинулся».

А как вам, друзья мои, компания по созданию вечного двигателя? (Акционерный капитал – миллион фунтов!)

Ну хорошо. В конце-то концов тогдашняя наука еще вполне допускала существование вечного двигателя. Но как быть с «дураками доморощенными», которые понесли денежки создателю акционерного общества с названием «Компания по получению стабильно высокой прибыли из источника, не подлежащего разглашению»?

Была и такая! Ее учредитель объявил, что намерен выпустить пять тысяч акций по сто фунтов каждая. Но платить сразу сотню не обязательно. Каждый, кто внесет задаток в два фунта, получит на руки свежеотпечатанную акцию, по которой ему в конце года выплатят уже сотню фунтов. Остальные девяносто восемь, так и быть, можно внести через месяц, на собрании акционеров.

Этого джентльмена не сволокли к судье и не заперли в сумасшедший дом. Когда в девять часов утра он открыл «пункт продажи акций», его форменным образом штурмовала толпа. К трем часам дня (всего через шесть часов!) глава предприятия успел облагодетельствовать акциями ровно тысячу человек – собрав с них, как легко подсчитать, две тысячи фунтов стерлингов. По тем временам на эти деньги можно было купить богатое поместье (в пересчете на доллары США – 440 000 баксов).

Прохвост сей не стал искушать судьбу. Ровно в три часа дня он закрыл заведение, пообещав, что остальных жаждущих удовлетворит завтра, собрал денежки в мешок и прямым ходом направился в порт. Переправился через Ла-Манш и бесследно растворился на европейских просторах. Никто его больше не видел в Англии, его так никогда и не нашли, и до сих пор неизвестно, как его звали, из каких он был мест и какого происхождения. Лично я подозреваю, что столь талантливый человек не остановился на достигнутом и долго еще практиковался уже на европейских дураках...

Ну, разумеется, власти зашевелились. Сначала «тайный совет лордов-судей», а потом и сам король выступили с декларациями, где объявили *восемьдесят шесть* подобных акционерных обществ противозаконными и под угрозой огромного штрафа запретили брокерам покупать и продавать их акции.

Но это был еще далеко не конец. Подобные события еще не раз повторялись в доброй старой Англии: «паника 1825 года», «дутые предприятия 1836 года», «Великая Железнодорожная Мания 1845 года». По тому же сценарию, с тем же печальным финалом.

Как видим, тяга части человечества к неприкрытой халяве неистребима – и частенько поражала те страны, которые мы отчего-то привыкли считать олицетворением здравого смысла и классических рыночных отношений...

А теперь – о том, как инициаторы крупнейших афер ухитрялись еще сто лет назад их маскировать, пуская «общественность», да и юстицию тоже, по ложному следу...

4. Американская «стройка века» и германские шпионы

Осенью во Франции с превеликим шумом раскрутилось шпионское дело, протекавшее по всем канонам голливудского боевика – хотя кинематограф в те времена делал лишь первые младенческие шаги, а самого Голливуда как поселка, кажется, еще не существовало вовсе.

Французская контрразведка вербанула некую мадам, горничную супруги германского посла в Париже, и означенная особа украдкой шарила в мусорной корзине хозяина и хозяйки. В мусоре можно порой найти массу интересного, если выбрасывает его посол серьезной державы...

И вот однажды добросовестная горничная принесла шефам обрывки несомненного шпионского донесения, из которого явствовало, что его автор – французский офицер, коварно продающий военные секреты Родины чертовым немцам. Как это обычно и бывает, донесение не было подписано, домашнего адреса автора и других данных о нем не имелось. Но бравые контрразведчики, изучив почерк, пришли к выводу, что предательский документ составлен артиллерийским капитаном Дрейфусом, проходящим стажировку в Генеральном штабе.

Выражаясь строками поэта Роберта Рождественского, «мужичка того недремлющая стража взяла». Дрейфуса незамедлительно отдали под военный трибунал, а поскольку он имел неосторожность оказаться евреем по происхождению, тогдашние «национал-патриоты», как легко догадаться, подняли вселенский гвалт касаемо «проклятых жидомасонов, торгующих Родиной».

И началось... Без всяких преувеличений этот судебный процесс расколол Францию на два лагеря. Правые, монархисты, реакционеры и прочая ультрапатриотическая публика драла глотку, обличая пресловутых жидомасонов в лице бедолаги-капитана. Однако немало людей порядочных и здравомыслящих (далеко не одних евреев) выступили в его защиту. Очень уж грязное было дело, белые нитки торчали из него пучками. Эксперты по почерку разделились на два лагеря, одни уверяли, что допесение писал все же Дрейфус, другие их опровергали. У капитана, в общем, не было убедительных мотивов для того, чтобы внезапно податься в платные германские агенты: он был человек состоятельный, в деньгах не нуждался, вдобавок в карты не играл, долгов не делал, вел скучную жизнь обычного офицера-буржуа. Кроме того, по своему скромному положению в Генштабе он просто-напросто не мог знать тех военных секретов, о которых говорилось в донесении. Трибунал заседал со множеством нарушений.

Дрейфуса признали виновным и приговорили к пожизненным каторжным работам. Но история на этом не кончилась – сторонники Дрейфуса продолжали бороться за его реабилитацию. Благо начали всплывать новые обстоятельства. На горизонте появился гораздо более убедительный кандидат в авторы донесения – еще один французский офицер, выходец из Венгрии Эстергази, числившийся графом. Оказалось, что графский титул он как-то невзначай сам себе присвоил, и, что гораздо более серьезно, почерк самозваного графа как две капли воды похож на тот, каким написан документ из мусорной корзины. И в деньгах Эстергази нуждался остро, а потому не брезговал ничем: вымогал деньги у своих любовниц, спекулировал на бирже, был пайщиком фешенебельного публичного дома...

Борьба вспыхнула с новой силой. Под суд угодил знаменитый писатель Золя, сторонник невиновности Дрейфуса, чтобы не умничал и не писал статей, порочащих армию. Военный министр Кавеньяк пошел еще дальше – он во всеуслышание объявил, что приверженцы Дрейфуса готовят государственный переворот...

Интрига разворачивалась. Эстергази без особого шума выперли в отставку. Главный обвинитель Дрейфуса полковник Анри, уличенный в подделке доказательств, был посажен в тюрьму, где не зажился: уже на другой день после ареста он был найден в камере с перерезанным горлом и бритвой в руке. Никто так и не смог внятно объяснить, как вышло, что у заключенного осталась в кармане бритва – не современное крохотное лезвие, а классическая опасная бритва немаленьких размеров. Заговорили, что это и не самоубийство вовсе...

В 1899 г. Дрейфуса помиловал президент республики, что было, в общем, полумерой. Еще несколько лет шла борьба за полную реабилитацию капитана. Только в 1904 г. дело пересмотрели, Дрейфуса признали полностью невиновным, вернули в армию, а в качестве компенсации за все пережитое присвоили звание майора и наградили орденом.

Другими словами, примерно десять лет эта история, форменным образом расколовшая страну на два лагеря (и взбудоражившая общественное мнение всей Европы) оставалась в центре политических баталий и не сходила со страниц газет. Ее вспоминают до сих пор...

И мало кто знает, что «дело Дрейфуса» было лишь вершиной айсберга. Девять десятых ледяной глыбы, как ей согласно законам природы и положено, оставались невидимыми под темной водой.

А дело-то было совсем не в Дрейфусе!

Мало кто помнит, что Панамский канал начинали строить не американцы, а французы – именно они сначала получили разрешение от тамошнего правительства на «стройку века». Во главе «Компании Панамского канала» поставили знаменитого инженера Фердинанда Лессепса, известного на весь мир создателя другого канала – Суэцкого. Как водится, выпустили акции, продали их, собрали денежки... И даже всерьез начали строительство.

Вот только очень быстро начались неудачи, технические ляпы и откровенное мотовство денег...

На десять тысяч рабочих приходилось две тысячи чиновников. Для компании отгрохали в Париже роскошную штаб-квартиру ценой в два миллиона франков, и еще одну, чуть попроще, в Панаме – это обошлось вдвое дешевле, в миллион (деньги, конечно, были взяты из акционерного капитала). Строительная техника, пусть и самая совершенная по тем временам, оказалась совершенно непригодной для работы в тропиках и быстро выходила из строя – вновь расходы.

В общем, в 1884 г. обнаружилось, что вынуто лишь 7 миллионов кубометров грунта из 120 – но истрачено уж более половины собранных денег. Да притом на сами работы ушла лишь третья часть, а остальное (около 850 миллионов франков) исчезло неизвестно куда...

Дело запахло керосином. Нужно было срочно что-то придумать. Чтобы успокоить вкладчиков, им поначалу выплачивали огромный, совершенно нереальный процент (взятый не из доходов, которым просто неоткуда взяться, а опять-таки из основного капитала). Но потом стало ясно, что таким образом можно в два счета разбазарить и то, что осталось...

Попробуйте угадать, что придумали совладельцы компании... Правильно. Начали выпускать новые акции – вторая эмиссия, третья... седьмая. Но публика, встревоженная просочившейся информацией, новые акции расхватывать не спешила...

Тогда решили не заморачиваться больше с акциями, а устроить лотерею, выпустить облигации выигрышного займа. На них, в отличие от акций, народ мог и клюнуть. Одна существенная загвоздка: по тогдашним французским законам, частное предприятие не имело права устраивать лотереи. Требовалось разрешение парламента и сената.

Препятствие, надо сказать, преодолимое. И в парламенте, и в сенате как-никак заседают не бездушные роботы, а живые люди, которые сплошь и рядом нуждаются в денежных знаках... Как, впрочем, и «свободная пресса».

Известнейший французский журналист Эмиль де Жирарден, поначалу яростно разоблачавший махинации «Компании Панамского канала», внезапно словно воды в рот набрал. Люди, романтически настроенные, верили, что ему просто надоело разоблачать «панамцев» и потребовались свежие сенсации – зато циники говорили, что к означенному журналисту как-то вечерком заглянули ребятки из компании, попили чайку, потолковали за жизнь и, уходя, забыли на столике в прихожей полмиллиона франков...

Тем временем «панамцы» *работали* с парламентом и кабинетом министров. По отзывам иных современных исследователей, барон де Рейнак, ведавший в компании выпуском акций и облигаций, роздал в коридорах власти не менее четырех миллионов полновесных франков. Брали *все* – от мелких клерков до премьер-министра Клемансо. Оптимисты считают, что было подкуплено «всего» 280 депутатов парламента из 510. Пессимисты упорно твердят, что денежки хапнули все пятьсот десять. Как бы там ни было, парламент большинством голосов все же разрешил «Компании Панамского канала» провести эту самую лотерею.

Но это уже не могло спасти никого и ничего. Не менее знаменитый инженер Эйфель, создатель одноименной башни, провел «независимую техническую экспертизу» и объявил, что для успешного завершения строительства канала нужно еще один миллиард шестьсот миллионов франков. А таких деньжищ не смогли бы принести и десять лотерей.

Говоря по-русски, это был кирдык!

Акции мгновенно упали до нуля, за них уже и гроша ломаного не давали, а если и давали, то – по морде. Сотни тысяч облапошенных вкладчиков подняли невообразимый гвалт, требуя скальпов, крови и тому подобных ужасных вещей.

Французская Фемида вяло трепыхнулась. Два главных «мотора» всего дела, барон де Рейнак и его ближайший сподвижник Корнелиус Герц, были уже вне пределов ее досягаемости. Барон как-то очень кстати покончил с собой (правда, обстоятельства были самые подозрительные, а вскрытия почему-то не производили). Герц, предвосхитив на сотню лет Бориса Березовского, сбежал в Лондон и там, казалось, заболел так серьезно, что этапировать хворого назад было бы негуманно.

Правительство в полном составе ушло в отставку. Политическая карьера премьер-министра Клемансо обрушилась навсегда.

Глава первая. О КРАСИВЫХ ЦВЕТАХ И ТВЕРДОЙ РТУТИ

Под суд пошли пешки, главным образом инженеры, совершенно не участвовавшие в выпуске акций и сборе денег: сам Лессепс, его сын и даже почему-то Эйфель. Правда, хлебать баланду им не пришлось: Лессепс *всерьез* сошел с ума от всех переживаний, а двое других вышли по амнистии. Зато на скамью подсудимых усадили министра общественных работ Байо, который на прямые вопросы отчего-то не стал отпираться и твердить, что не было его там – с честными глазами бухнул: «Ну да, брал взяточку, ровно 375 тысяч франков, простите, люди добрые!»

Так он и объяснил: «Затмение нашло». Получил пять лет и конфискацию взятки в доход государства.

На том и кончилось «торжество справедливости»!

Легко догадаться, что многих эта комедия не устраивала – ни помянутые сотни тысяч обокраденных вкладчиков, ни оппозицию, требовавшую копать дальше, сажать больше, выжигать каленым железом на три сажени вглубь. Простите за цинизм, но, по моему глубокому убеждению, любая оппозиция состоит главным образом из завистников и обойденных конкурентов, а эта публика бывает злопамятной и мстительной, как бультерьер...

Одним словом, нашлись политические силы, которые – ну разумеется, движимые лишь заботой о благе народном! – требовали провести настоящее масштабное расследование, по высшей категории. Выяснить, наконец, куда же исчезли сотни миллионов, кто их конкретно прикарманил, а заодно разобраться с ушедшими в отставку столь же нечистыми на руку депутатами парламента (впрочем, кое-кто настаивал, что нужно привлечь всех 510 депутатов!).

Скандал нарастал грандиозный...

И вот тут-то на свет выныривает «шпион Дрейфус»! Мало того – начинают откровенно переводить стрелки на евреев, и исключительно на евреев – пользуясь тем, что помянутый финансист Герц был как раз таковым. Гремит мощнейшая пропагандистская кампания против коварных евреев, присвоивших денежки честных французов (при том, что среди сотен тех, кто набивал карманы, евреев – горстка, а большинство – чистокровные французы, хоть в крестоносцы записывай!). Начинается десятилетняя яростная борьба вокруг Дрейфуса...

И уже никто, никогда не вспоминал о том самом детальном расследовании махинаций депутатов и министров, никто больше не искал пропавшие сотни миллионов, никого больше не тащили к прокурорам и в суд...

А посему совершенно ясно теперь, что «дело Дрейфуса» было гениально срежиссированной и прекрасно поставленной «дымовой завесой», на которую переключили внимание «общественности», позабывшей в конце концов и о депутатах-взяточниках, и о миллионах, исчезнувших в карманах темных дельцов...

Не то ли самое мы наблюдали в первые годы перестройки, не к ночи будь помянута? Миллионы наших сограждан топтали друг друга в очередях у газетных киосков и, потрясая скомканными листами, спорили до хрипоты: отравил Сталин Ленина или нет? С кем крутил амуры Дзержинский – с Коллонтай или с Троцким? Луноходом управляли смертники-чекисты! Золото партии зарыто на Лысой горе! «Титаник» потопили большевистские террористы!

Без преувеличений миллионы людей тешились подобными сенсациями, переселившись в некий иллюзорный мир «разоблачений» и «сенсаций». А тем временем шустрые индивидуумы, о которых подробнее будет рассказано чуть позже, сколачивали фантастические состояния... За наш с вами счет, господа мои!

Но вернемся из прекрасной Франции в наше богоспасаемое Отечество. Посмотрим, как в старые времена обстояло дело с олигархами, «пирамидами» и крупномасштабными финансовыми аферами.

Ничего нового. Все уже было когда-то, было...

Глава вторая

В ТЕНИ ДВУГЛАВОГО ОРЛА

Безусловно, первой в российской истории крупной финансовой аферой, имеющей прямую связь с событиями недавнего прошлого, было знаменитое «дело о медных деньгах», похожее на иные махинации конца двадцатого столетия до такой степени, что дух захватывает...

К шестидесятым годам семнадцатого столетия, когда на престоле восседал царь-государь Алексей Михайлович по прозвищу Тишайший, финансы Московского государства пришли в состояние крайнего расстройства. Казна и до того была небогата золотом и серебром (не было в тогдашней Московии месторождений ни того, ни другого), а затяжная война одновременно со Швецией и Польшей, как легко догадаться, только добавила уныния.

Популярно объясняя, в обращении тогда находились деньги одного вида – серебряные копейки. Рубля как такового попросту не существовало – он был всего лишь условной счетной единицей. Сто копеек составляли «рубль», и не более того. Ходило еще некоторое количество опять-таки серебряных заграничных монет «ефимков». На них ставили штемпель, и они именовались «ефимок с признаком». Вообще-то тогдашняя копейка не имела ничего общего с *мелочишкой* последующих столетий. Серебряная копеечка, на наш сегодняшний взгляд крохотная и легонькая, была триста лет назад денежкой солидной, и купить за нее можно было много чего...

Но казна оскудела, и серебра стало катастрофически не хватать. Тогдашняя администрация в лице самого царя и его ближних бояр отыскала, как ей казалось, гениальное решение: если серебра недостает, нужно отчеканить деньги из меди... и царским указом *приравнять* эту медь к серебру! Как писал чуточку позже, при Петре I, один из первых экономистов России (не по значимости, попросту один из первых исследователей предмета) Посошков, «царь волен и копейку за гривенник считать».

Вот царь и повелел: считать отныне медную копейку равной серебряной...

Джона Ло тогда еще не существовало и в проекте, его печальный опыт еще не стал достоянием общественности, так что можно с полной уверенностью (увы, без всякой национальной гордости) утверждать: Россия первой наступила на те грабли, что именуются «выпуском необеспеченной денежной массы».

Все еще обошлось бы, если бы медных денег выпустили ограниченное количество, примерно сообразное с имевшимся в обращении серебром. Но те, кому была поручена финансовая реформа, запустили станки на полную мощность, *нашлепав* кошмарную уйму медяков. Естественно, *грохнула* инфляция. Курс меди по отношению к серебру падал и падал: 3 медных копейки за одну серебряную... 5... 10... наконец 17!

Естественно, цены взлетели до небес. Что ударило не только по ремеслам и торговле, но в первую очередь по тогдашним «бюджетникам» – например, военнослужащим, которые получали жалованье исключительно медью.

Но главное даже не в инфляции... Внимание!

Среди тогдашней «элиты» моментально отыскались неглупые субъекты, усмотревшие немалую выгоду персонально для себя. Моментально сколотилась теплая компания, которую стоит называть то ли Семьей с большой буквы, то ли попросту мафией. В нее входили боярин Илья Милославский (тесть царя), думный дворянин Матюшкин (муж тетки царя), боярин Ртищев и крупнейший московский купец Шорин. Идея была простая, но гениальная: помянутые (вместе с кучей народу пониже рангом) покупали медь, привозили ее на Монетный двор вместе с государственной, а там состоявшие в доле мастера, кроме «госзаказа», чеканили из «левой» меди самую настоящую, официальную монету, которую отдавали заказчикам... Благо Монетным двором руководил как раз Матюшкин, что облегчало задачу и обеспечивало процветание... Это как если бы Березовский с Гусинским под покровом ночи привозили бы на Гознак бумагу с краской и получали взамен самые настоящие купюры...

Сколько было начеканено «воровских денег», в точности до сих пор неизвестно, и вряд ли когда-нибудь будет установлено точно. Но ясно, что немало – если уж даже простые исполнители, мастера-монетчики (а они, глядя на «старших пацанов», тоже стали добывать медь и чеканить денежку уже для себя), вмиг разбогатели до неприличия, построили себе хоромы, жен одевали, как пишут современники, «по-боярски»...

И грянули события, оставшиеся в истории под именем Медного бунта...

В Москве собралась громадная толпа народу, куда сбежались представители чуть ли не всех сословий: ремесленники, наемные рабочие, солдаты (и даже офицеры!), духовные лица. Хватало и купцов, причем не обязательно мелких. Дело в том, что власти с купечеством вели крайне нечестную игру: принудительно скупали у них все предназначавшиеся на экспорт товары за медь, а иностранцам продавали за серебро. Купцы при этом вынуждены были приобретать весь импорт исключительно за серебро (рассудительные иноземцы на медные копеечки и смотреть не хотели), но продавали его «внутреннему потребителю» опять-таки за медь, поскольку серебра у этого самого потребителя практически не осталось...

Для начала бунтовщики разнесли по бревнышку богатую московскую усадьбу помянутого купчины Шорина (сам он успел где-то спрятаться и потому уцелел). На заборах во множестве появились самые натуральные прокламации, где некие грамотеи с большим знанием дела описывали механизм аферы и называли главных виновников. После чего толпа двинулась в подмосковное имение царя Коломенское, где потребовала от самодержца отдать под суд всех мошенников, начиная с «головки». Общение царя с народом было настолько неформальным, что, по воспоминаниям очевидцев, несколько человек «держали царя за пуговицы».

В Коломенском, как на грех, не оказалось в ту пору никакой военной силы, а потому государь Алексей Михайлович, оправдывая свое прозвище, держался скромно, ногами не топал и посохом не грозил, вежливо обещая пресечь все злоупотребления и покарать всех виновников. Но тут прискакали стрельцы вместе с дворянской конницей, и государь моментально перестал изображать Тишайшего...

В самые короткие сроки было казнено семь тысяч человек и отправлено в ссылку не менее пятнадцати тысяч. Большей частью это были не бунтовщики (которых тогдашние источники насчитывали сотни две), а простые зеваки, отправившиеся поглазеть, чем кончится разговор царя с мятежниками, но кто в таких случаях разбирался, что в России, что в другой стране.

Однако этот бунт все же вынудил власти с царем во главе принимать срочные меры. Началось следствие. Как много раз случалось и прежде, и потом, и в нашем Отечестве, и в иных державах, крайними стали «стрелочники», то есть те самые монетных дел мастера (среди которых, впрочем, невинных овечек не было). Рубили руки-ноги, клеймили раскаленным железом, драли кнутами, ссылали в Сибирь, отбирали неправедно нажитое. Но *персоны* отделались легким испугом – что Ртищев, что Шорин, что прочие. На своего тестя Милославского царь лишь «посердился». А медные деньги казне пришлось скупать у населения – по крайне дешевой цене, правда. Но, как бы там ни было, а подобных экспериментов с «суррогатами», чья стоимость искусственно завышена, государство более не производило...

Лично мне эта история крайне напоминает иные аферы нашего времени. Похожести столько, что жутковато делается...

Но все же Милославского с компанией еще нельзя, строго говоря, назвать «олигархами». Они – не более чем удачливые мошенники, провернувшие одномоментную аферу (пусть и с огромной прибылью). Под олигархом я в этой книге понимаю индивидуума, который завладел большими материальными ценностями (заводами, нефтяными месторождениями, другими торговыми и производственными предприятиями), причем непременно – в результате большей частью противозаконных махинаций. Сергей Мавроди, таким образом, олигархом безусловно не является – в отличие от, скажем, Ходорковского.

Первым в отечественной истории, к кому с полным на то правом применимо определение «олигарх», стал сподвижник Петра I Александр Данилович Меншиков.

Часть своих несметных богатств он сколотил чисто феодальными методами: завладел огромными поместьями с тысячами крепостных, частью пожалованными императором, частью присвоенными, как говорится, «в результате злоупотребления служебным положением». Благо служебное положение у него было на зависть многим: собственно, второй человек в государстве после императора. Влияние на государственные дела и все без исключения государственные учреждения огромное. А потому Меншиков, случалось, захватывал в личную собствешность целые *города* – Копорье, Ямбург, Батурин и проч. Впрочем, часто земли с крестьянами покупал честно, но, заметим, на денежки, нажитые всевозможными махинациями или примитивным казнокрадством, равно как и взятками.

Однако у князя Меншикова хватало и всевозможных промышленных предприятий. Три кожевенных завода. Три завода по производству парусины. Винокуренные заводы. Рыбные промыслы на Волге. Многочисленные лесопильные мельницы. Соляные промыслы. Стекольные и хрустальные заводы. «Рудни», в которых выплавляли железо. И, наконец, масса недвижимости в Москве, которая сдавалась внаем (бани, торговые лавки, харчевни, мельницы, погреба и др.).

Меншиков, таким образом, активнейшим образом участвовал не только во внутренней торговле, но и во внешней, установив постоянные тесные связи с купцами, судовладельцами и банкирами не только Англии, Голландии, германских государств, но и со всеми мало-мальски заметными в мировой торговле странами Европы.

Казалось бы, обычное предпринимательство на широкую ногу? В том-то и дело, что честной игрой тут и не пахло. Пользуясь близостью к Петру, Меншиков, например, добился от него для себя *монополии,* полной свободы рук на Белом море, где его компания добывала «морского зверя» (тюленей и моржей) и ловила треску. Естественно, никто другой и носа сунуть не мог в те места, а это, согласитесь, мало напоминает честную конкуренцию. Вдобавок, пользуясь монопольным положением, люди Меншикова за бесценок, но в огромных количествах, скупали у тамошнего населения рыбу и ворвань – жир помянутого «морского зверя». Продавали, как без труда догадается читатель, гораздо дороже. Местное население вынуждено было, скрепя сердце, отдавать свой товар за гроши – поскольку выбора не было. Ворвань, между прочим, для того времени была товаром крайне необходимым – при выделке кож и мыла, конопачении кораблей и лодок, смазке механизмов.

Типичное олигархическое поведение, прекрасно знакомое по нашей с вами действительности, – пользуясь связями и влиянием в высших эшелонах власти, стать монополистом в какой-то области... Кстати, «Компания Белого моря» злоупотребляла своим монопольным положением так беззастенчиво, что Петр I в конце концов ее прикрыл...

Сплошь и рядом люди Меншикова, работавшие на внутреннем рынке, попросту вытесняли конкурентов, пользуясь авторитетом *босса* и его местом в государственной иерархии. Пошлин, которые обязаны были платить купцы и предприниматели, наш герой большей частью, разумеется, не платил. Нанимал на свои рыбные промыслы беглых крестьян, на свои мельницы посылал в качестве бесплатной рабочей силы солдат местных гарнизонов (поскольку занимал немалые военные посты), опять-таки, пользуясь своим положением, перехватывал самые выгодные подряды на поставки в казну. Наконец, безбожно завышал цены на свою продукцию (те же кирпич и доски). Какая уж тут честная конкуренция и открытый для всех рынок...

О предпринимательстве Меншикова известно мало – не оттого, что нет документов, а исключительно потому, что историки, как я уже говорил, в массе своей пренебрегают скучной экономикой, зацикливаясь на сражениях, придворных интригах и прочих красивостях. По компетентному мнению знающих людей, документов – масса, но никто ими особо не интересуется...

Меншиков, кстати, был первым россиянином, кто догадался вывозить прибыль за границу, то есть прятать ее не в кубышке под раскидистым дубом, а в европейских банках. К моменту своего падения Александр Данилович успел отложить на черный день в лондонских и амстердамских банках девять миллионов рублей, и еще на миллион бриллиантов и «ювелирки». Для сравнения: *весь* государственный бюджет Российской империи в 1724 г. составил всего-то шесть миллионов двести сорок три тысячи девяносто восемь рублей.

Разумеется, он был не один такой умный. Многие сановники того времени занимались чем-то похожим, но у Меншикова было громадное преимущество перед всеми – административный ресурс.

Вот только ворованное не пошло впрок. Когда Меншикова отправили в ссылку, где он вскоре и умер, его детей ненавязчиво, но решительно убедили перевести все заграничные вклады обратно в Россию, прямиком в казну...

Еще лет сорок после смерти Петра наши доморощенные олигархи процветали с помощью той же системы: пользуясь близостью к императрице Анне или императрице Елизавете, выпрашивали те или иные монополии, что обеспечивало приличные доходы (опять-таки находившиеся в решительном противоречии с честной конкуренцией и законами рынка). Только Екатерина II, умнейшая женщина, немало сделавшая для развития промышленности и торговли, с вышеупомянутыми «монополиями» решительно покончила – отчего экономике вышла только польза.

Правда, на протяжении всего восемнадцатого столетия (и доброй половины девятнадцатого) процветала еще одна разновидность отечественных олигархов – промышленники и горнозаводчики, в первую очередь уральские. Тот же классический набор: захват заводов и разорение конкурентов самыми грязными методами, подкуп государственных чиновников и разветвленная коррупция, «покупка» земель у пастухов-башкир по копеечной цене и прочие художества, которые еще ждут своего исследователя. Сюжетов для приключенческих романов здесь множество: случалось, что бесследно пропадали в уральской тайге ревизоры из столиц в немалых офицерских чинах, с полным набором полномочий, а знаменитого Демидова всерьез подозревали в тайной чеканке денег (из полновесного серебра, но деяние, тем не менее...)

Самое печальное – это то, что интересы доморощенных олигархов сплошь и рядом шли вразрез с государственными. Убийство императора Павла I несло стопроцентную экономическую подоплеку, о чем вспоминают редко. Дело в том, что тогдашнее российское дворянство превратило страну в форменный «сырьевой придаток» Англии. О чем с большим знанием дела писал будущий декабрист Фонвизин: «Англия снабжала нас произведениями, и мануфактурными, и колониальными за сырые произведения нашей почвы. Эта торговля открывала единственные пути, которыми в Россию притекало все для нее необходимое. Дворянство было обеспечено в верном получении доходов со своих поместий, отпуская за море хлеб, корабельные леса, мачты, сало, пеньку, лен и прочее».

Немаловажное уточнение: «все необходимое» поступало в распоряжение исключительно кучки дворян-экспортеров. Обогащало только их, а не реальную экономику страны. Император Павел, немало сделавший для защиты крестьян и солдат от дворянского произвола, повел политику на сближение с Наполеоном и присоединился к торговой блокаде Англии. Для геостратегических интересов страны это было только выгодно. Девяносто девять процентов населения, если не больше, ничего от этого не теряли. Но вот кучка сырьевых экспортеров...

Они-то и составили заговор, закончившийся убийством Павла. Это уже был не «феодальный бунт», а нечто новое. Не зря один из главарей заговора, Валерьян Зубов, когда убийцы перед выступлением собрались на ужин с шампанским, произнес речь, где прямо указал на «безрассудность разрыва с Англией, благодаря которому нарушаются жизненные интересы страны и ее экономическое благосостояние».

Прогресс налицо: уже научились без запинки произносить слово «экономика». И, как впоследствии *наши* олигархи, нахально отождествляют *свои* жизненные интересы и *свое* экономическое благосостояние со страной, государством...

Что до финансовых пирамид, то их в нашем Отечестве на протяжении восемнадцатого столетия не отмечено. *Эту* европейскую придумку в России как-то не использовали. Не в последнюю очередь, думается мне, благодаря строгости самодержавной власти, которая, есть подозрение, поступила бы с организаторами «мыльных пузырей» гораздо круче, чем англичане и французы. Что ни говори, а в самодержавии есть и положительные стороны...

Равным образом и в царствование Николая I, человека умного и деятельного, совершенно напрасно ославленного тираном и душителем прогресса, крупные финансовые аферы опять-таки не случались (казнокрадство не в счет, это чуточку другое).

Но вот скончался просвещенный консерватор Николай, в России началась этакая оттепель во всех областях жизни, завелся явный либерализм, всевозможные прогрессивные новшества...

И «пирамиды» в том числе!

Жил-был в провинциальном городке Скопине, неподалеку от Рязани, купеческий племянник Иван Гаврилович Рыков. Оставшееся от дяди состояние (двести тысяч рублей) наш молодец быстро промотал – и задумался, как жить дальше. Тут, как нельзя более кстати, в тихом Скопине власти учредили банк – и его директором назначили нашего героя, посчитав, что он перенял от дяди умение вести финансовые дела.

Умение Иван Гаврилович и вправду перенял – какое-то время банк работал с нешуточной и совершенно честной прибылью. Но чуть погодя Рыков решил поработать на себя...

Он, ручаться можно, не знал такого слова «финансовая пирамида», но именно ее, родимую, взялся строить. Для начала опубликовал в местных и столичных газетах массу статей, на все лады расхваливших скопинский банк – разумеется, не своим именем подписанных. Усердие редакторов объяснялось просто: каждый из них получил в банке беспроцентный кредит (ага, насчет этого уже тогда соображали!).

Примерно в 1865 г. Рыков на волне рекламы начинает *шлепать* облигации – как в других рассмотренных нами случаях, в несметном количестве, превышающем денежное обеспечение. Облигации идут нарасхват, те, кто успел первыми, получают высокий процент – за счет тех, кто принес денежки позже. Классическая картина, которую потом повторит Мавроди.

Далее начинается коррупция. Рыков берет на второе, негласное жалованье всех мало-мальски заметных чиновников – от судей до телеграфистов. И печатает облигации вволю, и текут денежки...

Нашелся один здравомыслящий человек – купец Дьяконов. Написал «в инстанции» письмо обо всех делишках банкира. Но письмо, а за ним и второе попадают в руки Рыкова (вот они, предусмотрительно взятые на содержание телеграфисты и почтмейстер!). Вслед за тем по неблагоприятному стечению обстоятельств темной ночью сгорает дотла винокуренный завод, принадлежащий... правильно, Дьяконову. Купец разорен, не в силах вернуть долг тому же Рыкову – и попадает в долговую тюрьму.

С обличителем покончено. И Рыков задумывает новую аферу. Заявляет, что поблизости от города-де имеются богатейшие залежи угля и создает «Акционерное общество Скопинских угольных копей Московского бассейна». Главой оного назначает самого себя, выпускает акций на два миллиона рублей, едет в столицу и буквально через пару дней получает официальное разрешение от министра финансов Рейтерна на торговлю означенными акциями. Как он ухитрился этого добиться, истории осталось неизвестным – хотя циники на этот счет имеют свое мнение...

Снова на страницах московских и санкт-петербургских газет разворачивается обширнейшая кампания. По заверениями свободной прессы, акции новой кампании имеют самую высокую в России котировку, а потому их просто обязан купить всякий здравомыслящий человек.

И кинулись покупать... Тем более что на московской Политехнической выставке объявился сам Рыков и продемонстрировал неизвестно где раздобытые куски угля, якобы со «своих» месторождений, а также манекен шахтера, браво рубающего уголек. Под давлением столь веских аргументов публика еще охотнее принялась раскупать акции, а Иван свет Гаврилович, идя навстречу желаниям населения, их печатал, печатал и печатал...

Финал, как и следовало ожидать, был печален – через несколько лет пирамида все же рухнула, как с ними со всеми обычно и случается. В 1882 г. скопинский банк объявили банкротом, а Рыкова притянули к суду. Два года ему удавалось как-то уворачиваться, но в конце концов его все же усадили на жесткую скамейку с двумя солдатами по бокам – и приговорили к ссылке в Сибирь. Дальнейшая судьба «угольного короля» мне неизвестна. Во всяком случае, в деловом мире он более не всплывал.

Вообще вторая половина девятнадцатого столетия в нашем Отечестве отмечена расцветом так называемого грюндерства. Термин этот происходит от немецкого слова «gründen» – «основывать». Первой с этим явлением столкнулась объединенная Германия: массовое учреждение несметного числа акционерных обществ, банков, всевозможных компаний (в том числе и по превращению ртути в ковкий металл), сопровождающееся разгулом биржевых спекуляций и финансовых афер. А там и до России дошло. Правда, в Германии это самое грюндерство все же сопровождалось и бурным промышленным ростом, но в России ограничилось главным образом аферами и махинациями... Национальная специфика, надо полагать.

Афер и махинаций в то время на Руси было несчитано, но подробное их рассмотрение – не тема данной книги. Еще и оттого, что при всей своей многочисленности они были мелкими, ни одна не дотянула до категории «общенациональной».

Поговорим лучше о причинах русско-японской войны 1904-1905 гг. О ее *реальных* причинах. В учебниках советского времени в качестве таковых туманно указывались некие «империалистические противоречия» между Россией и Японией, но это, во-первых, чересчур абстрактное определение, а во-вторых, были самые что ни на есть конкретные виновники. Сталинский нарком Л. М. Каганович говаривал: «У каждой аварии есть фамилия, имя и отчество». Именно так обстоит и в нашем случае. Русско-японская война вспыхнула из-за махинаций кучки аферистов – частью весьма высокопоставленных и пользовавшихся покровительством государя императора Николая II...

Жил в Санкт-Петербурге ротмистр с символичной фамилией Безобразов. Ротмистр – чин невеликий, равен всего-навсего армейскому капитану, но *этот* ротмистр был не простой. Служил он не в захолустных драгунах, а в гвардейской кавалерии (элитная часть), кроме того, был из не особенно богатой, но приближенной к царскому семейству фамилии и даже занимал при дворе махонький, но все же штатный пост. И был знаком с Николаем, к которому вскоре, как тогда это именовалось, попал в милость. По воспоминаниям современников, веселый был малый, общительный, говорливый, обаятельный...

Именно он в конце концов *пробил* у императора идею организации на реке Ялу (служившей естественной границей меж китайской провинцией Маньчжурия и Кореей) лесных разработок и устройства там деревообрабатывающих фабрик. По заверениям Безобразова, эта затея должна была принести просто-таки фантастические прибыли.

Получив высочайшее одобрение, Безобразов быстро сколотил команду единомышленников, вложивших в предприятие немалые капиталы. Люди были известные и видные: подполковник Мадридов из Генерального штаба, министр внутренних дел Плеве, адмирал Абаза, генерал-майор Вогак, наместник царя на Дальнем Востоке адмирал Алексеев (незаконный сын Александра III), граф Игнатьев, великий князь Александр Михайлович. В конце концов, внес свой пай и сам император.

Стали рубить лес, строить фабрики и производить на них всевозможные столярные изделия... Не особо разбираясь, где территория Маньчжурии, а где – Кореи.

Вот тут японцы забеспокоились всерьез. К тому времени была достигнута неписаная, но серьезная договоренность: русские получают свободу рук в Маньчжурии, японцы – в Корее. Деятельность Безобразова встретила в Токио самое негативное отношение. Там решили, что русские, нарушая достигнутые соглашения, распространяют свою деятельность в японской сфере влияния.

И у японцев, увы, были все основания так думать... По просьбе Безобразова Алексеев выдвинул к самой границе 150 кавалеристов регулярных частей – охраны ради. Не ограничившись этим, Безобразов набрал из китайцев изрядное количество «секьюрити», вооружил их до зубов и двинул на корейскую территорию – чтобы его, сиротинушку, кто-нибудь ненароком не обидел. Российский премьер-министр Витте тогда же назвал эту ораву «бандой разбойников» – должно быть, народец и впрямь был специфический, навербованный отнюдь не среди студентов консерватории и библиотекарей...

Япония негодовала. Россия отмалчивалась. «Пайщики-концессионеры» все больше наглели. Трудами Безобразова в район конфликта стали перебрасываться подразделения регулярной пехоты. Они, правда, именовались «лесной стражей» и были переодеты в гражданское, но этот маскарад никого не мог обмануть.

Японцы усилили свои гарнизоны в тех местах. Русские стали подтягивать к Ялу пехотные батальоны, которых уже не маскировали под «лесников» – так и маршировали в шинелях, с полной боевой выкладкой. Деятельность Безобразова нашла самый живой отклик у тех «ястребов» из российского генералитета, которые всерьез собирались «закидать шапками косоглазых макак». Конфликт раскручивался...

Что до чисто коммерческой стороны дела, то ожидавшихся фантастических прибылей не получилось. Вообще прибылями как-то и не пахло. Затея выглядела провальной.

Тогда Безобразов пошел по пути, который придумали задолго до него: стал выбивать у казны государственные субсидии (для сугубо частного предприятия!). Запросил ни много ни мало – шесть миллионов рублей.

На его несчастье, новым министром финансов был назначен глава Государственного банка Э. Д. Плеске – финансист толковый. По происхождению он был прибалтийским немцем, любил порядок, строгую отчетность и точное следование параграфам. А потому искренне недоумевал: с какой такой стати казна должна субсидировать миллионами частную лавочку?! И всячески тормозил финансирование *мутного* предприятия за казенный счет.

К тому времени оказалось, что продукцию безобразовских заводиков никто, собственно говоря, не желает покупать. На складах компании скопилось нереализованных поделок на кругленькую сумму в семьсот тысяч рублей.

Император волевым решением выделил из тех сумм, которыми мог распоряжаться лично, 200 000 рублей для безобразовской компании, но это уже было как мертвому припарки. Стало совершенно ясно, что наполеоновские замыслы кончились пшиком, и «Компания реки Ялу» обанкротилась самым недвусмысленным образом, спасти ее невозможно никакими силами.

Безобразов, выпросив напоследок у высочайшего покровителя еще немного деньжонок, потихоньку уехал в Швейцарию «на лечение». Адмиралы, министры, великие князья и графы наверняка высказали в его адрес немало матерных слов, видя, что не только прибыли не получат, но и вложенные деньги не «отобьют».

Однако вызванный деятельностью компании межгосударственный конфликт зашел уже слишком далеко, его усиленно раздували с двух сторон, и остановиться никто уже не мог. Русские «ястребы» подталкивали к войне императора, японские – микадо...

И грянули залпы! Японские крейсеры «Асама» и «Чиода» (построены в Англии) ворвались в бухту Чемульпо и вступили в бой с русским крейсером «Варяг» (построен в США, на верфях Филадельфии). Началась самая настоящая война – крайне неудачная для Российской империи, называя вещи своими именами, позорно проигранная, послужившая детонатором первой русской революции 1905 г. и унизившая национальное достоинство Портсмутским миром.

А виновниками ее были Безобразов с компанией высокопоставленных махинаторов, в погоне за халявной копеечкой втравивших страну в нешуточные бедствия. Это не мое субъективное мнение – «Энциклопедический словарь» Ф. Павленкова, вышедший в 1913 г., *единственной* причиной русско-японской войны черным по белому указывает деятельность Безобразова и иже с ним...

Незадачливая «Компания реки Ялу» наглядно продемонстрировала, как ради собственных интересов связанные с высшей властью аферисты и махинаторы наносят порой страшный ущерб интересам государственным.

А далее я намерен решительно отбросить шутливый тон. Как писал тот же Роберт Рождественский, посмеялись, а теперь давай похмуримся...

Речь пойдет о нашем времени, о нашем недавнем прошлом. Тут уже не до шуток...

Глава третья

ВЕЛИКИЙ ГРАБЕЖ

1. Эй, кто там, у руля?

Еще до того, как распался Совстский Союз, и Россия стала независимой, во весь голос заговорили о том, что пора незамедлительно и решительно реформировать оставшуюся в наследство от СССР экономику. Намерение вроде бы самое похвальное: советские фабрики и заводы (а также издательства и киностудии) форменным образом *шлепали* свою продукцию, не обращая ровным счетом никакого внимания на пожелания потребителя. Ни малейшей гибкости, ни даже поверхностного изучения рынка, вместо этого – планы, жестко утвержденные на несколько лет вперед, премии, получаемые не за удачную продажу произведенного, а за количество... ну и всякие прочие уродства.

Безусловно, от старых порядков следовало отказаться. И нет ничего страшного в том, что новую экономику откровенно хотели сделать частной, капиталистической. Какой-то части идеалистов это было, разумеется, неприятно, но к катастрофе подобная реорганизация отнюдь не вела. К тому времени во всех странах, которые принято называть «развитыми», уже существовали сложнейшие, четко проработанные пакеты законов, а также множество серьезных учреждений, заставляющих «частника» играть по правилам. Собственно, все эти законы сводятся к одной-единственной короткой фразе: «Максимум честной игры».

(Очень неплох в этом плане, кстати, израильский опыт. Мне довелось говорить с человеком, который уехал из Израиля, матеря «историческую родину» почище любого антисемита. Дело оказалось в следующем: желая поднажиться, данный индивидуум перепродал кому-то парочку холодильников, деньги получил, естественно, «черным налом» и не заплатил ни шекеля налогов. Какая-то добрая душа стукнула в налоговую. Пришла суровая дамочка, не слушая никаких объяснений, тщательно измерила сантиметром квартиру и вычислила свободную площадь. Потом рассчитала, сколько на ней уместилось бы холодильников (штук тридцать, кажется) – и выписала квитанцию о немедленной уплате налога в таком размере, как если бы виновник продал именно тридцать холодильников. И объяснила безрадостные перспективы, ожидающие того, кто вздумает не заплатить. Судя по неподдельному бешенству, с каким мой собеседник вспоминал эту историю, анекдотом тут и не пахнет...)

Короче говоря, наиболее правильным в такой ситуации, то бишь в период коренной ломки старого уклада и постройки новой экономики, было бы, плюнув на исконную российскую самобытность, попросту переписать один к одному кое-какие американские законы и ратифицировать их на высшем уровне, а нарушителей прессовать жесточайшим образом на американский или германский манер. По уму надо было бы делать именно так. Ну так это ведь если по *уму*...

Однако никто из типусов, громогласно призывавших «войти в мировое сообщество», почему-то ни словечком не заикнулся миллионам сограждан ни о сегодняшних американских реалиях, ни о тех (по-настоящему отличных!) программах, с которыми выходили из кризиса Америка – в 1929 г., или Германия – в 1948 г., или Япония – после Второй мировой. А ведь тот, кто публично объявляет себя экономистом, не только должен, он просто *обязан* знать зарубежный опыт!

Благо не было недостатка и в серьезных западных консультантах, готовых помочь строить не дикий рынок, а цивилизованный капитализм. Видный американский экономист русского происхождения Василий Леонтьев, лауреат, между прочим, Нобелевской премии, открыто говорил, что готов помочь совершенно бесплатно, если его попросят власти новой, демократической России.* Однако Леонтьева отчего-то в Россию не пригласили! Зато по стране с большим успехом гастролировал некий эмигрант, ныне иностранный профессор – и совершенно серьезно (*совершенно* серьезно!) вещал со страниц демократических газет, что во времена Сталина где-то в глуши закопали медный брус в *400 километров* длиной, и если брус этот сейчас выкопать и продать, то каждый россиянин в натуре станет крезом. И нет чтобы отвести заезжего профессора к психиатру напротив, его бред старательно тиражировали. И ведь это далеко не единственный пример!

Ну а параллельно, как уже упоминалось, страну кормили дутыми сенсациями из жизни прежних партийных вождей, разносили в пух и прах сначала Сталина, потом Ленина, и подавляющее большинство наших сограждан, вместо того чтобы подумать о зарубежных примерах решения экономических проблем, день да ночь пересказывали друг другу на кухнях содержание разоблачительных статей и телепередач...

Объяснение столь странным провалам в памяти сегодня может быть только одно: уже тогда, в 1991 году, некоторое количество российских граждан составило проработанный план Великого Хапка – присвоения немногими общего достояния. Коли уж советская экономика должна стать частной, то свою долю обязан получить каждый: ведь та материально-техническая база, что имелась на момент провозглашения российской независимости, не с небес свалилась, а была создана трудом *всех*.

_____

* Его профессиональные качества лучше всего характеризует один-единственный эпизод. В свое время экономика Японии не то чтобы опасно заболела, но, скажем так, ощутимо прихворнула. Японцы пригласили Леонтьева. Леонтьев изучил ситуацию, составил рекомендации. Японцы эти рекомендации скрупулезно выполнили... И через несколько месяцев микадо наградил Леонтьева высшим орденом страны (заметьте: японцы разбрасываться наградами не склонны, идет ли речь о своих гражданах или иностранцах).

И вот тут-то мы вплотную упираемся в Главную Загадку Перестройки. Кто они, эти люди, подготовившие и осуществившие Великий Хапок? Нам пытаются втюхать, что это не то Гайдар с Явлинским, ласково прозванные «мальчиками в розовых штанах», не то младшие научные сотрудники, раньше других смекнувшие, чем и откуда пахнет и какую рыбку лучше ловить в тщательно взбаламученной водичке... А то и вообще на ЦРУ валят – дескать, они, гады заокеанские, все подготовили, нашпиговали страну агентами влияния, а наш КГБ прошляпил, пока с диссидентами боролся.

Однако все эти деятели есть и в Америке – и свои «мальчики в розовых штанах», и ловкие аферисты, и иностранные шпионы. А вот *таких* пертурбаций нет! Почему? Да потому что всей этой публике воли не дают. А у нас – дали...

Это ж какую силищу, какую *властищу* надо иметь, чтобы из всех возможных законов выбрать те, что работают исключительно на Великий Хапок! Так обработать население, чтобы оно не то что не протестовало, не то что не безмолвствовало, а чуть ли не в ладошки чтобы хлопало: «Хапайте, родимые, хапайте! Ай молодцы! Ах надежда вы наша и опора!» И чтобы, наплевав на все, провести корабль тем курсом, который *им* нужен. Чтобы все это обустроить, надо не у бочек с сухарями подъедаться и не на мачте впередсмотрящим торчать: тут надо стоять *у руля*!

Еще раз, большими буквами: НАДО СТОЯТЬ У РУЛЯ!

Только так. И никак иначе.

А теперь вернемся назад, в год 1953-й. Те, кто читал «Ледяной трон», поймут, о чем я говорю. Для тех, кто не читал, повторю: летом 1953 года в Советском Союзе произошел партийный переворот, в результате которого была установлена диктатура партийного аппарата. Сталин пытался отстранить партию от управления страной, но потерпел поражение. И, избавившись от вождя, аппарат начал управлять державой.

Правда, оказалось, что дело это далеко не такое простое, как виделось со стороны. Пока штурвал держал Сталин, все казалось легко. А когда у рулевого колеса встал полномочный представитель оного аппарата, кренделя начались один другого круче. Развалили сельское хозяйство, едва не начали ядерную войну, угробили целинные земли – ну да страна у нас богатая, хлебушек можно и в Канаде за нефть купить, а что до войны – так ведь не началась же! Обошлось!

Когда лысого придурка поперли в отставку, у руля, к счастью, стали люди все же поумнее. Чуть-чуть поумнее. Но не настолько, чтобы выправить все навороченное за десять лет предыдущего правления. Да не очень-то и хотелось. Ибо не было у дорвавшегося до власти аппарата настоящего мотива. Аппарат дорвался до вожделенного – аж до самой конституцией закрепленного права руководить и направлять, при этом ни за что не отвечая и имея все номенклатурные блага и привилегии. Особо пупок надрывать на работе нужды не было – еще в сталинское время страна получила такой толчок, что катилась вперед вроде бы и сама по себе. А то, что она при этом интенсивно разлагалась прямо на глазах – так оно еще и лучше. Поскольку при гниении тепло выделяется. А к вони – к вони и притерпеться можно.

И сказал Аппарат, что это хорошо, тепло и мухи не кусают...

А потом, к середине 80-х, в одной точке пересеклись несколько процессов. Во-первых, движение по инерции закончилось, и телега встала. Поскольку ни на какую самостоятельную деятельность партаппарат не способен в принципе.

Во-вторых, народу такая житуха осточертела до волчьего воя. Народ хотел перемен. Все равно каких, лишь бы выбраться наконец из этой окончательно сгнившей, смердящей кучи. Капитализм так капитализм, хрен с ним, лишь бы что-то новое. О том, что это новое может обернуться такими «благами», как голод и безработица, тогда никто не думал. Ибо единственное, что партаппарат умел в совершенстве, так это... Даже не мозги пудрить, а поддерживать в народе одну-единственную святую уверенность идиота – что все, конечно, не в кайф, но правительство наше, власть наша о нем, о народе, уж как-нибудь позаботится.

А в-третьих... Власть наша – она ведь тоже хотела перемен.

Брежневское время называли геронтократией. Властью стариков. Однако была у этих стариков одна совсем неплохая черта: умеренность в желаниях. Да, были у них спецраспределители, спецпайки и прочее. Да, было у Брежнева шесть автомобилей. Но ведь не шесть же автомобильных заводов, правда? Как говорится в рекламе, почувствуйте разницу!

Но у стариков подрастали дети. И биологические, которых они всеми силами старались пристроить на местечки потеплее. И духовные, выбившиеся из низов. И этим жадным воронятам уже было мало пайков, дач и загранкомандировок. Тем более в командировках этих они увидели много такого, чего на родине при существующих порядках были лишены *навсегда*.

Нет, не магазины, ломящиеся от колбасы и прочих деликатесов. Это приманки для всякой интеллигентской мелочи, которая потом взахлеб станет расписывать сие изобилие в «Огоньках» и «Московских новостях». И не особняки в Лондоне, и не виллы на Канарах. Это будет морковка для так называемых «новых русских», чернорабочих перестройки.

Каждый смотрит со своей колокольни. Кто-то видит колбасу. Кто-то виллу. А кто-то – заводы, газеты, пароходы. Финансовые империи. Транснациональные корпорации. И все это – в частных руках.

А оглядываясь, эти последние видели громадную *неподеленную* страну. Где все это – заводы, газеты и пароходы, нефтяные комплексы и железные дороги – валялось на земле просто так. Только руку протяни.

О чем не задумывались отцы, о том стали размышлять сыновья. До внуков мы еще не добрались, погодите немножко...

Планировать Великий Хапок мог кто угодно. Но осуществить – только одна сила. Те, кто сидел в Кремле. И не зря начало перестройки приходится на смену власти именно по возрастному принципу. Брежнев, Черненко (об Андропове особый разговор) – были стариками. Горбачев – молодым.

Другое поколение.

Не имеющее даже тех жалких остатков совести, что местами наблюдалось у прежнего.

Оно-то, молодое, и срежиссировало Великий Хапок. И, надо сказать, не без умения.

Приемы были грубыми, но эффективными.

Давайте вспомним, с чего все начиналось.

Сейчас время Горбачева привычно связывают с антиалкогольной кампанией. Мол, это был клинический идиотизм, который окончательно подорвал экономику.

Позвольте не согласиться. В определенном ракурсе это был гениальный ход. Да, мужикам нашим кампания «За трезвость жизни» сильно не понравилась... А их женам? Как вы думаете? А? Статистика показывает: не меньше 80% читателей книг – женщины. И прихожан церквей – тоже. И к избирательным урнам идут тоже большей частью женщины.

В 1985 году еще и слова такого – «электорат» – в обращении не было. А Горбачев уже набирал голоса избирателей – для стартового толчка.

Но с незабвенным Михайлой Сергеичем связан еще один процесс, о котором сейчас, после бомбардировок Югославии и прочих подвигов нашего тогдашнего примера для подражания, стараются забыть. Он ввел мораторий на ядерные испытания. Односторонний. Дав тем самым надежду, что обойдется без ядерной войны. И это была такая гиря на весы популярности, что десять антиалкогольных кампаний не перевесят. Именно после этого он стал «человеком столетия», голубем мира.

Да, но... Кто-то же раскручивал атомную истерию. Кто-то писал газетные статьи, снимал все эти «Письма мертвого человека». А кто-то давал на это добро. То есть готовил гениальный, безошибочный ход, давший Горбачеву то, что по-умному называется «кредит доверия». А кто-то ведрами лил грязь на Сталина, предавая гласности историю его «преступлений». Дымовую завесу ставил. А кто-то распинался в путевых очерках о преимуществах капитализма.

Слаженно работали. Как одна команда... Только почему «как»? Это и есть одна команда! Кого из «прорабов перестройки», тех, кто гнал все эти волны, ни ткни, простых людей не найдешь. Сплошь внуки репрессированных аппаратчиков, сыновья профессоров марксизма-ленинизма, члены ЦК или, на худой конец, обкома ВЛКСМ. От каждого ниточка уходит в то, что в те же годы стали называть словом «номенклатура». Хитро иной раз запрятанная ниточка. Вот к примеру: что на первый взгляд может быть общего у изрыгающего потоки грязи «историка» и писателя Антонова-

Овсеенко, сына расстрелянного большевика, отсидевшего пятнадцать лет в лагерях, и Егора Гайдара, внука популярного писателя, сына профессора марксизма-ленинизма? На первый взгляд – ничего. Гусь серый и гусь белый, а порода-то одна! Те еще гуси...

Нынешние олигархи еще протирали штаны на комсомольских собраниях, когда к делу приступили режиссеры Хапка. Первые законы, предваряющие будущую реформу, появились аж в 1987 – 1988 годах: «Закон о кооперации» и «Законодательство о коммерческих банках». И тут же, как грибы после дождя, выросли первые кооперативы и банки. Из недр ВЛКСМ появились так называемые ЦНТТМ – центры научно-технического творчества молодежи. Именно они позволили зародиться и окрепнуть комсомольско-номенклатурному бизнесу – и это уже были не дети, а внуки хрущевских аппаратчиков.

Одним из тех комсомольских функционеров, удачно вытянувших свои первые деньги из государственного бюджета, был Михаил Ходорковский.

Олигархи лишь подбирались к своим первым тысячам, когда Артем Тарасов, мгновенно сориентировавшийся и понявший все прелести посредничества, на весь СССР объявил, что зарабатывает 3 миллиона рублей в месяц (для справки: уровень зарплаты тогда был 100–200 рублей в месяц. Не тысяч, а именно *рублей!*). И показал с телеэкранов свой партбилет, где в графе «партвзносы» значилось: 90 тысяч рублей. Страна, в которой даже слово «бизнес» было ругательным, выпала от такой наглости в осадок. А хозяин партбилета, чтобы не сесть за решетку, вскоре бежал в Лондон, о котором Абрамович с Березовским тогда знали лишь по школьным учебникам. Теперь он утверждает, что оказался поперек горла власти, которая упорно цеплялась за старое. Может быть, и так...

А может статься, и иначе. Просто этот праздник затевался не для таких, как он.

Кооператив Тарасова, как и большинство аналогичных контор, был посредническим. Гнали за границу все, что плохо лежит в России (а что в ней лежит хорошо?), оттуда везли компьютеры и прочий дефицит. Однако, к чести россиян, следует непременно добавить, что имелось и некоторое меньшинство, которое не на митингах горлопанствовало и не мутными гешефтами занималось. К началу 90-х годов частный бизнес был не только торгово-перекупочным, но и производящим: частные автосервисы и издательства, швейные мастерские и кафе, рыбокоптильные цеха, строительные фирмы и многое, многое другое. Начинал формироваться тот самый «средний класс», который образует становой хребет любого развитого государства. Начинала формироваться психология целого общественного слоя, который, в общем-то, намеревался зарабатывать деньги честным образом, своими трудами.

Но праздник жизни затевался и не для них тоже.

2. Наследники пиратов

Исторической точности ради следует непременно упомянуть, что первые приватизаторы завелись вовсе не в России, а во флибустьерском Карибском море в XVI – XVIII веках. И представляли собой разновидность пиратов. Пиратов не следует стричь под одну гребенку! Помянутые флибустьеры (хорошо знакомые нам по «Острову сокровищ» и похождениям капитана Блада) грабили исключительно в собственных интересах всех, кто подвернется, независимо от флага и подданства. Этакие экстремисты дикого рынка.

Но была и другая категория, более респектабельная: каперы. Кои отправлялись на морской разбой не самовольно, а предварительно выпросив у английского или французского короля (или правителя Голландии) официальное разрешение захватывать и грабить в Новом Свете исключительно испанские суда. Эту пиратскую аристократию так и называли – «приватиры». Выдаваемые им документы иногда назывались «каперский патент», а иногда – «приватизационное свидетельство». Где черным по белому было прописано право «*приватизировать* все, что доступно в Новом Свете». Взяв на абордаж испанское судно, предводитель извлекал из кармана бумагу с печатью и в изысканных выражениях объяснял, что он не беспредельщик какой-то – он на законном, изволите ли видеть, основании приватизирует данный корабль вместе с содержимым трюмов. Вот документ, вот печать, извольте ознакомиться. Вряд ли испанскому капитану было легче оттого, что его не ограбили, а «приватизировали».

Я ничего не выдумал. Все это было...

Наши «приватизаторы», должно быть, истории пиратства не знали, иначе, может статься, выдумали бы другой термин. Они еще много чего не знали, наши приватизаторы, так что не стоит их в такой мелочи упрекать. Подумаешь, пираты... они и истории мировой экономики не знали, эти «экономисты». Впрочем, как и истории вообще...

Перед началом битвы, как и положено, последовала артподготовка. Со страниц вознесенных волной перестройки на самую вершину популярности газет, с экранов телевизоров пели гимны «священной частной собственности». Боже упаси, никто и не заикался о том, что национальное богатство провалится в бездонные карманы кучки олигархов! Звучали совсем другие песни...

Вот что писал в газете «Московские новости» от 8.10.1989 один известный деятель: «Идея, что сегодня можно выбросить из памяти 70 лет истории, попробовать переиграть сыгранную партию, обеспечить общественное согласие, передав средства производства в руки нуворишей теневой экономики, наиболее разворотливых начальников и международных корпораций, лишь демонстрирует силу утопических традиций в нашей стране».

Золотые слова! Того, кто это писал, звали Егор Тимурович Гайдар. Всего два года спустя он начал энергичнейшим образом претворять в жизнь ту самую зловещую утопию, которую совсем недавно отрицал.

Ну, что поделать. Не впервые в человеческой истории. Американцы в подобных случаях поминают «казус Мак-Рейнольдса». Означенный Мак-Рейнольдс, будучи в 1913 г. министром юстиции, подготовил очень дельный законопроект: поскольку Верховный суд США переполнен людьми, мягко говоря, преклонных годов, следует ввести простое правило: если судья, просидевший на своем месте десять лет, достиг семидесяти, государство должно волевым решением убирать его в отставку, назначая более молодого. Вот только законопроект так и не был принят, а потом случилось так, что самого Мак-Рейнольдса назначили членом Верховного суда – и он цеплялся за свое место как мог, хотя старику давным-давно перевалило за семьдесят...

...В действительности приватизация шла уже вовсю. На базе существующих предприятий создавались АОЗТ – Акционерные общества закрытого типа, все акции которого распределялись исключительно внутри общества и не могли передаваться на сторону. Рядом с государственными предприятиями создавались частные, во главе которых обычно стоял директор или кто-нибудь из его замов, и сие малое ЧП получало право продавать продукцию большого, играя на разнице цен. Все это являлось подготовкой к осуществлению так называемой номенклатурной приватизации – передаче «заводов, газет, пароходов» в руки тех, кто все это и затевал, то есть партийной номенклатуры. Но рядом горели и другие жадные глаза, и другие загребущие руки шевелили пальчиками – тех, кому при подобном раскладе доставалось либо слишком мало, либо вообще шиш с маслом.

Эти тоже хотели получить как можно больше и готовы были драться не на жизнь, а на смерть.

Не правда ли, если опереточный переворот августа 1991 года рассматривать с позиций передела собственности, то он сразу теряет ореол таинственности?

...Глава победившего клана, первый президент независимой России Борис Ельцин объявил о грядущей приватизации следующими словами: «Нам нужны миллионы собственников, а не горстка миллионеров. В этой новой экономике у каждого будут новые возможности, каждая семья получит свободу выбора. Приватизационный ваучер – это для каждого из нас билет в мир свободной экономики».

Что любопытно: аккурат в то же время по экранам страны с бешеным успехом шел фильм «Собачье сердце», где представители интеллигенции издевались над рецептом всеобщего благоденствия, высказанным устами товарища Шарикова: «Взять все и поделить». Между тем точно по тому же рецепту предполагалось проводить и приватизацию. Вся государственная собственность должна была быть оценена и поделена «по головам». Выходило примерно по 10 тысяч рублей на душу населения – старыми, доперестроечными. После чего этот ваучер человек мог куда-нибудь вложить. Куда именно его следовало вложить, народ сказал уже потом. Открытым текстом.

Прав был Филипп Филиппыч: оный рецепт действительно «космического масштаба и космической глупости». Масштаб был у приватизаторов. Глупость – у всех остальных.

Выдавать билеты в светлое будущее равных возможностей принялись два молодых человека с фамилиями Чубайс и Гайдар.

Среди людей, взлетевших на волнах «перестройки», можно выделить две основные категории. Артем Тарасов назвал их «травоядными» и «хищниками». Первые – прямые наследники «верных ленинцев-хрущевцев», вторые – те, кто, как говорят американцы, «сделали себя сами». Хотя в «делании себя» бывают разные варианты. Можно всю жизнь *вкалывать*, как вкалывал Генри Форд. А можно удачно подсуетиться и попасть в нужное время и в нужное место.

Лучше, конечно, сочетать в себе оба качества. Вроде Ходорковского. Но это уж как повезет.

Итак, вот вам один из «сладкой парочки» отцов нашей экономической реформы. Это, по выражению американцев, «self-made man», то есть тот, кто удачно попал. «Хищник», по Тарасову.

Анатолий Чубайс. В 1985 году, когда все начиналось, ему исполнилось 30 лет. Действительно, он экономист, хотя в то время его пресловутое «знакомство с частным бизнесом» ограничивалось тем, что он торговал цветами в Ленинграде. До 1990 года скромно трудился доцентом Ленинградского инженерно-экономического института. Зато еще в середине 80-х был лидером некоего кружка «молодых экономистов», а в 1987 году стал одним из основателей приснопамятного клуба «Перестройка», сборища болтунов, мечтавших о том, как обустроить Россию.

На волне клуба «Перестройка» этот теоретик и прожектер, отлично, тем не менее, знающий, на какой стороне у бутерброда икра, и оказался в большой политике. Когда поперли КПСС и старые советские кадры, он в одночасье запрыгнул на нехилый пост заместителя председателя исполкома Ленсовета, став экономическим советником первого мэра Петербурга Собчака. Казалось бы, чего еще желать? Собчак тогда ратовал за «свободные экономические зоны» – вот и работай. Твори, выдумывай, пробуй.

Но Чубайс метил выше!

И тут, очень кстати, подвернулся ГКЧП. После той схватки между сыновьями и внуками «верных ленинцев» карьера доцента из Петербурга, удачно оказавшегося в нужном стане, вышла на новый виток. Уже в ноябре 1991 года он – председатель Государственного Комитета РФ по управлению госимуществом. Конторка тогда была малозаметная, никем всерьез не принимаемая – кроме *режиссеров*, уже знавших, во что она превратится в самом близком будущем. С 1 июня 1992-го он стал первым заместителем председателя правительства России по вопросам экономической и финансовой политики и председателем правительственной комиссии по реализации трехгодичной программы экономических реформ.

Хорошая карьерка, не правда ли? Когда попадаешь столь удачно, можно и без папочки в ЦК выбиться в «элиту».

Приватизатор № 2 – Егор Гайдар. Тот самый, по поводу которого массы родили призыв: «Гайдар, убей внука!»

Этот – из «травоядных», по Тарасову, то есть из «наследников». Пассионарность у него поменьше, зато ее недостаток компенсируется хорошими связями. Внук известного писателя, сын номенклатурного журналиста. В самый расцвет «застоя» окончил экономический факультет МГУ, куда так просто не пробьешься. Работал научным сотрудником в ряде контор с названиями, смысл которых без поллитры не поймешь. С поллитрой, впрочем, тоже. Что такое НИИ системных исследований государственного комитета по науке и технике АН СССР? Вот именно.

Впрочем, и в конторах он не засиделся, потому что в 1987 году оказался вдруг заведующим отделом экономики журнала «Коммунист». Надо полагать, за особые таланты. Или за их отсутствие. Пусть каждый сам решает.

С началом перестройки Егорушка тоже засуетился. В 1990 году по его инициативе был создан Институт экономической политики

Академии народного хозяйства СССР, который он же и возглавил. Забавно. И поучительно для начальников отделов всяких там СМИ – вот чего можно достичь усердно... гм, работая. По мановению мизинца для тебя институты создавать будут!

ГКЧП помог и Гайдару. В том же ноябре 1991 года победившие «демократы», ничуть не стесняясь, сделали его первым заместителем премьер-министра и одновременно министром экономики и финансов. Они вообще не стеснялись, эти господа «демократы». Штатные расписания властных структур после августа 91-го, уверяю вас, – чтение посильнее «Фауста» Гёте!

Эти двое, Чубайс с Гайдаром, и стали кумирами либеральной интеллигенции. Обретя предмет поклонения, она подняла столь шумные песнопения во славу экономистов и их реформ, что голоса скептиков, сомневающихся и просто не склонных к торопливости людей, совершенно утонули в этом гаме. Стоит вспомнить шутливый КВНовский лозунг того времени: «Партия, дай порулить!»

Но ведь дали! И на полном серьезе!

Для начала Гайдар отпустил цены. Никоим образом не «повысил»! Отпустил. Мне до сих пор вспоминаются горящие фанатизмом физиономии иных интеллигентов, объяснявших мне, тупому, что Гайдар не «повышал» цен, а – отпустил. Отпустил, отпустил, отпустил, это же совсем другое! Я спрашивал с невозмутимым видом: «Но если то, что стоило три рубля, стоит теперь тридцать три, то разве это не повышение?» Нет, объясняли мне, глядя с сожалением, как на умственно ущербного. То-то и оно, что цены не повышали, а *отпустили*! А когда я смиренно просил объяснить, в чем же, собственно, разница, звучали лишь тирады о «замаскированных врагах перестройки»...

Этой операции тоже предшествовала оглушительная артподготовка. Сам президент Ельцин, в то время невероятно популярный, торжественно заверял на съезде народных депутатов: «Хуже будет всем примерно полгода, затем – снижение цен, наполнение потребительского рынка товарами. А к осени 1992 года, как я обещал перед выборами, стабилизация экономики, постепенное улучшение жизни людей».

И ведь верили. Не кто-нибудь – президент обещает! Реформаторов сами американцы консультируют!

Лауреата Нобелевской премии и кавалера высшего ордена Японии Леонтьева в консультанты к Чубайсу отчего-то так и не взяли – должно быть, по причине его низкой квалификации. Зато в коридорах власти под крылышком Чубайса обосновалась целая команда гораздо более квалифицированных, надо полагать, американских экспертов по экономике из Гарвардского университета – точнее, из так называемого Института международного развития, созданного при Гарварде...

Цинично выражаясь, ребятки там *кормились*. Поскольку получили доступ к деньгам различных российских фондов – например, Фонда защиты инвесторов, куда положено было отчислять два процента от аукционной цены приватизируемых предприятий. Дальше – больше. Заокеанские приятели Чубайса Шлейфер и Хей, надо полагать, стали жить еще лучше, когда через Фонд защиты инвесторов потекли и выдаваемые России кредиты Всемирного банка. И наконец, эта парочка использовала для собственных инвестиционных проектов в России... деньги американского правительства.

Тут уж лопнуло терпение по ту сторону океана. Руководство Гарвардского университета выставило Шлейфера и Хея за дверь, а правительство США, прослышав, куда уходят его деньги, прекратило кредитовать Институт международного развития, после чего он моментально скончался естественной смертью. И наконец вмешалась солиднейшая организация, с которой в Америке шутить как-то не принято: Министерство юстиции. Три года шло расследование, и в конце концов федеральная прокуратура США (отнюдь не самая гуманная контора) предъявила Шлейферу и Хею официальное обвинение в том, что они «использовали государственные средства в целях личного обогащения и пользовались закрытой российской информацией для сколачивания личного состояния». К сожалению, по нашу сторону океана подобных действий так и не случилось. А. Б. Чубайс, пылая благородным гневом, публично заклеймил двух американских аферистов (о темных делишках которых он и не подозревал) и заявил, что немедленно разрывает всякие отношения с Гарвардским университетом.

Правда, специальная комиссия палаты представителей США почему-то назвала Чубайса и Черномырдина «главными коррупционерами России» – то ли рецидив «холодной войны» здесь имел место, то ли неприкрытая русофобия... История темная. Мотивы, побудившие американских сенаторов публично бросаться такими обвинениями, лично мне неизвестны.

Но не будем забегать вперед. Вернемся к президентским обещаниям.

К концу 1992 года розничные цены на потребительские товары возросли в 26 раз. Средняя заработная плата – в 12 раз. Реальные доходы населения к концу первого года реформ составили 44% от далеко не блестящего уровня 1991 года. У честно работающих людей от 60 до 90% доходов уходило на питание. Кроме того, население лишилось вкладов, которые люди накапливали всю жизнь. Но кого это волновало?

Так называемая либерализация цен несказанно подкосила обычных людей, получавших зарплату от казны. А нарождавшийся средний класс, малый и средний бизнес, в одночасье лишился оборотных средств – это все равно что перерезать водолазу шланг, по которому поступает воздух. Автор этих строк к тому времени уже два года работал в частном книгоиздании. Удар был страшным: повезло тем, кто располагал запасами чего-то материального – бумага, нераспроданные тиражи. А вот те, у кого на руках не оказалось ничего, кроме свежеполученной прибыли, разорялись – потому что «прибыль» в одночасье обесценилась, а цены взлетели до космических высот.

Бывают моменты, когда пресловутый «плюрализм мнений» попросту неуместен. Человек, оставивший экономику без оборотных средств, либо глупец, либо работает в интересах кучки замысливших грандиозное ограбление аферистов.

Третьего варианта попросту не существует!

Далее Гайдар и его команда ликвидировали государственную монополию на внешнюю торговлю – отныне всякий желающий мог торговать с заграницей чем угодно и в любых количествах. Притом что были отменены и таможенные пошлины. Да вдобавок за рубеж по высокой «внешней цене» продавали то, что было закуплено здесь же, в стране, по цене низкой, «внутренней».

Вот пример – так, мелочишка. Артем Тарасов в своей книге «Миллионер» с откровенной симпатией рассказывает об одном таком деятеле:

«Деньги Илюша зарабатывал на всем. Он стал торговать редкоземельными металлами, получая невероятную прибыль. У него были фактически приватизированные заводы в городе Лермонтове на Кавказе и в Казахстане, где производились редкоземельные металлы. И он первым придумал этот фантастический бизнес.

Сама процедура вывоза и торговли была необыкновенно проста. Илюша брал чемодан с редкоземельным металлом, садился в свой самолет и вылетал во Франкфурт. Российская таможня на такую мелочь, как чемодан с небольшим количеством металлического порошка, практически не реагировала. Все оформлялось как образцы для анализа.

Там он шел в таможню и говорил: "У меня в чемодане несколько килограммов редкоземельных металлов, дайте мне декларацию, я хочу ее заполнить..." И таможня все подписывала – никто не интересовался, по какому контракту он везет иридий, галлий, осмий, цезий, откуда он все это взял. Он же честно все декларировал, никакой контрабанды не было».

Цены на редкоземельные металлы исчисляются не с килограмма – с грамма! Продолжим цитату: «Средняя сделка заключалась на пятнадцать – двадцать миллионов долларов, и рентабельность была огромной».

Это не было чем-то исключительным – так, рядовой эпизод нарождающегося бизнеса. Подумаешь! Оный коммерсант ведь даже благое дело сделал: помог заводу выжить в мутных водах перестройки.

Вообще, мемуары Артема Тарасова – поучительнейшее чтение. Книга совершенно исключительная по своему какому-то младенческому, ясноглазому цинизму. У автора не возникает никаких нравственных судорог по поводу того, что он со товарищи, по сути, пользуясь бардаком, разворовывали страну. Упор делается на то, что действовали они в полном соответствии с законами – законами мутного времени. А за державу им обидно не было. Дай им волю, они бы, реализуя мрачную беляевскую фантазию, и воздух над Россией выкачали – если б покупатель нашелся.

В том-то и суть. В тех словах, которые произнес российский «таможенник номер один» и за которые он, между прочим, жизнью заплатил, а вовсе не снижением прибыли. Одним обидно за державу, другим же потребно хапнуть и слинять, и гори она, эта Родина, синим пламенем. Угадайте, каких было больше в 1992 году?

В течение даже не лет – нескольких месяцев! – 30% российского нефтяного экспорта и 70% экспорта металлов *выскользнули* из государственных структур в частные. За границу уходило буквально все: от стратегических резервов, металлов и продовольствия до наград и солдатских ремней. Ради соблюдения минимума приличий титан, например, вывозили в виде... лопат: неоструганный кол с корой и сучками, на который насажен лист чистейшего титана в форме садовой лопаты. Или, скажем, вывоз и последующая продажа распиленных танков в качестве металлолома. Эти, с позволения сказать, изделия, вывозились эшелонами.

Так рождались капиталы, которые вскоре будут пущены в дело на ниве приватизации.

Но перед тем было предпринято еще несколько шагов.

Цены были «отпущены» в декабре 1991 года, в качестве новогоднего подарка россиянам от новой власти. Но чтобы торговать по новым ценам, надо было иметь соответствующее количество денег. Запустили печатный станок, и к июлю денежная масса выросла, по официальным оценкам, в 7 раз, а с учетом фальшивок... За 1992 год рост цен опередил рост денежной массы в два раза. Это может означать только одно: 50% ходивших в обращении денег были неучтенными. Проще говоря – фальшивыми или ворованными. Именно на 1992 год приходятся две колоссальные финансовые аферы – с «фальшивыми авизо» и не менее фальшивыми чеками «Россия».

Но и инфляция была лишь подготовкой к грандиозной афере под названием «Приватизация», которую задумали реформаторы.

Только после этих предварительных шагов – «отпуска» цен и раскрутки бешеной инфляции – появился указ о введении приватизационных чеков. Каждый гражданин России, от пенсионера до младенца, получал красивую бумагу с водяными знаками, на которой была обозначена ее стоимость: 10 000 рублей. За пять месяцев – с октября 1992 года по февраль 1993-го – их было выдано 144 миллиона. Счастливым обладателям ваучеров объясняли, что эти драгоценные бумажки они в ходе чековых аукционов могут вложить в акции предприятий, любых, самых прибыльных, а можно еще стать пайщиком чекового инвестиционного фонда, который благородно возьмет на себя все хлопоты по приобретению акций. Чубайс, появившийся на телеэкране, заверил, что в самом скором будущем за каждый ваучер владелец сможет получить две автомашины «Волга». Глаза его при этом были честными, а лицо – серьезным. Чубайс всегда таков: лицо каменное, глаза лучатся искренностью...

Нынешний российский житель сразу понял бы, что это все приманки, что его попросту ловят на блесну, как глупую рыбку. Но *тогда* люди еще доверяли государству. Впрочем, недолго. Вскоре все всё поняли, но против лома, как известно, нет приема... Остается лишь напомнить названия наиболее крупных фирм, занимавшихся в ту пору солидными аферами на финансовом рынке России: ТНК «Гермес-Союз», AVVA (связанная со славным именем господина миллиардера Бориса Березовского), знаменитый «Хопер-Инвест», «Дока-Хлеб», «Русский дом Селенга», концерн «Тибет»...

Итак, номинальная стоимость ваучера была установлена в десять тысяч рублей. Вот только считали ее по дореформенным ценам. А в стране уже вовсю бушевала дикая инфляция. И в конечном итоге рыночная цена ваучера приблизилась к стоимости бутылки водки.

К моменту приватизации все в стране уже продавалось и покупалось по новым ценам. Все, кроме... Правильно! Кроме приватизируемых предприятий. Те оценивались по дореформенным масштабам.

Впрочем, те, кто не хотел продавать ваучеры, могли вложить их в так называемые чековые инвестиционные фонды, которые брали на себя заботу о вашей доле общего имущества. К концу 1993 года в России функционировало порядка 600 таких фондов, заявленный ими уставный капитал приближался к одному триллиону (!) руб. Крупнейшими были – Первый ваучерный фонд, «Альфа-капитал» и «Московская недвижимость». Бо́льшая часть фондов была сосредоточена в Московском регионе – 96 штук, в Санкт-Петербурге – 38, в Екатеринбурге – 20. На севере и востоке страны, поскольку население там пьет отчаянно, фондов потребовалось меньше – там их было от одного до шести на регион. Большинство ваучеров скупались за традиционную жидкую валюту. В российских регионах лидировали «Вяткаинвестфонд» и «Саха-Инвест». Существовали и фонды-малютки, возможности которых в получении прибыли были весьма ограничены.

Совсем скоро чековые инвестиционные фонды один за другим стали исчезать неведомо куда вместе с мешками собранных ваучеров. А тем временем приближался крайний срок – тридцать первое декабря 1993 года – после которого ваучеры считались аннулированными и превращались в пустые бумажки...

Начался следующий этап – чековые аукционы, на которых за ваучеры должна была продаваться в частные руки бывшая государственная собственность... К слову, в 1993–1994 годах ежемесячно проходило до 800 чековых аукционов во всех регионах страны. Более 70% акций было реализовано за ваучеры. Кто-нибудь когда-нибудь получил от своей доли общероссийской собственности хотя бы один рубль дивидендов? Если таковые имеются, прошу – откликнитесь! Впишите свое имя в историю экономической реформы!

Проходили чековые аукционы, мягко выражаясь, своеобразно. Для начала Чубайс пробил так называемый заявочный принцип участия – кто первым подал заявку, тот и получает право быть в первых рядах. Хотя те же американцы в похожих случаях (когда, например, делили золотоносные участки) принимали все заявки, и время подачи никакой роли не играло – о чем можно узнать, например, из книг Джека Лондона. Впрочем, Чубайс, не исключено, Джека Лондона попросту не читал.

Далее: самим трудовым коллективам приватизируемых предприятий, независимо от количества имевшихся у них «билетов в капитализм», было почему-то решительно отказано участвовать в аукционах в качестве покупателей. И, наконец, аукцион мог быть проведен даже в том случае, если имелся один-единственный участ-ник с одной-единственной заявкой. Как это совмещалось с поня-тием «честная конкуренция», решительно непонятно. Ну а пред-логов, по которым того или иного участника могли не допустить к торгам, оказалось столько, что перечислить их невозможно...

Критики Чубайса тогда же считали, что приватизацию следует проводить медленно и постепенно, начиная с мелких магазинов, ресторанов, небольших цехов. Далее – выставить на продажу пред-приятия легкой промышленности и наконец переходить к тяжелой индустрии и предприятиям по добыче природных ресурсов.

Однако Чубайс и Гайдар вели себя совершенно по-большевист-ски. Большевизм – это в первую очередь стремление реализовать намеченную программу лихим кавалерийским наскоком, не стес-няясь в средствах и не считаясь с потерями. Сам Чубайс в своем печатном труде «Приватизация по-российски» признавался: «То, что мы сделали в рамках своей схемы... было своего рода насили-ем – насилием над естественно идущим процессом стихийной при-ватизации, над интересами элиты общества. Масштаб применен-ного *насилия* (курсив мой. – *А. Б.*) вызвал дикое сопротивление. Тем не менее нам удалось устоять и свою схему реализовать».

Что ж, революционное насилие – дело в нашей стране привыч-ное... Гайдар позже признавал открыто: «Ваучер не имел никакого значения, кроме социально-психологического». Чубайс широким жестом фокусника выставил на продажу все сразу: крупнейшие нефтяные компании, металлургические и горные комбинаты, ле-соперерабатывающие комплексы, автозаводы, тракторные заводы, машиностроительные предприятия, порты и флотилии судов... И «продавалось» все это богатство по тем правилам, о которых я рассказывал выше.

Криминалом от этих сделок несло за версту. Практически все выставленное на продажу оказалось куплено по смехотворно низ-ким ценам, не имевшим ничего общего с реальной стоимостью прибыльнейших предприятий. По данным знатока проблемы по-койного Пола Хлебникова, шесть промышленных гигантов, «брил-лиантов в короне российской промышленности», были проданы на ваучерных аукционах в двадцать раз дешевле их рыночной стоимости – «Газпром», РАО «ЕЭС», «Лукойл», «Ростелеком», «Юганскнефтегаз» и «Сургутнефтегаз».

«Газпром» ушел всего за 250 миллионов долларов – при том, что одни только его газовые ресурсы стоили до 700 миллионов. А ведь была еще и «материальная часть»: оборудование, насосные станции, прочая инфраструктура...

Производственные и промышленные ресурсы, «проданные» таким вот образом, принесли смехотворную сумму в 5 миллиардов долларов. Для сравнения: рынок акций Мексики в то время оценивался в 150 миллиардов, Гонконга – в 300 миллиардов.

Юрий Лужков писал: «Мой институт (химический) продали за 200 000 долларов. Во-первых, в этом институте трудились настоящие специалисты, каждый из которых тянет на 200 000 долларов в год. Во-вторых, у него есть экспериментальная производственная база, где можно разрабатывать новые технологии. И это предприятие было продано за 200 000 долларов! Да это цена одного спектрофотометра!»

Вся эта распродажа сопровождалась чередой странностей. Когда, например, уходили в частные руки акции крупнейшей тогда в России организации телефонной и телеграфной связи «Связьинвест», команда Чубайса как-то так организовала торги, что счастливым покупателем оказался Владимир Потанин, владелец «Онэксим-банка» – к ярости обойденных конкурентов. Немного времени спустя в печать неизвестно с чьей помощью просочилась информация, что Чубайс и его «тимуровцы» вроде Коха, Мостового и Васильева, получили высокие гонорары (от 80 до 90 тысяч долларов) за еще не написанную ими книгу о приватизации. По причудливому совпадению, гонорары эти исходили от «Онэксим-банка».

История, *очень* мягко говоря, пикантная. А назвать вещи своими, простыми и понятными любому россиянину выражениями мне не позволяют воспитание и уважение к печатному слову. В западной практике, конечно, подобное случалось: в свое время одно из крупных американских издательств заплатило фантасту и популяризатору науки Айзеку Азимову двести тысяч долларов только за то, что он согласился отдать данному издательству свою очередную, еще не написанную книгу.

Вот только Азимов к тому времени был автором чуть ли не двух сотен книг, приносивших издателям нешуточную прибыль... Точно так же в России до революции одна из ведущих столичных газет платила литератору Власу Дорошевичу, помимо гонораров, сорок тысяч рублей в год за то, что все свои фельетоны и статьи он отдавал только этой газете. Но и здесь опять-таки был взаимовыгодный коммерческий расчет: благодаря эксклюзивному праву на Дорошевича, любимца читающей публики, газета стабильно сохраняла высокие тиражи, а это, в свою очередь, привлекало к ней рекламодателей. Какая выгода заставила банкиров оплачивать по высшей ставке группу «писателей», остается только гадать. Романтики и циники имеют каждый свое мнение на этот счет...

3. Продавцы воздуха

Одним из главных «моторов» Великого Хапка стали биржи и банки. Спору нет, в любой стране с развитой рыночной экономикой биржа является жизненно необходимым компонентом, но на Западе за ней присматривают и крепко держат в узде, памятуя, что, к примеру, именно безудержные финансовые спекуляции стали одной из причин американского кризиса 1929 года.

Однако в нашей стране и биржи демонстрировали российскую самобытность, не имеющую ничего общего с цивилизованной практикой. Дело в том, что, как я уже мельком упоминал, существовали два вида цен: низкие государственные и высокие биржевые. Дальнейшее представить нетрудно. Госпредприятия на паях с частными фирмами и частными лицами учреждали биржи, сначала получая неплохие денежки на продаже брокерских мест. Потом все основные сделки госпредприятия, от поставок сырья до продажи готовой продукции, шли через биржу. То, что было куплено по низкой цене, продавалось по высокой. Получалась жирная сверхприбыль, немыслимая в любой западной стране. На подобных махинациях взмыл известный в свое время «светоч рынка» Боровой. Как только биржи отжили свое, моментально сдулся и Боровой, ничего толком не умевший, кроме как ловить рыбку в мутной воде...

Тогда же в стране в совершенно уж устрашающем количестве расплодились частные банки. Открыть их для определенной категории людей оказалось не труднее, чем купить мороженое. Новорожденных банков насчитывалось едва ли не больше, чем во всем остальном мире.

Американцы после кризиса разделили свои банки на две разновидности: инновационные и коммерческие. Первые, как легко догадаться из названия, занимаются инвестициями. А вот вторые такого права лишены и представляют собой, собственно, лишь нечто вроде сберегательных касс. Инвестировать куда бы то ни было деньги клиентов им категорически запрещено.

Наши банки подобными тонкостями себя не утруждали, занимаясь всем сразу и чем попало – лишь бы получить навар. Я в свое время был знаком с человеком, который официальнейшим образом зарегистрировал фирму, согласно уставу занимавшуюся привлечением частных инвестиций для постройки частного космического корабля, чтобы полететь на Марс. Для этого даже не пришлось давать особых взяток – только неизбежные, рутинные. Таково уж было тогдашнее законодательство, позволявшее многое...

К чести моего знакомого следует уточнить, что он проделал это исключительно ради шутки, «прикололся», как выражается молодежь. Вставил официальную бумагу в рамочку и повесил на стену. Даже не пытался «привлекать инвестиции», а ведь мог бы это делать на законнейшем основании!

Увы, другие оказались не столь щепетильными... Новорожденные банки быстро освоили новый вид производства из прозрачного воздуха осязаемых, материальных денег. Центральный банк выдавал кредиты под 120 процентов, а частные банки, проделывали то же самое уже под 300 процентов. Естественно, заработал нехитрый механизм: «отблагодарив» чиновника, от которого это зависело, какой-нибудь «Крутьвертьбанк» получал кредит под 120 процентов и пускал его в оборот уже под ставку в 300. Неплохую денежку зашибали и так называемые уполномоченные банки, каким-то образом получившие право работать с бюджетными деньгами, направляемыми на различные государственные нужды. Характерный пример – Владимир Гусинский. О нем мы, впрочем, поговорим чуть погодя, а пока что рассмотрим в качестве примера другую крайне колоритную личность – хотя, вообще-то, ничем не примечательную среди прочих банкиров...

Прошу любить и жаловать: Александр Смоленский, глава банка «Столичный». В свое время работал в хозяйственном управлении Министерства стройматериалов СССР. Наработал себе тюремное заключение. Судимость, впрочем, у него была не одна. За колючкой наш герой занимал, скажем так, не самое престижное положение – поскольку получил там кличку, какую приличным людям не дают. Одна известная журналистка, дама интеллигентнейшая, писала об этом так: «Смоленский, получивший *ласковое* прозвище Баба Шура...»

Ну что же, интеллигентная дама может и не знать, что подобные «ласковые» прозвища типа Бабы Шуры или Тети Маши дают на зоне исключительно субъектам, выполняющим крайне специфические функции. Я проверял через знакомых, знающих проблему, скажем так, изнутри: ага, вот именно, кто ж не знал Бабу Шуру...

В общем, неисповедимыми путями, после очередной отсидки, Смоленский всплыл в кооперативном движении, а там и создал помянутый банк «Столичный». Основные клиенты у банка были... как бы это выразиться поделикатнее... странноватые. Например, глава биржи «Алиса» Герман Стерлигов, годик-другой державшийся на плаву, хваставший огромным состоянием, но потом тихо и незаметно обрушившийся в неприкрытую нищету. Пару лет назад бывший миллионер участвовал в одной из мелких избирательных кампаний Красноярска, и выглядело это шизофренически: дерганый мужичонка в дикой бороде водил по городу лошадь, которая везла телегу с гробом, что-то там символизировавшим. Числился в клиентах Смоленского и Артем Тарасов, тоже поначалу лелеявший наполеоновские планы по преобразованию экономики России. Последний раз о нем слышали недавно, когда он пытался *впарить* российскому правительству заурядную бриллиантовую заколку для волос, принадлежавшую одной из многочисленных родственниц императрицы, и почему-то именовал эту цацку «короной»...

Но, будучи на плаву, эта компания поживилась неплохо. Как легко догадаться, опять-таки благодаря близости к государственной казне. Ухитрившись каким-то образом создать единую группу совместно с Агропромбанком, Смоленский получил около трех триллионов рублей (в формате 1997 года) «для кредитования производителей сельскохозяйственной продукции».

Помянутые производители лучше жить не стали – в отличие от самого Смоленского, сумевшего присосаться и к кредитам крупных западных банков. Правда, когда западные финансисты потребовали кредиты вернуть, уверяя, что так уж у них принято (кто бы мог подумать: кредиты, оказывается, полагается возвращать!), денег у Смоленского не оказалось.

Успел он засветиться и в скандалах с авизо. Авизо – это, в просторечии говоря, всего-навсего платежное поручение, которое один банк посылает другому, чтобы тот выдал конкретную сумму денег конкретному лицу.

В эту игру сумели сыграть многие. Каждое авизо имеет свой кодовый номер, и, если кто-то посторонний смог его узнать, это то же самое, как если бы знать код похищенной из чужого кармана кредитной карточки. Дальнейшее понятно: аферист, пользуясь известным ему кодом, посылает в некий банк ничем не обеспеченную платежку, которую там принимают за настоящую – и выдают деньги сообщнику.

Хитрушка тут в том, что некоторая часть фальшивых авизо (крайне незначительная) проходила через банки Грозного, в те времена еще не превращенного в лунный пейзаж. И трудами оставшихся неизвестными деятелей была поднята газетная шумиха, намертво впечатавшая в сознание обывателя термин «чеченские авизо» – с упором на первое слово. Многие и до сих пор продолжают верить, наивные, что аферу с фальшивыми авизо провернули «злые чечены» – хотя главная роль там принадлежала субъектам, не знавшим по-чеченски ни слова и ни в одном тейпе отроду не состоявшим. Дымовая завеса, как и в истории с Панамской аферой и «делом Дрейфуса», сработала превосходно.

Между прочим, российские следователи, работавшие в связке с австрийской уголовной полицией, установили, что в Австрию по фальшивому авизо перебросили 25 миллионов долларов вовсе не чеченцы, а Смоленский со своими подельниками. К сожалению, вялотекущее расследование в конце концов так и заглохло – злые языки связывали это с тем, что Смоленский был близок с Руцким, который в то время находился еще в силе и сам рулил загадочными коммерческими центрами вроде фонда «Возрождение».

Как бы там ни было, «финансовая империя» тихонечко и незаметно прекратила существование. Смоленский остался в живых и на свободе и притих, как мышь под метлой – в полном соответствии с законами рынка: оплошавшие и неразворотливые оказываются за бортом...

Впрочем, Смоленскому еще повезло. Потому что в иные периоды нашей истории банкиров отстреливали, как куропаток. Один за другим гибли главы частных банков с названиями красивыми и не очень. Специфика работы, знаете ли. На газетных снимках и на телеэкране они мелькали в окружении многочисленных напряженных охранников, и лица у них были *стянутые*. Сплошь и рядом после очередного убийства оставшиеся в живых банкиры в голос заверяли общество в своей честности и кляли на чем свет стоит происки криминалитета. Но верилось плохо – циники давно подметили, что просто так, с бухты-барахты, никто и никогда не убивает банкиров. Выражаясь вульгарно, банкир обязан был крепко накосячить, чтобы получить пулю...

В общем, частные банки внесли свой весомый вклад в сколачивание неправедных состояний и разворовывание общенационального достояния, поскольку в массе своей были не более чем паразитами, разбогатевшими исключительно благодаря сращиванию с коррумпированными чиновниками и грязными махинациями.

Не зря *настоящие* капиталисты, настоящие предприниматели, знаковые, как говорится, фигуры прямо-таки с лютой ненавистью относились к «торговцам воздухом». Эндрю Карнеги, американский «стальной король», в своих воспоминаниях подробно рассказывает, как сторонился всевозможных финансовых спекуляций и посылал подальше пытавшихся втянуть его в биржевые игры (в английском оригинале слово «спекуляция», как и в русском языке, носит самый уничижительный характер).

Другой «король», автомобильный, Генри Форд, всю свою сознательную жизнь яростно отстаивал несложную схему организации американской экономики: производство и торговля должны находиться исключительно в частных руках, а вот банки, все до единого, должны принадлежать исключительно государству. Потому что производители и торговцы получают честный доход от выпуска и реализации конкретной продукции – зато банкир делает деньги из воздуха, посредством комбинаций с чужими деньгами, чем вредит реальной экономике...

Эта точка зрения, поддержанная отнюдь не коммунистами и не сторонниками всеобщего равенства, едва не восторжествовала в 1933 году в США. Как впоследствии российские финансисты, американские банкиры в период кризиса (который был в немалой степени плодом их собственных усилий) начали требовать, чтобы государство оказало им срочную финансовую помощь. При том, что совсем недавно те же самые банкиры выступали против планов правительства выдавать пособия безработным и бедствующим фермерам... Это переполнило чашу терпения – и в Белый дом к президенту пришли сенаторы Лафолетт и Костиган (не коммунисты, вообще не левые), потребовавшие национализировать частные банки. Рузвельт их проект не принял, но какое-то время колебался. Сложись обстоятельства иначе, сегодня частных банков в США не было бы вовсе...

Умонастроения в Российской империи были примерно теми же самыми. Существовал некий неписаный (но свято соблюдавшийся) табель о рангах, по которому российские предприниматели делились на несколько групп – две, можно так выразиться, почтенных и одну презираемую. К первой группе относились промышленники и фабриканты, крупные оптовые торговцы, а также финансисты, но исключительно те, кто кредитовал промышленность и занимался страховым делом. Вторая уважаемая категория занималась исключительно торговлей, неважно в каких масштабах. А вот к группе презираемой относились как раз те, кто делал деньги из воздуха, независимо от их состояния и размаха. Знаменитый заводчик Рябушинский так и писал: «В московской неписаной купеческой иерархии на вершине уважения стоял промышленник-фабрикант, потом шел купец-торговец, а снизу стоял человек, который давал деньги в рост, учитывал векселя, заставлял работать капитал. Его не очень уважали, как бы дешевы его деньги ни были и как бы приличен он сам ни был. Процентщик...»

Как видим, полнейшее совпадение взглядов и отечественных, и заокеанских предпринимателей. Это и был тот самый «мировой опыт», к которому следовало приобщаться в первую очередь, но довольно долго бал правили как раз «процентщики». Те самые, о которых Рузвельт сказал: «Они провалились из-за собственного упрямства, своей неспособности, признали свой провал и бежали... Они не имеют воображения, а когда его нет, народ погибает. Ростовщики бежали со своих высоких постов в храме нашей цивилизации».

В конце концов и в России «ростовщиков», процентщиков потеснили, но до того они успели порезвиться всласть. Еще в 1996 году тогдашний глава Администрации президента Егоров подал президенту докладную записку, где говорилось, что через коммерческие банки, принадлежащие Потанину и Ходорковскому, прокручивались бюджетные деньги, предназначенные для выплат зарплат и пенсий. Вывод был таков: «Цифры показывают, что фактически осуществляется субсидирование определенных коммерческих банков в объемах, превышающих дотации на содержание армии и сельского хозяйства, вместе взятых».

Этим-то и плохи «процентщики», подобные вышеперечисленным – тем, что они ничего не создавали, а пользовались чужим. Глупо было бы уверять, будто отечественные фабриканты вроде Рябушинского, Путилова и Морозова, американские промышленники вроде Форда, Карнеги и Дюпона были ангелами и никогда не нарушали законов, а все до единого их червонцы и доллары имели честное происхождение. Не настолько уж они были идеалистами, и не зря именно Форду молва настойчиво приписывает фразу: «Все свои миллионы я нажил честным путем. Начиная со второго».

И тем не менее есть одно принципиальнейшее различие. Те, кого я только что перечислил, создавали, казенно выражаясь, материально-техническую базу капитализма в Российской империи и США. Они выпускали автомобили и паровозы, производили ткани и станки, кастрюли и электростанции. И, кроме того, тратили немалые деньги на нужды всего общества – не по приказу власти, а по собственной душевной потребности. Купец Третьяков основал картинную галерею, о которой нет смысла подробно рассказывать ввиду ее известности, а Эндрю Карнеги по другую сторону океана финансировал научные учреждения и библиотеки. И дело тут не только в том, что он таким путем искал налоговых послаблений. Есть еще и знаменитая история с «шотландской долиной».

Дело в том, что Карнеги был родом из Шотландии – и возле его родного городка раскинулась красивейшая долина посреди лесистых гор, принадлежавшая местному лорду, куда доступ всем посторонним был закрыт. Став миллиардером, Карнеги заглянул в родные места, купил означенную долину и передал ее в дар городу – с непременным условием сделать там место отдыха, доступное всем без исключения...

Кто-нибудь из наших пресловутых олигархов совершал нечто хотя бы отдаленно похожее? Расходы на покупку заграничных футбольных команд и грудастеньких моделей не в счет...

Кстати, один-единственный многозначительный пример. В лабораториях мощнейшего американского химического концерна «Дюпон» разработано более двух тысяч новейших технологий. Известный всему миру нейлон – это разработка «Дюпона». Наши «прихватизированные» предприятия подобным похвастаться решительно не в состоянии, поскольку служат главным образом дойными коровами...

И наконец, коли уж мы заговорили о финансовых аферах, нельзя не упомянуть хотя бы вкратце вовсе уж неприкрытое облапошивание соотечественников посредством тех самых «пирамид», что были известны еще прекрасной Франции начала восемнадцатого столетия. Их было превеликое множество – «Чара», «Тибет», «Хопер» – но в памяти в первую очередь остались две: МММ и «Властилина».

История слишком свежа, чтобы излагать ее подробно. Механизм самый незатейливый: людей приглашали сдавать денежки в «надежные» фирмы вроде «Л. Алиса и К. Базилио, инкорпорейтед», обещая выплачивать супервысокие доходы, и какое-то время в самом деле честно выплачивали, за счет новых вкладчиков. В этой истории масса разнообразнейших аспектов. Можно порассуждать о слепой жажде наживы, превышающей любые инстинкты само-сохранения – у меня, например, просто-напросто не укладывается в сознании, почему наши сограждане уже *после* краха очередной пирамиды и возрождения ее в чуточку измененном виде несли *туда же* последние рубли. Можно пофилософствовать (с привлечением множества заграничных примеров) о том, что подобное легкове-рие не обязательно наша российская специфика – достаточно вспом-нить, например, как в относительно недавнее время французские аферисты ухитрялись вновь и вновь «продавать» вполне вменяе-мым соотечественникам-бизнесменам не то что акции «золотых рудников в Антарктиде», а даже Эйфелеву башню (которую прави-тельство якобы решило пустить на металлолом ввиду ветхости).

Но есть ли смысл? Единственное, что мне хотелось бы сделать как автору немалого числа детективных романов – построить *вер-сию*. Не имея твердых доказательств, трудно утверждать что-то со всей определенностью, но вот лично меня крайне настораживает явное несоответствие между личностями устроителей пирамид и масштабом их деятельности. Братья Мавроди, по некоторым дан-ным, собрали с миллионов вкладчиков десять *миллиардов* долла-ров. Владелица «Властилины» Валентина Соловьева прибрала к рукам примерно сто миллионов долларов. И это при том, что Мав-роди до того промышляли исключительно торговлишкой тем и этим, а Соловьева закончила восемь классов и один курс педучи-лища. Быть может, они и были гениями афер, но все же, все же... Чересчур грандиозны масштабы деятельности. Разворачивавшей-ся, кстати, в полном соответствии с учебными пособиями по пси-хологической войне, увидевшими свет еще в конце пятидесятых годов прошлого века.

Не угодно ли обширную цитату?

«Для применения средств пропаганды сначала выискиваются слабые места в моральном состоянии противника, так называемые психологические слабости. Все это тщательно изучается, оценива-ется, и в соответствии с выводами применяются различные при-емы психологической войны, могущие принести наибольший эф-фект... используются факты, уже известные противнику, в которые он верит, для того чтобы прикрыть ими истинные цели своей пропаганды. Рекомендуется учитывать культуру, стремления народа, его музыку, шутки, обычаи, а также в максимальной степени использовать художественные средства пропаганды, которые наиболее доступны для понимания и больше привлекают внимание противника».

Замените «пропаганда» на «рекламная компания», «противник» на «потенциальный клиент пирамиды» – и освежите в памяти экранные похождения Лени Голубкова и его дебиловатых родичей. Есть схожесть с трудами теоретиков психологической войны? Еще какая...

А посему напрашивается версия, что за трудами по созданию пирамид типа МММ стояли отнюдь не бывшая кассирша парикмахерской Соловьева и не мелкие торговцы Мавроди. Невозможно отделаться от впечатления, что из-за кулис МММ торчат те же олигархические ушки. Что таким путем наши старые знакомые пытались перекачать в свой карман те денежки, что еще сохранились у россиян после всех ухищрений Чубайса и Гайдара. А кстати, где денежки? Ни у Соловьевой, ни у Мавроди их вроде бы не нашли, бо́льшая часть добычи куда-то испарилась...

Не я эту версию впервые придумал, но лично мне она кажется безусловно имеющей право на существование...

4. Приключения термина «залог»

Бал правили *большевики*. То ли умышленно, то ли неосознанно, но Гайдар и Чубайс (что давно и не мною подмечено) даже в названиях своих работ, даже в выступлениях практически повторяли большевистских руководителей. Ленин написал книгу «Государство и революция». Гайдар – «Государство и эволюция». Одна из программных статей Гайдара, вышедшая в 1998 г., именовалась «Советы постороннего» – но именно так называлась самая важная из предоктябрьских статей Ленина, опубликованная в «Правде» за четыре дня до того события, которое одни именуют «революцией», другие – «переворотом». Широко известны фразы из знаменитой речи Сталина 4 февраля 1931 г.: «Мы отстали от передовых стран на 50–100 лет. Мы должны пробежать это расстояние в десять лет. Либо мы сделаем это, либо нас сомнут». Чубайс же заявил: «Нашей целью является построение капитализма в России, причем в несколько ударных лет, выполнив ту норму выработки, на которую у остального мира ушли столетия».

Это чистейшей воды неприкрытый большевизм: пытаться за несколько лет повторить то, на что у остального мира ушли столетия. Сталин по крайней мере строил нечто реальное. Страшной, неподъемной ценой, но все же – *строил*. Есть, знаете ли, некоторая разница между тем, чтобы поднять страну из разрухи, и насаждением капитализма, как насаждение картошки в старые времена – когда впопыхах людям забывали объяснить, как же с новомодным «земляным фруктом» обращаться, и те в простоте своей ели не клубни, а плоды с кустов, и травились, и умирали, после чего уцелевшие поднимали бунты против «отравы»...

...Итак, подавляющая часть бывшей государственной собственности была распродана по бросовым ценам. Свердловский промышленный гигант, завод «Уралмаш», ушел за 3 млн 720 тыс. долларов, Челябинский металлургический комбинат – за 3 млн 730 тыс., Ковровский мехзавод (крупнейший производитель стрелкового оружия) – за 2 млн 700 тыс., Челябинский тракторный – за 2 млн 200 тыс. Для сравнения – средняя европейская хлебопекарня «тянет» на 2 млн долларов, цех по выпуску «вагонки» – 4,5 миллиона...

Доходило до ситуаций, здравым рассудком не воспринимаемых. Перед самым началом Великой Распродажи московский Останкинский мясокомбинат приобрел новейшего импортного оборудования на 35 млн долларов. Комбинат был оценен... в 3 млн 100 тыс. долларов. На мой негуманный взгляд, инициаторов подобных сделок не стоит даже до тюрьмы доводить...

А впрочем, наряду с уже состоявшимися олигархами в торгах участвовали и самые что ни на есть простые граждане. Некий скромный труженик из далекой Тюменской области Василий Юрьевич Тимофеев (о котором и сегодня ровным счетом ничего не известно) одним махом ухитрился приобрести 210 *миллионов* акций «Газпрома», заплатив за них 2 миллиарда 100 миллионов рублей.

Поскольку у нашего народа нет ничего святого, тут же объявились циники, болтавшие, что под этим имечком скрывается некто Черномырдин, но эти безответственные сплетники, скорее всего, попросту не знали, что в Тюменской области зарплаты у простых работяг очень высокие, позволяющие в два счета приобрести кусок «Газпрома»...

Тем временем «молодые реформаторы» (которых кто-то прозвал «мальчики в розовых штанишках», а другие именовали и вовсе уж непечатно) придумали новое дело – так называемые залогово-кредитные аукционы.

В чем тут суть?

В 1995 году вдруг обнаружилось, что у правительства нет денег. Доходы были около 37 млрд долларов, а расходы – примерно 52 млрд. Дефицит, таким образом, составил 15 млрд долларов. Денег не было – поскольку правительство их отдало в долг частным банкам под гораздо меньший процент, нежели тот, под который само же брало в долг у других...

А деньги требовались до зарезу. Но те же самые частные банки, которым правительство регулярно благодетельствовало, отказались давать кредит без залога, то есть материального обеспечения. И правительство объявило, что на эти условия оно согласно. В залог пойдут принадлежащие государству контрольные пакеты акций тех предприятий, что пока распродать не успели: «Норильского никеля», «ЮКОСа», «Сибнефти». Нераспроданными к тому времени оставались только акции оборонки, нефтяные и частично металлургические пакеты, закрепленные в федеральной собственности, и еще кое-что. Но слишком уж лакомые кусочки – как же наши хищники могли допустить, чтобы хоть что-то не попало в их жадные лапы! Тем более что продавать больше было нечего.

Впервые идею заложить государственные акции в банки для получения кредитов озвучил на одном из заседаний правительства в марте 1995 года Владимир Потанин, президент «Онэксим-Банка». Внакладе он, само собой, не остался.

Акции само же правительство оценило почему-то в смешные деньги, не соотносившиеся не только с рыночной стоимостью предприятий, но и с их годовой прибылью. Более того: в проект федерального бюджета на следующий год не закладывалось *ни рубля на выкуп залогов у банков!* А следовательно, свои акции правительство выкупать и не собиралось. Речь определенно шла о примитивной *передаче* помянутых предприятий в частные руки – фактически задаром.

Так и произошло. «Норильский никель» – мировой монополист по производству целого ряда драгоценных металлов, поставщик на мировой рынок более 40 процентов платины и так называемой платиновой группы, производитель более 90 процентов никеля и 60 процентов меди в России, производитель золота и серебра, обеспеченный рудами на ближайшую сотню лет. Годовая прибыль комбината – около полутора миллиардов долларов (есть еще кое-какие производства, о которых и словечком не заикнемся, потому что есть такое понятие – «государственная тайна»).

И вся эта благодать досталась Потанину и его группе... за сто семьдесят *миллионов* долларов. *Всего* сто семьдесят миллионов! Примерно то же самое, как если бы купить в автосалоне новенький, совершенно исправный шестисотый «мерс» за серебряный доллар.

Всего состоялось 12 залоговых аукционов. Перечислим их все:

3.11.95. Выставлено 40,12% акций «Сургутнефтегаза». Победил негосударственный пенсионный фонд (!) «Сургутнефтегаз». В общей сложности заплачено 300 млн долларов США.

17.11.95. Выставлено 38% акций РАО «Норильский никель». Победил ОНЭКСИМ-Банк. Заплачено 170,1 млн долларов США.

17.11.95. Выставлено 15% акций АО «Мечел». Победило ТОО «Рабиком» (к тому моменту – владелец большого пакета акций). Заплачено 13,3 млн долларов США.

17.11.95. Выставлено 25,5% акций «Северо-Западного речного пароходства». Победил Банк МФК. Заплачено 6,05 млн долларов США.

7.12.95. Выставлено 5% акций «Лукойла». Победил сам «Лукойл». Заплачено 141 млн долларов США.

7.12.95. Выставлено 23,5% акций «Мурманского морского пароходства». Победило ЗАО «Стратег» (фактически – банк МЕНАТЕП). Заплачено 4,125 млн долларов США.

7.12.95. Выставлен 51% акций «Сиданко». Победил банк МФК (фактически – консорциум из МФК и «Альфа-групп»). Заплачено 130 млн долларов США.

7.12.95. Выставлено 14,87% акций «Новолипецкого металлургического комбината». Победил Банк МФК (фактически – «Ренессанс Капитал»). Заплачено 31 млн долларов США.

8.12.95. Выставлено 45% акций «ЮКОСа». Победило ЗАО «Лагуна» (фактически – банк МЕНАТЕП). Заплачено 159 млн долларов США.

11.12.95. Выставлено 20% акций «Новороссийского морского пароходства (Новошип)». Победило само пароходство. Заплачено 22,650 млн долларов США.

28.12.95. Выставлено 15% акций АО «Нафта-Москва». Победило ЗАО «НафтаФин» (фактически – менеджмент самого предприятия). Заплачено 20,01 млн долларов США.

28.12.95. Выставлен 51% акций «Сибнефти». Победило ЗАО «Нефтяная финансовая компания» (фактически – консорциум Березовского и Абрамовича). Заплачено 100,3 млн долларов США.

В общей сложности с этих аукционов в бюджет поступило около 1 млрд 100 млн долларов США.

Прикажете и это именовать «честной игрой»?

Вмешаться в распродажу попыталась организация с немаленькими вроде бы возможностями – Счетная палата Российской Федерации. В отправленном ею Генеральному прокурору документе сообщалась масса интереснейших вещей. Например, из-за того, что Министерство финансов в нарушение установленного порядка поместило в банк «Менатеп» государственные средства по заниженной процентной ставке, казне был нанесен ущерб в миллион долларов.

Цитирую впрямую: «В 8 из 12 аукционов стартовая цена передаваемого в залог пакета акций была превышена на символическую величину. При этом или несколько участников имели одного и того же гаранта, или один из участников являлся гарантом остальных, или участники являлись гарантами друг друга. Тем самым подтверждается наличие предварительных договоренностей между участниками аукциона».

Проще говоря, никакой честной борьбы не было. Сидевшие в зале, хотя и старательно делали вид, что знать друг друга не знают, были одной шайкой-лейкой, сговорившейся заранее. Между прочим, в США за подобные штучки можно отсидеть в тюрьме очень-очень много лет... И выйти на свободу разве что ногами вперед.

Цитирую далее: «Задаток за коммерческие фирмы, в нарушение правил проведения залоговых аукционов, вносили выступающие гарантами коммерческие банки. Комиссия по проведению залоговых аукционов создала условия для фиктивного проведения аукционов. В результате федеральный бюджет недополучил значительную часть средств».

Дело дошло до того, что Генпрокуратура стала готовить иски о признании недействительными *всех* двенадцати залоговых аукционов, проведенных в 1995 году. Основанием для исков должны были стать формальные нарушения законодательства при проведении аукционов (кстати, на этом основании еще не поздно деприватизировать *всю* промышленность России!). Например, тот факт, что документы Госкомимущества не регистрировались в Минюсте, а перечень предприятий, акции которых передавались в залог, утверждался не Правительством, а первым зампредом ГКИ.

Только толку от всего этого нет и сегодня...

Тем временем произошло замечательное событие: вместо Чубайса, ушедшего в первые заместители премьера, главой Госкомимущества был назначен Владимир Полеванов, бывший губернатор Амурской области, бывший геологоразведчик золотоносных площадей на Колыме. Работал в приполярном Урале, на островах Северного Ледовитого океана. Технократ, практик, государственник. Если хотите узнать о таких мужиках побольше, почитайте Пикуля (хотя бы «Богатство») и Олега Куваева («Территория»).

И тут грянуло... Дальневосточный Терминатор, надо полагать, ошалел от того, что увидел вокруг. И действовать начал жестко. Для начала велел отобрать у всех иностранных граждан пропуска в здание Госкомимущества, справедливо считая, что нечего допускать иностранцев в учреждение, где копится серьезнейшая стратегическая информация, какую любая нормальная страна охраняет тщательнейшим образом.

Потом он остановил очередную приватизационную задумку – передачу в частные руки Сахалинского морского пароходства, в течение многих лет обеспечивавшего так называемый северный завоз. Потому что инициаторы этой идеи так и не смогли внятно ответить Полеванову на простой вопрос: кто и как в дальнейшем будет обеспечивать жизнедеятельность городов и поселков Дальнего Востока и Крайнего Севера?

И – наивный человек! – пошел к Чубайсу, которому сообщил, что, по его первым впечатлениям, разгосударствление экономики в России носит антигосударственный и антинародный характер. В качестве примера сослался на опыт в бывших странах Варшавского Договора, мягко скажем, весьма отличавшийся от российской действительности.

Толку не было. Однако Полеванов не успокоился, заявив: «Если подтвердятся предположения, что разгосударствление этих (следовал длинный список) предприятий алюминиевых и оборонных отраслей противоречит государственным интересам, возможна их национализация». И отдал распоряжение приостановить торговлю акциями алюминиевых заводов, чтобы не допустить получения контрольных пакетов акций иностранными фирмами.

И написал обширное письмо тогдашнему премьеру Черномырдину. Где наглядно доказал, что главная цель приватизации, «формирование слоя частных собственников, содействующих созданию социально ориентированной рыночной экономики» оказалась невыполненной – вместо «слоя» образовалась кучка олигархов. Что повышения эффективности приватизированных предприятий опять-таки не получилось, поскольку олигархи «снимают пенки», не делая крупных капиталовложений, а значит, не заменяется устаревшее оборудование, не внедряются передовые технологии, нет ни улучшения управления, ни серьезных исследований рынка. Что социальной защитой населения и не пахнет. Что финансы так и не стабилизировались. Что за два года «приватизационной лихорадки» в бюджет поступило в два раза меньше доходов от нее, чем в Венгрии (!). Что не получилось «здоровой конкурентной среды». Что за приватизацией тянется длиннейший шлейф уголовных преступлений, от взяток до заказных убийств.

Наконец, резко упала эффективность системы защиты государственных секретов. Иностранцы получают сплошь и рядом доступ к ценнейшей научно-технической информации, что влечет за собой не какой-то там идеологический, а вполне реальный коммерческий ущерб. И вдобавок через подставные фирмы внедряются в российский оборонный комплекс.

Полеванов вовсе не выступал «против приватизации». Он лишь предлагал воздержаться в будущем от «больших скачков» типа «разрушим до основанья, а затем...» Предлагал защитить государственные интересы в стратегически важных отраслях промышленности.

Другими словами, против большевиков выступил грамотный управленец, типичный технократ.

Однако помянутые большевики его очень быстро сожрали – Полеванова сначала убрали из Госкомимущества, а там и вовсе уволили с государственной службы. Государственная Дума и Московская областная дума в обращениях к президенту фактически поддержали Полеванова, призывая умерить «революционные» темпы приватизации. Не подействовало.

А тем временем в поисках выхода из очередного кризиса задумали очередную «пирамиду» – на сей раз уже не отдавая ее в частные руки...

5. Три честных советских буквы

Нет, это не то, о чем кое-кто подумал, а – ГКО. Во времена Великой Отечественной эта аббревиатура означала Государственный Комитет Обороны, а в середине девяностых приобрела иное значение, прямо противоположное, пожалуй, по содержанию: «государственные казначейские обязательства».

Популярно излагая, посредством этих облигаций государство брало в долг у любого, кто бумаги покупал, и возвращало долги с процентами. ГКО имело еще одну расшифровку: государственные *краткосрочные* обязательства. По которым выплачивалось до 100 процентов дохода. То есть купивший одну гэкэошку за сто долларов, ежели упрощенно, получал назад вдвое больше...

Знакомая картинка, не правда ли? Так и хочется поставить в уголке оной бумажки три заветные буквы: «МММ».

Но если бы все было так просто!

Во-первых, минимальная сумма займа была установлена в 100 тысяч рублей. То есть предназначались облигации не для народа и не для среднего класса, а для «новых русских» с банкирами. А наше правительство своего родного капиталиста ни в жисть не обидит, не для того оно там, наверху, поставлено.

А во-вторых, эти обязательства *выполнялись*! В срок и до последнего рубля.

ГКО лишь по виду напоминали обычную финансовую пирамиду. А на самом деле механизм тут был совсем другой. Намного более подлый. В конце концов, никто не заставлял лоха ушастого нести деньги Мавроди. А в афере ГКО, против своей воли, участвовала вся страна.

Механизм аферы был таков.

Государство в лице Минфина брало в долг у коммерческих банков крупные суммы денег, расплачиваясь означенными облигациями. И в течение года честно все выплачивало, до последнего процента. Но деньги, в отличие от классической пирамиды, Минфин брал не из новых займов, а проще и ближе – из госбюджета.

Грубо говоря, банки (естественно, не все, а лишь избранные) получили желанную возможность присосаться к тем деньгам, которые они до тех пор еще не оприходовали, – к госбюджету.

По странной случайности именно в это время почему-то хронически не хватало денег на выплату зарплаты (и без того мизерной) учителям, врачам, военным. Но вот платежи банкам не задерживали ни разу! Для них деньги находились всегда.

Естественно, чиновники Минфина все это проделывали абсолютно бескорыстно.

Покупали ГКО – конечно, не по штучке, а многими тысячами – наши старые знакомые, частные банки, главными из которых были «Онэксим», «СБС-Агро» (Смоленский, наша непотопляемая Баба Шура), «Альфа» и «Менатеп».

Поскольку «доходы» по ГКО были деньгами *дутыми*, не обеспеченными реальными товарами, легко догадаться, что выпуск очередных красивых бумажек лишь раскрутил инфляцию. А вдобавок практически свел к нулю так называемый внутренний кредит – проще говоря, банки практически перестали выдавать кредиты тем, кто что-то производил и торговал, потому что проценты с ГКО превышали любой доход, какой только можно получить, кредитуя *реальную* экономику. Раскручивался очередной виток дурной виртуальности, и доходы были бешеными – не зря же первое время к ним не допускали иностранные банки. Кто бы согласился делиться *такой* прибылью?

Чуть позже иностранцев пришлось все же допустить к столу – подозреваю, после серьезного нажима, который западные банки оказали на свои правительства, а уж те – на Кремль. Есть также подозрения, что все происходило под негодующие вопли о необходимости честной конкуренции и равных возможностей для всех, а также открытости России перед мировым сообществом. Не знаю точных деталей, но на месте западных банкиров, обонявших умопомрачительные ароматы богатого стола, лично я так бы и поступил: оказал нажим на родное правительство и вдоволь наорался бы о честной конкуренции...

Игра раскручивалась. Она была столь выгодной и доходной, что иные отечественные банки, забыв о минимуме осторожности, вкладывали в ГКО абсолютно всю свободную наличность. Не отставали и иностранцы. В ГКО с увлечением играли не какие-то мелкие, сомнительные конторы со штаб-квартирой на Крокодиловых островах, которые не всякий учитель географии сможет правильно показать на карте, а солиднейшие банки и компании с именем и репутацией. Великобритания: «Брансвик», «Морган Гринфел» и «Смит нью корт». США: «Чейз Манхеттен бэнк», «Кредит Сюисс ферст Бостон», «Меррилл Линч», «Соломон бразерс», «Морган стенлей». Большинству читателей эти названия, уверен, мало что скажут, но поверьте на слово: в банковском бизнесе это примерно то же самое, что «Роллс-Ройс» среди автомобилей.

Иностранцы, вместе взятые, *влупили* в ГКО самое малое 70 миллиардов долларов. Разумеется, вышеупомянутые банкиры прекрасно все понимали – и что такое пирамида, и с каким грохотом она обрушивается. Однако прибыль ожидалась такая, что в зобу дыханье спирало и у трезвомыслящих иностранцев. «Халява» – понятие интернациональное. В таких случаях каждый надеется, что именно он окажется самым умным и успеет вовремя соскочить, а убытки понесет кто-то другой...

Естественно, тесто замешивалось не для этой жадной своры, а для другой, не менее жадной, но собственной. В некий трудноуловимый момент игра под названием ГКО стала приобретать все характерные черты финансовой пирамиды. Как мы помним, чтобы пирамида исправно работала достаточно долгое время, приходится постоянно выпускать все новые и новые, ничем не обеспеченные бумажки (совершенно неважно, как они именуются). Именно это и происходило: чтобы платить по прежним обязательствам, приходилось выпускать все новые и новые, повышая проценты...

Эта бодяга длилась пять лет. И конец ей пришел в 1998 году.

Кто-то был предупрежден и успел соскочить. Но для непосвященных удар был оглушающим.

В апреле 1998 года российские банки начали в массовом порядке сбрасывать свои ГКО. Предварительно банкиры (в первую очередь Смоленский с маячившим поблизости Березовским) бросились к премьер-министру Кириенко выпрашивать государственные субсидии. Совершенно как их американские коллеги семьдесят лет назад.

Но государственной помощи они так и не увидели – подозреваю, дело тут не в высоких моральных качествах премьера Кириенко, а в пустоте тогдашней казны. Тогда разобиженные олигархи развязали против премьера информационную войну.

Ну а кризис, как и следовало ожидать, разрастался. Стало ясно даже неисправимым оптимистам, что ГКО пришел конец. В пожарном порядке в правительство вернули из государевой опалы Чубайса. Чубайс не подкачал: вылетев за границу и задействовав старые знакомства, подтасовав данные и скрыв всю правду о катастрофическом состоянии российской экономики, он сумел-таки выбить из МВФ и нескольких частных банков 23 миллиарда долларов ссуды, которая, угодив в Россию, большей частью волшебным образом испарилась. Самое пикантное, что Чубайс потом открыто посмеивался над западными кредиторами в прессе: «Мы их кинули...»

(Признаться, временами я все же испытываю к Рыжему нечто вроде уважения: прохиндей, конечно, но каков! Некого поставить с ним рядом в отечественной истории, разве что светлейшего князя Меншикова. Интересно, каков будет финал?)

Семнадцатого августа 1998 года пирамида, а заодно с ней и курс рубля, накрылись... Напоследок родное государство попыталось «кинуть» своих же граждан, уже совершенно по мавродиевским рецептам. 10 июля, когда до краха оставались считанные недели, минимальная сумма займа была снижена со 100 тысяч до 10 тысяч рублей (около 1,5 тысячи долларов). Налетай, подешевело!

Кто-то сообразил, чем дело пахнет, и от почетной обязанности купить билет на тонущий пароход отказался, но многие повелись!

И что самое забавное – но и самое подлое! – банки, наварившие на этом деле многие миллиарды, сумели перевести стрелки на собственных клиентов. Как только государство отказалось от выплат по ГКО, они моментально прекратили все платежи клиентам – ну нету денег, нету, ясно вам? Государство нас обмануло!

Некоторым вкладчикам оно, государство это, милостиво разрешило – с огромными потерями – перевести свои деньги в Сбербанк. Вклады остальных накрылись медным тазом.

Честно признаться, автор этих строк в те безумные дни не потерял, в общем, ничего. И до сих пор свято уверен, что надежнейшую прививку от всех и всяческих «пирамид» получил еще в детстве, прочитав бессмертный роман Николая Носова «Незнайка на Луне», где подробнейшим образом излагается история одного такого дутого предприятия под названием «Общество гигантских растений». И ничего тут нет от шутки: я встречал многих серьезных людей, которые без улыбки признавались, что именно эта детская книжка их спасла от соблазна вложить хоть рублик во всевозможные «инвестиционные фонды» и прочие «Тибеты»... В общем, лично я за полгодика до обвала ухлопал все сбережения на «Мерседес» – и потом, именно в нем сидя неподалеку от одного из красноярских банков, с циничным удовольствием, каюсь, разглядывал толпившихся на его крыльце сотрудничков с безумными глазами. Еще вчера они были фигурами, как в анекдоте, а стали... Ага, вот именно.

Позже какие-то умные головы талдычили о «крахе среднего класса», шулерски подменяя понятия: под средним классом они понимали всевозможную мелочевку, брокеров, дилеров и прочих, простите за выражение, дистрибьюторов, которых в одной Москве осталось без работы триста тысяч. На деле никакой это не средний класс, а обслуга финансовых пирамид, которую нисколечко не жалко...

Самое приятное, что от «черного августа» нешуточным образом пострадал кое-кто из «продавцов воздуха». Помнит кто-нибудь такое имя – Владимир Виноградов? Сомневаюсь. А ведь до означенного августа в олигархах числился...

Из серьезного бизнеса вылетел и господин Смоленский. И никогда более уже не смог подняться. Обанкротились «Мост-банк» Гусинского и «Онэксим» Потанина. Их тоже не жалко – это были не настоящие банки, а приспособления, мягко говоря, для извлечения спекулятивного дохода.

Естественно, понесли нешуточные потери и иностранные игроки в наперсток. Их потери, по разным данным, оцениваются то ли в 40, то ли в 100 миллиардов долларов. Их тоже нисколечко не жаль: уж они-то должны были прекрасно понимать, что не в благородном собрании уселись играть в честные игры, а приперлись в грязный шулерский притон, где могут и краплеными картами сыграть, и карманы обчистить. Никто их, в общем и целом, на аркане не тянул...

Больше миллиарда долларов потерял в России самый, пожалуй, знаменитый финансовый спекулянт западного мира Джордж Сорос. Игрок опытнейший, иногда шутя обваливавший денежные системы целых стран. Но тут на старуху получилась проруха. У нас в России любого Сороса при минимальной фантазии разденут до кальсон.

Сорос потом причитал печатно: «Я прекрасно знал, что система грабительского капитализма ненадежна, нестабильна, я не раз об этом говорил, тем не менее я позволил втянуть себя в сделку со "Связьинвестом". Это было худшее вложение за всю мою профессиональную карьеру».

Что тут причитать? Халявы захотелось, вот и весь секрет. А ведь еще пушкинский Балда учил: «Не гонялся бы ты, поп, за дешевизной...» Есть у меня сильные подозрения, что именно после того, как его цинично «кинули» в России, м-р Джордж Сорос чуточку разуверился в прелестях родимого капитализма – иначе зачем выпустил книжку, где костерил США так, что завистливо вздыхали старые советские пропагандисты? Я имею в виду «Мыльный пузырь американского превосходства». Ну что же, давно подмечено: человек резко умнеет, когда его обчистят шулера. А порой нужно попасть на жесткие нары, чтобы «прозреть»: посмотрите, какие правильные, толковые послания касаемо краха либерализма и дикого капитализма шлет из за решетки Ходорковский. Цены б ему не было, изрекай он такое на свободе, в ореоле респектабельности...

В общем, после августа 1998 года наши бравые реформаторы, полное впечатление, попросту не знали, что же теперь делать дальше. Еще до наступления окончательного краха попытались по привычке выставить на продажу кое-что из сохранившейся государственной собственности – но олигархи на сей раз не проявили никакого интереса. Вероятнее всего, оттого, что вбухали все активы в ГКО.

По Москве массами бродили безработные брокеры и маклеры, где-то в теплых краях громко причитал Сорос, и никому не было его жалко. Даже до американской Фемиды наконец-то доперло, что российские реформаторы – не совсем реформаторы, а те еще субъекты. В конце концов министерства финансов и юстиции США совместно с ФБР начали расследование о вывозе из России по крайней мере 7 миллиардов долларов через «Бэнк оф Нью-Йорк». Установили, что «как минимум часть» этих денег имеет криминальное происхождение. А там выяснилось кое-что более интересное: деньги в означенный банк перетекали из самых разных московских учреждений, но все они в той или иной степени принадлежали СБС-Агро, то есть Смоленскому. Среди управляющих этими учреждениями, по расследованию Хлебникова, было несколько близких друзей Березовского и Абрамовича.

Тем временем в Россию кто-то из «молодых реформаторов» привез на гастроли бывшего аргентинского министра финансов Кавалло – в надежде как-то использовать передовой аргентинский опыт. Означенный Кавалло, будучи еще при власти, провел целый комплекс мер, которые якобы оздоровили аргентинскую экономику и даже обеспечили некоторое процветание. Так что реформаторы полагали, что, за неимением лучшего, отыскали очередную палочку-выручалочку. Раньше они всецело полагались на «мальчиков из Гарварда» и папашу Сороса, но гарвардские мальчики, как читателю уже известно, угодили под следствие, а Сорос, смертельно разобиженный на московских «кидал», переключился на критику США, а потому в дело уже не мог быть употреблен (да и в Россию его с тех пор не заманить никакими калачами).

В общем, сгоряча едва не приняли «аргентинскую модель», но поскольку Бог все же хранит Россию, именно в этот момент в Аргентине грянул очередной кризис, наглядно показавший всю никчемность реформ Кавалло. Так что аргентинцу вежливо указали на дверь.

Но тут – превеликая неожиданность! – внезапно оживилась отечественная Генеральная прокуратура, о существовании которой начали уже как-то и забывать. Генеральный прокурор Юрий Скуратов начал расследование деятельности семисот восьмидесяти крупных государственных чиновников, которых подозревал в игре на рынке ГКО с использованием служебного положения, дававшего доступ к конфиденциальной информации. Культурно сие в мировой практике именуется «инсайдерство», а некультурно... ну, вы знаете.

Зазвучало всуе даже имя Чубайса и прочих «молодых реформаторов». Иные циники (вечно они возникают в самый неподходящий момент!) отчего-то считали, что данные чиновники, прекрасно зная закулисную ситуацию, еще до краха продали свои ГКО, а денежки конвертировали в баксы и перевели за границу.

Трудно сказать, сколько интересных разоблачений выплыло бы на свет Божий. Но тут по какой-то случайности угодил в нешуточные хлопоты сам генеральный прокурор Скуратов. По Центральному телевидению показали видеокассету, где голый мужик, похожий на Генерального прокурора, занимался с голыми девушками, похожими на шлюх, чем-то крайне напоминавшим групповой секс.

Скуратова выперли в отставку, хотя он и упирался. К сожалению, понемногу свернули свою деятельность и помянутые американские конторы, та самая грозная триада. Они, как ни старались, не нашли прямых доказательств того, что Смоленский, Березовский и Абрамович знали о сомнительной деятельности принадлежащих им третьестепенных структур по переводу неправедных денег в Нью-Йорк.

Точно так же и федеральная прокуратура Швейцарии, поначалу крепко взявшаяся было за Березовского, особых успехов не достигла. Выяснила, что Березовского, дескать, просто-напросто преследовали по политическим соображениям бывший чекист Примаков и его сообщники-гэбэшники. Чем не версия? И с чувством выполненного долга отвалила.

В общем, все скандалы, связанные с роковым августом, начали понемногу забываться, а возбужденные в разных странах уголовные дела как-то незаметно сошли на нет. Даже Сорос приустал хныкать, смирившись с потерей миллиарда. Но Смоленский, отмечу с чувством глубокого удовлетворения, из олигархов вылетел – дай Бог, не последний.

А самое главное – ГКО были последней крупномасштабной финансовой пирамидой на нашей памяти. Вот уже много лет как мы живем без «пирамид» – и ничего, обходимся.

Сплюнем же через левое плечо...

6. Игра по правилам

Ну а теперь самое время, по-моему, задать тот же самый вопрос, которым то и дело задавался простой, но любознательный деревенский мужичок, герой одного из рассказов Тургенева, при любой оказии расспрашивающий барина-охотника: а как с тем или иным обстоит дело за границей?

А в самом деле: как проходила приватизация за рубежом и что там о ней думали?

Еще осенью 1990-го, после первых шагов польской реформы экономики, Мировой институт экономики развития ООН выпустил небольшую, но примечательную книжку. Одним из основных ее создателей был автор учебника по макроэкономике Рудигер Дорнбуш, преподаватель серьезного научного учреждения – Массачусетского технологического института. Книгу эту, озаглавленную «Реформа в Восточной Европе», очень быстро приняли в качестве учебного пособия многие американские университеты, а вот в России ее отчего-то обошли вниманием.

И совершенно зря. Потому что некоторые варианты реформ, предложенные Дорнбушем для стран «восточного блока», будь они осуществлены в России, безусловно могли бы сделать реформы не столь грабительскими и провальными...

Дорнбуш, например, вообще-то сторонник «либерализации цен», но отнюдь не на гайдаровский манер! «Они (страны, где проходят реформы. – *А.Б.*) должны разрешить ценам давать верные сигналы о том, какие товары производить... Для этого нужна и макроэкономическая стабилизация, и либерализация цен... Затем фирмы и работники должны получить стимулы и средства, чтобы реагировать на эти сигналы. Это требует новой системы законов, новой структуры владения и контроля над существующими предприятиями, равно как и создания финансовых рынков и рынков труда, позволяющих новым фирмам найти необходимые средства и рабочую силу. Наконец, должна быть создана сетка безопасности, чтобы защитить людей от наиболее опасных сдвигов в ходе реформ».

Как известно, Чубайс с Гайдаром поступали с точностью до наоборот. Все реформы как раз и превратились в один «опасный сдвиг»! И фирмы, и работники лишились и стимулов, и средств, законы безнадежно отставали от реальности, что шло «прихватизаторам» только на пользу, о защите людей и речи не было. Какая уж там «прицельная поддержка самых бедных слоев населения», о которой как о необходимом условии писали авторы книги...

По их мнению, «приватизация должна предшествовать переоснащению и перестройке предприятий. Но, поскольку в таком случае практически невозможно определить денежную стоимость предприятия, предпочтительно распределить притязания на владение ими бесплатно, а не пытаться их продавать... Продажа их местному населению, не принеся значительного дохода, передаст ресурсы во владение тех, кто успел разбогатеть при коммунистическом режиме, что политически едва ли привлекательно».

Произошло именно то, от чего предостерегали Дорнбуш и его соавторы: доход от приватизации Российское государство получило ничтожный, и вся собственность перешла в руки кучки олигархов, сколотивших первые капиталы еще при Советской власти.

Авторы книги отметили два, казалось бы, несовместимых аспекта: с одной стороны, по их мнению, владеть акциями должно как можно большее количество людей, с другой же – для эффективного управления предприятиями нужно централизованное руководство. Решение проблемы они видели в создании «компаний-держателей акций», или так называемых холдинговых: «Их акции в основном принадлежат населению, а они в свою очередь являются хозяевами предприятий. При этом возможны различные варианты участия во владении как коллективов трудящихся, так и самого государства: весьма привлекательна передача части паев на владение пенсионным и страховым фондам, чтобы обеспечить социальные и медицинские нужды вне государственного бюджета, в то же время поощряя сбережения широких слоев населения». И далее указывалось, что в Англии теперь лишь 18% всех акций принадлежит частным лицам, 57% принадлежит как раз пенсионным и страховым фондам.

В России была осуществлена убогонькая пародия на этот толковый проект. Вместо того, чтобы «поощрять» сбережения населения, их попросту превратили в пыль, сделав оному населению долголетнюю прививку от всех и всяческих сбережений. Компании, концентрирующие акции, и в самом деле появились, но это были те самые «фонды», чьи хозяева очень быстро исчезали в неизвестном направлении с мешками собранных у населения ваучеров. Ну а от участия в приватизации, как уже говорилось, трудовые коллективы были устранены.

Причину понять нетрудно: «приватизация по Дорнбушу» вряд ли позволила бы кучке олигархов сгрести все в свой карман...

Теперь – о наших бывших соседях по «социалистическому лагерю».

Венгрия. Там, в отличие от России, с самого начала реформ установили, что экспортеры в обязательном порядке продают государству вырученную от торговли с заграницей валюту (то же правило действовало в Польше и Чехии). Только через пять-шесть лет это правило было отменено, но благодаря ему перечисленные страны и избежали нового витка инфляции, и уберегли внутренние рынки от «долларизации» расчетов.

Чехословакия. Там приватизацию начинали как раз с мелких предприятий (ремонтных мастерских, ателье, парикмахерских и проч.), и лишь позже перешли к промышленным гигантам. В целом казначейство республики получило от приватизации 3 млрд 200 млн долларов (при том, что доход российской казны от схожей операции составил 5 млрд). Если поделить общую сумму на количество приватизированных предприятий, то получится, что за каждое чехословаки получили 128 тыс. долларов, а российская казна всего 1300, то есть в сто раз меньше...

А теперь посмотрим, как обстояло дело в Польше, где и экономика, и сознание людей были «капитализированы» в гораздо большей степени, чем в России. Там тоже приватизировали в первую очередь все мелкое и нерентабельное, к приватизации крупных объектов и инфраструктуры перешли лишь через семь лет после начала реформ, в 1997 г.

В Польше существуют три основных морских порта: Гданьск, Гдыня и Щецин. Все они были приватизированы по следующей схеме: 50 процентов акций плюс еще одна – государству (чем обеспечивается решающий голос государства в совете акционеров), половина оставшегося – органам местного самоуправления, и лишь четвертушка – продана частным лицам.

В результате продуманной политики, не имевшей ничего общего с российским «диким рынком», за весь период реформ в Польше лишь один-единственный раз была задержана индексация заработной платы и пенсий. Повторяю по буквам: *индексация*. О *задержках* самих выплат и речи не было...

Вновь о России. О сопротивлении «чубайсовскому варианту» мэра Москвы Лужкова мы подробно поговорим чуть погодя. А пока – о Башкирии. Немногие об этом знают, но Башкирия была единственным российским регионом, где восторжествовал лозунг «Чубайс не пройдет». Стоимость одного ваучера, выдаваемого на территории Башкирии, была определена не в десять тысяч рублей, а в сорок. В соответствии с указом Верховного Совета Башкирии в качестве платежного средства на территории республики принимались только те четыре миллиона ваучеров, что были выданы ее жителям. «Заграничные» в Башкирию попросту не допускались.

Контроль за исполнением этого указа был самый жесткий: номера башкирских ваучеров были заложены в компьютеры, и их прохождение через приватизационные аукционы находилось под постоянным присмотром правительства и «соответствующих органов». Результат многозначительный: криминальная обстановка в Башкирии уступала тому разгулу, что царил в других регионах. И ни один из пресловутых «олигархов» так и не смог занять весомые позиции в башкирской экономике...

Можем ведь, когда захотим, а?!

Теперь – о Москве. Юрий Лужков с самого начала жестко критиковал «молодых реформаторов»: «Вот я, Лужков, получил свой ваучер. Но сегодня его стоимость – это три килограмма плохой колбасы. Неужели я, гражданин России, в лице всех моих предков, тысячу лет работавших на Россию, где до последних лет всей собственностью владела государственная власть, заслужил всего лишь три килограмма плохой колбасы? Не смешно ли это?! Сплошной обман народа!»

И далее: «Ваучеризация – это самая крупная афера века».

«В России было уничтожено самое начало товарно-денежных отношений, и деньги были исключены из обращения, так как их просто не хватало. В результате мы оказались в пещерном веке, меняя один товар на другой, мясо на пики и стрелы».

«Приватизация по Чубайсу не только не принесла обещанного процветания, но почти полностью разрушила всю нашу социально-экономическую систему, не создав ей продуктивной замены. Она породила взрывоопасную социальную напряженность, сделала Россию в экономическом отношении третьеразрядной страной, которая для того, чтобы выжить, начинает превращаться в сырьевой придаток развитых стран. Но если ваше богатство нажито не за счет честной работы, а за счет ловкого обмена власти на собственность, все понимают, что вы совершили беззаконие и ваше право на богатство ничуть не выше, чем у тех, кто не сумел сделать это».

Чубайс, конечно, перенести такого не мог – и в ответ обвинил Лужкова в «экономической малограмотности». То, как парировал подобные выпады Лужков, заслуживает самого обширного цитирования: «Я считаю, что Чубайс, совершенно не зная экономики, не имея опыта в организации производства, не может не стать монетаристом. Чубайс – радикал, а я – практик. Его мышление полярно, он то открывает крышку гроба, то забивает в нее последние гвозди. Все у него в жизни так: последний удар по кому-то, по чему-то. Я приверженец теории движения по этапам, по шагам, а не революционным скачкам. Это абсолютно разные вещи. У Чубайса большевистский подход: до основания разрушить, а затем... И вот он старается до основания развалить старую систему, чтобы на ее обломках построить новое общество – рыночное. А я считаю, что преобразование централизованной, монопольной экономики в рыночную надо было бы осуществлять поэтапно, оценивая каждый шаг. Как сегодня это делается в Китае».

Чубайс проявил поистине большевистский подход, публично объявив Лужкова «врагом реформ». В лучших коммунистических традициях: враги народа, враги реформ...

Главное, Лужков все же добился введения в столице «особого порядка приватизации», напрочь исключающего чубайсовскую схему. К превеликому сожалению, по всей стране (не считая Башкирии) эта схема вовсю работала. Лужков говорил на одной из пресс-конференций 1994 г.: «Мы получили странную и дикую картину. Сегодня ваучер должен был бы стоить 500 тысяч рублей, а он продается за 20–30 тысяч, демонстрируя полное недоверие населения к этой бумажке, которую скупают для последующего использования или перепродажи предприимчивые люди. Экономическая сущность в данном случае подавлена политическими целями, и мы получили обратный знак тому, который хотели получить. Оглянитесь, остановитесь, подведите итоги промежуточного этапа этого всеобщего обмана граждан великого государства российского. Но никто не хочет останавливаться».

Что характерно, при опросе населения Москвы, проведенном в том же году, 78,9% опрошенных назвали ваучерную приватизацию аферой и надувательством...

В общем, в Москве предприятия продавались не за гроши «блеф-экономики», а по их реальной стоимости. Городская казна получила дохода примерно на восемьдесят процентов больше, чем в ходе приватизации было выручено во *всей* (!) остальной России.

Промышленность в столице ничуть не захирела. Поначалу, правда, контрольный пакет акций знаменитого ЗИЛа купила за 6 млн долларов некая фирма «Микродин», но особого желания развивать производство не проявила, завод мог закрыться, что привело бы к появлению в городе едва ли не ста тысяч безработных.

Московское правительство выкупило у «Микродина» контрольный пакет за те же шесть миллионов – и выделило большой кредит. Лужков добился размещения на ЗИЛе госзаказа на грузовики для армии и сельского хозяйства. А кроме того, подписал распоряжение, по которому хозяйственным службам Москвы запретил покупать технику иностранного производства, если на ЗИЛе производятся отечественные аналоги. Это и *есть* общемировой опыт: во всех развитых странах принимаются схожие решения в самых разных областях производства ради поддержки собственного производителя.

Завод понемногу стал выправляться, особенно после того как полностью заменили весь управленческий состав. Производство машин растет, родились перспективные проекты. Точно так же начали потихоньку выводить из кризиса АЗЛК.

Председатель Москомимущества говорил: «Как только мы выведем ЗИЛ на высокорентабельную работу, мы выставим ЗИЛ на инвестконкурс (возможно с привлечением иностранных инвесторов) и получим деньги для города. Но продадим контрольный пакет акций не за 6 миллионов долларов, как в случае с "Микродином". По нашим оценкам, ЗИЛ стоит 6–7 миллиардов долларов».

Московское правительство приобрело также контрольный пакет Центральной топливной компании, ежегодно продающей в Москве и области 10–15 миллионов тонн нефтепродуктов. Развивалась текстильная промышленность, все строительное хозяйство Москвы сохранилось и нормально работало. Перспективы развития Москвы связывались, однако, в первую очередь не с производством, а с развитием науки. Ю. Лужков говорил: «Мы больше не хотим быть крупным индустриальным центром. Чтобы построить городскую структуру постиндустриального типа, московские власти собираются сделать стратегическую ставку на науку, придать ей статус важнейшего градообразующего фактора».

Этому вполне верилось, поскольку есть реальная основа: важной частью московской муниципальной собственности стали научные центры подмосковного Зеленограда с его учебными и научными институтами электронной техники. Стратегическая задача – сформировать в Зеленограде федеральный центр в области микроэлектроники и обычной электроники, телекоммуникаций и связи, всех информационных технологий...

Я несколько лет наблюдал, что в те же годы творилось в Красноярске. Краем рулил не то что «экономист по диплому» – целый доктор экономических наук. Итог, увы, печален: это пухлощекое создание, чьим единственным достоинством было умение красиво говорить обо всем на свете, как раз и привело к тому, что крупнейшие, доходнейшие предприятия Красноярского края либо захирели, либо за гроши ушли в сомнительные руки. И сопровождалось это диким разгулом криминала – с заказными убийствами, коррупцией, скандалами и падением уровня жизни.

Был в Красноярске огромный телевизорный завод, были там не самые отсталые технологии, были люди, готовые вложить деньги в развитие производства. Финал прост и печален: завод был превращен в огромный супермаркет, где лежало главным образом импортное барахлишко. Впрочем, это уже другая история...

Одним словом, доктор экономических наук, с треском проигравший на выборах, город покинул. По Красноярску еще долго кружила шутка: «Проиграв, он бежал неузнанным, потому что переоделся мужчиной». Без ложной скромности я испытываю законную гордость за то, что придумал эту шуточку и запустил ее в оборот...

Глава четвертая

ПОРТРЕТЫ В ПОЛНЫЙ РОСТ

1. Ну очень везучий банкир...

Имя Владимира Потанина не столь знаменито, как у остальных героев этой главы. И все же о нем есть смысл поговорить. Во-первых, если о самом Потанине не кричат на каждом углу, то едва ли кто не слышал названия «Онэксим-банк», а эти имена собственные подразумевают друг друга, как Ленин и партия. Во-вторых, есть еще причина, о которой – позднее.

Итак, первый из наших натурщиков происходит из «золотой молодежи» советской эпохи. Родился в семье одного из руководителей советской внешней торговли, закончил суперпрестижный по тому времени Институт международных отношений, работал во внешнеторговом объединении «Союзхимпромэкспорт». Занимал, правда, должность не ахти какую – всего-то старший инженер, ну так для неполных тридцати лет и это немало.

В 1990 году при поддержке замминистра внешней торговли Потанин создал внешнеэкономическую ассоциацию «Интеррос». Надо ли объяснять, каким образом в мутное время сколачивал капитал человек, имевший неслабые связи в структурах, ведавших экспортом и импортом? Именно из «Интерроса» очень быстро и вырос «Онэксим-банк» (полное название: объединенный экспортно-импортный банк). Как и многие подобные структуры, «Онэксим» взлетел в одночасье. История его бурного роста темна, хотя в то время на экспорте сколачивались колоссальные состояния, так что можно строить догадки, можно... Ходили сплетни, что основой финансового могущества «Онэксима» стали активы Внешэкономбанка. Вроде бы с самого начала его становлению способствовали Чубайс, Черномырдин и Шохин. Ясно было, что ворожил кто-то влиятельный, потому что почти с самого начала «Онэксим-банк» был агентом правительства по обслуживанию внешнеэкономических связей и по валютному контролю, уполномоченным банком по работе с экспортерами стратегических товаров, а также уполномоченным Госкомимущества. Золотое дно, и не одно, а целых три!

О том, насколько влиятелен был Потанин, говорит тот факт, что именно он предложил идею залоговых аукционов. Предлагать-то можно всякое, но ведь идею приняли! И сей факт говорит оч-чень о многом...

В августе 1996 года Потанин был назначен первым вице-премьером правительства, отвечающим за экономический блок. «Онэксим» тут же стал обслуживать (то бишь крутить) немалые средства Таможенной службы. Эта служба приносила в казну суммы со множеством нулей, а банку сколько?

Да уж немало, наверное...

Тут, разумеется, вновь появляются вездесущие циники – и уверяют, что на своей высокой должности Потанин умело пролоббировал правительственные решения, выгодные в первую очередь его концерну. Судя по тому, что многие олигархи, не скрывая того, были на Потанина злы, слухи эти могут иметь под собой реальную основу. С другой стороны, это ведь могло быть и чистым совпадением: ну подумаешь, первый вице-премьер и глава банка, получивший от правительства нехилые заказы, – одно и то же лицо! И не такое в жизни бывает...

Бывает, конечно...

Но это все было так, легкая закуска перед большой трапезой. Потому что Потанин тем временем уже вовсю присматривался к «Норильскому никелю». Там, за Полярным кругом, недра таили 35 процентов мировых разведанных запасов никеля, 10 процентов меди, 14 процентов кобальта, 55 процентов палладия, 20 процентов платины, а также богатые залежи серебра и угля. И, кроме того, имелся могучий комбинат, извлекавший из стылых недр всю эту благодать и перерабатывавший ее в слитки чистого металла.

Справедливости ради следует уточнить, что в Норильске к тому времени не имелось никакого «заповедника социализма». Директора входивших в «Норильский никель» заводов основали за рубежом собственные торговые компании и лихо извлекали немаленькую прибыль в валюте. Циники именуют этот процесс «грабежом», и о нем до сих пор известно крайне мало из-за отдаленности Норильска, чья связь с Большой Землей порой выглядит чисто символической. Как следствие: малочисленность населения, слабость СМИ и прочие «прелести», вытекающие из специфики заполярного города...

Аукцион по продаже государственного пакета акций «Норникеля» проходил, мягко выражаясь, своеобразно. Самую большую цену – 355 миллионов долларов – предложила компания «Конт», представлявшая интересы банка «Российский кредит». Однако из-за «недостаточных финансовых гарантий» учреждение, проводившее регистрацию заявок на участие в аукционе, «Российский кредит» к торгам не допустило. Именовалось это учреждение – как? Правильно, «Онэксим-банк».

А как вы думаете, кто выиграл аукцион? Вы будете смеяться, нет вы будете *очень смеяться*...

«Онэксим-банк» приобрел «Норильский никель» за 180 миллионов долларов.

Похожая история произошла и несколько недель спустя, когда начались торги по продаже 51 процента акций нефтяного гиганта «Сиданко». Опять не повезло все тому же «Российскому кредиту»: вновь появились его представители, и вновь «Онэксим» не принял у них заявку. Представители «Онэксима» заявляли, что «Роскредит» не внес необходимый задаток. Представители «Роскредита» утверждали, что их даже не пустили в день аукциона в здание «Онэксим-банка». Как бы там ни было, поезд ушел: аукцион выиграла связанная с «Онэксимом» компания, заплатившая всего 5 миллионов долларов сверх стартовой цены в 125 миллионов.

Такие вот веселенькие у нас проводились «аукционы».

В правительстве Потанин проработал недолго. Ушел вскоре, заявив, что особых сожалений по этому поводу не испытывает. Несколько поспешил, право... «Онэксим-банк» обанкротился в 1998 году, после краха пирамиды ГКО. А останься его глава в правительстве, глядишь, и унюхал бы вовремя, откуда ветер дует.

Впрочем, «Норильский никель» и все остальное у него осталось. А умело проведенное банкротство банка бьет не столько по самому банку, сколько по клиентам.

Но мы забежали чуть-чуть вперед. Уйдя из правительства, господин Потанин выразил намерение приобрести акции телекоммуникационной компании-монополиста «Связьинвест». И – вот ведь везение-то, а? – тут же выиграл конкурс, при том, что были ведь и другие желающие, люди тоже известные и с нешуточными капиталами.

Обиженные конкуренты начали против него настоящую информационную войну. Претендовавшие на «Связьинвест» Гусинский и Березовский подняли по боевой тревоге принадлежавшие им телеканалы, ОРТ и НТВ, и те принялись с надрывом в голосе объяснять всему честному народу, что Потанин «путем махинаций украл госсобственность», а потому ее следует немедленно вернуть государству, а главных коррупционеров, способствовавших нечистоплотной сделке, господ Немцова и Чубайса, – ввергнуть в политическое небытие.

Как говорится – кто бы спорил! Вот только организаторы крестового похода за правду, господа Гусинский с Березовским, сами... как бы это поделикатнее выразиться... в общем, эталоном высокой морали и честной игры служить, право же, не могли...

Но кампания была шумной, затяжной и велась с размахом. В прессу просачивались записи пикантных телефонных переговоров, сыщики из МВД кропотливо проверяли приватизационные бумаги череповецкого комбината «Азот», даже арестовали одного из вице-президентов «Онэксим-банка». Задушевное единство олигархов, столь мило смотревшееся во времена президентских выборов 1996 года, на глазах превращалось в грустные воспоминания.

И все же «Онэксим» тогда отбился. Быть может, еще и оттого, что в истории со «Связьинвестом» на его стороне играл и старый лис Джордж Сорос, пока и не подозревавший, какую шутку с ним сыграет российский дефолт, до коего оставалось всего ничего...

И тем не менее, и все же...

Вторая причина, по которой эту главу я начал с портрета Владимира Потанина, в том, что стричь всех олигархов под одну гребенку не стоит.

Подавляющее их большинство, захапав за гроши ценную государственную собственность, использовали ее, как корову, которую сначала доят, а потом пускают на мясо. Сотни предприятий ждала эта судьба – из них извлекали быструю прибыль, пока они худобедно работали, потом распродавали все до последнего гвоздя, после чего попросту бросали. А полученные деньги не в производство вкладывали, как с придыханием обещали отцы реформ, а переводили за границу либо пускали на финансовые аферы. Таким образом, вместо обещанного класса собственников мы имеем обычную банду мародеров.

Но все же другая, меньшая часть приватизаторов – таких, как Потанин, Авен, Алекперов, утвердившись во владении награбленным, всерьез занялись производством. Они сумели довольно эффективно перестроить доставшиеся им промышленные предприятия, горные комбинаты и нефтеперегонные заводы. «Норильский никель» работает, в общем, успешно. Кроме того, в собственности «группы Потанина» находится еще знаменитое ЛОМО – Ленинградское оптико-механическое объединение. Тоже работает успешно.

Так что есть надежда, что эта, меньшая часть олигархов все же сумеет превратиться в того самого цивилизованного производителя, о котором нам столь красиво вещали... Конечно, если означенные господа, забыв о грешках молодости, будут действовать в режиме честной игры: соблюдать законы и своевременно платить налоги. А также расстанутся с претензиями на роль новой «руководящей и направляющей» силы – почему я назвал это условие, станет ясно из дальнейшего.

Нет, упаси Бог, я по-прежнему не испытываю к ним ни малейшей симпатии. То, что происходило в нашей стране в 90-е годы – мерзко, подло и отвратительно. Но все это уже произошло. И требовать сейчас полного пересмотра процесса, называемого приватизацией, и оплаты всех счетов – значит попросту не жалеть ни страну, ни народ. Такой пересмотр неизбежно выльется в новый передел собственности, которого наша несчастная промышленность попросту не вынесет.

Миром, увы, правит не романтика, а здоровый цинизм. И в рамках этого мировоззрения, нравится или не нравится это всевозможным идеалистам, от сахарных Маниловых до поборников справедливости, строить приходится не из «идеального материала», а из того, что есть под рукой. Хотя материал этот порой и несовершенен. Во что выливается стремление к идеалу – это нам «мальчики в розовых штанишках» уже хорошо показали.

Покойный Ахмад Кадыров как-то высказал примечательную сентенцию: «Да, у меня была банда. Но банды тогда были у всех». Шокирующе с точки зрения романтики, но вполне понятно и простительно с позиций здорового цинизма. Слишком часто приходится после хаоса и кризиса восстанавливать что-то с помощью не белокрылых ангелов (кстати, именно этакими безгрешными ангелочками очень любят прикидываться самые прожженные аферисты), а насквозь приземленного, амнистированного народа.

Еще нигде и никогда не удавалось добиться глобального восстановления справедливости. Удавалось лишь, достаточно долго манипулируя пистолетом и намыленной петлей под носом у амнистированного пирата, в конце концов убедить его прожить остаток дней в трудах праведных и соблюдении законов.

Классический пример – французская денежная реформа после Второй мировой войны. Старые деньги изымали из обращения, вводили новые – из расчета один новый франк за сто старых. Так вот, французы применили очень простое правило. Тем, кто мог предъявить документы, доказывающие, что предназначенные к обмену деньги заработаны честно, обменивали всю предъявленную сумму – хоть грузовик пригони. Тем, кто документов представить не мог, меняли ровно *половину*. Французы поступили умно: они прекрасно понимали, что *все* неправедные денежки «спалить» все равно не удастся, а требование непременно предъявить оправдательные документы приведет к дикой коррупции – можно представить, как обогатились бы скромные государственные служащие, «сидевшие» на этих самых декларациях о честном доходе. *Искоренять* зло французы не стали, но постарались его преуменьшить, насколько возможно. Вполне здравый подход, исполненный того самого здорового цинизма и реализма...

Об этом мало кто помнит, но история металлургической промышленности заполярного Норильска начиналась как раз с аферы – во время которой в незавидной роли лоха выступил сам император Николай I, человек, вообще-то, не склонный к излишней доверчивости...

Однажды он получил прошение от одного из красноярских купцов – тот покорнейше просил дозволения за свой счет построить деревянную церковь в том подобии городишка, который уже существовал на месте нынешнего Норильска. Тронутый такой заботой о православной вере, император всемилостивейше наложил резолюцию: «Быть по сему».

Фишка, как ныне выражаются, заключалась в следующем: там, за Полярным кругом, в забытой богом Дудинке уже *была* церковь. Каменная. А купчина сей, прознав о богатых залежах меди, вознамерился построить печь для выплавки металла. Но везти туда кирпичи было расходом неподъемным для частного предпринимателя – каждый кирпичик обошелся бы на вес золота. И пронырливый негоциант положил глаз на церковь.

Дальнейшее, думаю, понятно. Явившись к местным церковникам, купец продемонстрировал им бумагу с резолюцией царя-батюшки, быстренько снес церковь и сложил из ее кирпичей первую в мире медеплавильную печь, созданную за Полярным кругом. Деревянную церковь, впрочем, в полном соответствии с бумагой честно построил на том же месте. Вот так и возникла норильская металлургия...

И все же у Потанина есть одно достоинство: он человек респектабельный. Происхождение, образование и воспитание обязывают.

О следующих фигурантах этой главы такого не скажешь. Черт его знает, откуда они все взялись, но такой паноптикум... Прямо щедринские персонажи какие-то, право слово...

2. «Мост» из ниоткуда в никуда

Итак, Владимир Гусинский. На девять лет старше Потанина, 1952 года рождения, дед в 1937 году был репрессирован. За что – неизвестно.

Натура, прямо скажем, ищущая. Закончил Институт нефтехимической и газовой промышленности, затем занесло его отчего-то в ГИТИС, на режиссерский факультет. Судя по воспоминаниям актеров, знавших его в то время, режиссер был, что называется, от Бога, хотя и с уклоном в модернизм. Остался бы на этом поприще – глядишь, и получился бы полезный человек.

Увы, в режиссеры Владимир Гусинский не пошел, хотя артистом остался на всю жизнь.

В начале 80-х, отработав по распределению в Тульском областном драмтеатре (по другим сведениям, был кем-то вроде массовика-затейника, организатора мелких комсомольских фестивалей), режиссер Гусинский вернулся в Москву.

При социализме «крутился» по мелочам – подрабатывал частным извозом (и мелкими сделками на черном рынке; надо полагать – валюта, джинсы и тому подобное). Проходил по уголовному делу о мошенничестве – взял у знакомого адвоката 8 тысяч рублей за проданную тому машину (дело было в 86-м), но машину покупателю не отдал. Как-то открутился от суда.

В 1985 году ему впервые *свезло*: пристроился заведовать художественно-постановочной частью Московского фестиваля молодежи и студентов, затем, в 1986-м, стал главным режиссером культурной программы Игр доброй воли (если кто не помнит, была у нас тогда такая «альтернативная» Олимпиада). Работа неплохая, но главное – связи, связи за границей, за такие связи человек того времени душу в ломбард заложил бы без всякой квитанции. На играх наш герой и познакомился с влиятельными в деловом мире американцами – потом эти связи пригодились, и еще как!

Гусинский был из первых «ласточек» перестройки. Кооператив он организовал еще в 1986 году. Производила оная контора женскую бижутерию и металлические гаражи – сочетание пикантное, но мало ли какие сочетания встречались в те почти былинные времена...

Потом из «производственной» сферы его занесло совсем в другие палестины. В 1988 году Гусинский открывает еще один кооперативчик и занимается теперь уже финансовыми и правовыми консультациями и политическим анализом. Клиенты – сплошь иностранцы.

Какую лапшу вешал им на уши наш консультант с режиссерским образованием, история умалчивает. (Впрочем, по другим данным, он не столько консультировал, сколько торговал сигаретами и компьютерами). Но *имидж* по тем временам был придуман солидный. Уже в 1989 году клюнула рыбка – Гусинский убедил руководство филиала американской юридической фирмы «Арнольд и Портер» создать совместное предприятие под названием «Мост».

Сначала фирма вполне добросовестно и респектабельно консультировала американские компании, работавшие в Советском Союзе, но длилась эта идиллия очень и очень недолго. Почувствовав, что вышел на подходящую орбиту, Гусь отбросил своих американских партнеров, как отработанные ступени ракеты-носителя, и перерегистрировал «Мост» уже в качестве банка и холдинговой компании.

И тут ему *свезло* еще раз. Как и положено человеку в возрасте (тогда ему уже подкатывало к сорока), Гусинский был женат. И надо же такому случиться, что его жена работала в одной конторе с женой некоего малоизвестного тогда чиновника по фамилии Лужков. Женщины подружились, познакомились и их мужья.

После того как Лужков пошел вверх, «Мост» стал «своим» банком для московского правительства, а Гусинский – своим человеком для московской власти. Без конкурса, за символическую сумму он получил около 100 зданий в столице. Почти двадцать московских учреждений держали свои счета в «Мост-банке», в том числе там был и основной текущий счет городского бюджета. А в 1993 году «Мост» стал уполномоченным банком российского правительства.

Группа «Мост» разбухала, как на дрожжах: информационные компании, страховая, торговая, строительная, охранное агентство, заводы по производству строительных материалов... Впрочем, на ниве строительства наш герой не особенно преуспел, его таланты были направлены в первую очередь на увлекательные финансовые спекуляции. И мог бы легко делать миллиарды... но натура подвела.

Одна из актрис, работавших с Гусинским еще в бытность его режиссером тульского театра, вспоминала: «Как-то Владимир Гусинский подвозил меня из Тулы, где мы ставили спектакль, до Москвы на своей "четверке". Погода была неважная, темнело. Кроме того, в машине была еще его жена с совсем крошечным ребенком.

"Спорим, – сказал Гусинский, – что я не пропущу вперед себя ни одной машины!" Так и было: никого не пропустил до самой Москвы. А потом сказал: "Я должен быть первым! Всегда! Во всем!"»

И эта неумеренность в стремлениях, плюс редкая самоуверенность, плюс патологическая склонность к интригам и привели к тому, что наш герой все время зарывался. Его осаживали, иной раз довольно жестко, но ничто не помогало, натура брала свое. Что в конечном итоге и послужило причиной его падения.

...Итак, в то время, когда коллеги Гусинского по приватизации вовсю расхватывали заводы, нашему герою это было скучно. Он обратил взор совсем в иную сферу. Ну подумаешь, банкир! Банкиров этих – как собак... И западные друзья, которые к тому времени немножко разобрались в том, что такое российская экономическая реформа, нос воротят. Надо найти что-то такое, что звучало бы гордо.

Медиамагнат – вот это звучит гордо! И здесь, и там...

В начале 1993 года три банка: «Мост», «Столичный» и «Национальный кредит» – создали компанию НТВ. Вскоре, как и следовало ожидать, Гусинский компаньонов бортанул и остался у руля один.

(Небольшой штришок к портрету: в свое время часть известных российских продюсеров пыталась приостановить исполнение указа Ельцина о создании НТВ – хотя, по своему врожденному цинизму, боюсь, что ими двигали не благородные страсти, а вульгарная неприязнь к закрутившему роман с верховной властью конкуренту. Ирена Лесневская впоследствии вспоминала о примечательном разговоре с Гусинским: «Он запугивал нас, оскорблял, говорил мне: "Что может быть важнее для матери – у вас один сын – чтобы сын был живой и здоровый, а ведь на сто первом километре постоянно что-то случается: случайно может задеть машина, перевернуться, сгореть..."»

Лесневская, откровенно говоря, не напоминает Мать Терезу. В этой истории за ее спиной откровенно маячил сердечный союзник Березовский. Но все равно, поведение Гуся мало напоминает деятельность честного коммерсанта...)

Тогда же он открыл газету «Сегодня». В конце 1993 года наш герой получил контрольный пакет акций радиостанции «Эхо Москвы».

Самая известная из всех этих СМИ – это, конечно, НТВ. Телекомпания, которую иные до сих пор отчего-то именуют «светочем свободы», а другие называют «гнуснопрославленной».

Действительно, НТВ отличалась прямо-таки зоологическим «демократизмом», так что на «светоч свободы», по меркам начала 90-х, вполне тянула. Не менее зоологической была и ее, мягко говоря, нелюбовь к России.

Только один пример. Во время первой чеченской войны 1995–96 гг. компания занимала столь откровенно антироссийскую и прочеченскую позицию, что ею заинтересовался отдел психологических операций ГРУ. Специалисты этого серьезнейшего ведомства скрупулезно подсчитали, что около 80 процентов видеосъемок боевых действий было снято со стороны чеченских боевиков. Остальное время показывали зверства и разрушения российской армии в «маленькой, но гордой Ичкерии». Более того: НТВ добросовестно предоставляло свой эфир для «эксклюзива», которым стали выступления Дудаева, Масхадова и прочих «волков».

Журналистка НТВ Елена Масюк откровенно вела репортажи «с той стороны». (Кстати, что любопытно: как только отпала надобность в «героине чеченского народа», из корреспондентки она тут же превратилась в заложницу. Гусинский выкупил ее тогда за большие деньги. Это к вопросу о благородстве и благодарности «борцов за независимость Чечни».)

Вот интересно, если бы в 1941-м такое... Да что там 1941-й! В наше время в большинстве развитых стран существует прямой законодательный запрет на использование любых материалов, полученных или сделанных на стороне тех, с кем эти государства воюют. Там, что и в Англии, и во Франции, НТВ-шникам мало бы не показалось, равно как и их хозяину.

А у нас все сошло с рук, и зловещая звезда НТВ еще долго светила с телеэкрана.

Тогда-то Гусинский и влез открыто в политику (надеюсь, никто не думает, что подобная *пропаганда* могла вестись без хозяйского одобрения?). А на самом деле он забрался туда с ногами значительно раньше. Одно слово – артист!

С ближайшим окружением президента Ельцина он ухитрился поссориться еще в 1994 году. Сразу после «черного вторника» (кто не помнит – резкое падение курса рубля осенью 1994 года), в котором обвинили банкиров, в том числе и Гусинского, подконтрольные ему СМИ повели атаку на правительство. Говорят, в запале он даже заявил, что может посадить на пост президента кого угодно.

Проговорился! Выдал заветную мечту, и свою, и других олигархов. Те тоже проговаривались, но все больше намеками. А сей деятель взял и бухнул. В открытую. Не стесняясь.

После этого Гусинскому впервые указали его место. Указали жестко, грубо и, в общем-то, унизительно – для столь чистой и честной личности. В народе операция получила название «Мордой в снег». 2 декабря 1994 года к главному офису «Моста» подлетели крепкие вооруженные ребята в масках и ткнули водителей и охранников кортежа Гусинского физиономиями в декабрьский снежок. Личный шофер босса поначалу закрылся в бронированном «Мерседесе» и объявил свою персону экстерриториальной. Но ему положили на крышу гранату, и бедолага рванул на свежий воздух быстрее лани. Граната, правда, оказалась без запала...

История наделала-таки шуму. А всего-то оказалось, что это была рядовая операция службы безопасности президента. Спустя восемь лет о ней рассказал Виктор Портнов, диверсант-подводник, работавший тогда в Центре специального назначения при службе безопасности:

«Перед нашим подразделением стояла задача спровоцировать Гусинского на активные действия и узнать, чьей поддержкой он заручился во властных структурах, прежде чем делать подобные заявления (о том, кто у нас президентов ставит. – *А. Б.*).

Работали так. Утром 2 декабря дождались, когда кортеж (бронированный "Мерседес" и джип охраны), направлявшийся с дачи

Гусинского в Москву, выехал на Рублевско-Успенское шоссе. На повороте джип замешкался, и наш "Вольво" вдвинулся между ними. Машина сзади начала мигать – уступите место! Мы не реагируем... Так, хвост в хвост, на скорости 100–120 км/час и выехали на Кутузовский проспект. Тут сбоку подъезжает банковский "броневик". Как оказалось, это была машина прикрытия. Открывают окошко и стволом пистолета машут: уходите, мол. Я им в ответ показываю спецназовский автомат. Тогда у них открывается боковая дверь, а там парни тоже с автоматами и в камуфляже. Я достаю гранатомет "Муха"... В общем, они поняли, ушли.

Остановились мы прямо между мэрией и "Белым домом". Стоим, ждем, что охрана предпримет дальше. А в это время господин Гусинский, как мы потом узнали, позвонил начальнику ФСБ по Москве и Московской области Евгению Севастьянову и начальнику ГУВД Москвы. Первый прислал ребят из департамента по борьбе с терроризмом, второй – Специальный отряд быстрого реагирования (СОБР). Короче, Гусинский свою "крышу" засветил по полной программе. Собровцы, приехав на место и увидев нас, ввязываться в заваруху не стали. Умные ребята, посмотрели, все поняли и уехали.

Фээсбэшники же пошли на контакт: вылетели и стали по нам стрелять. Весь низ машины прошили. Хорошо, что никто не пострадал...

Теперь представьте картину. Центр Москвы. Час дня. Я в бронежилете с бесшумным автоматом "ВАЛ" наперевес вылезаю из машины. Вокруг полно зевак, стрелять нельзя. И тут незаметно сзади ко мне подкрался "антитеррорист" и рукояткой "стечкина" дал по голове. Отключился. Мало помню, что происходило дальше, но до бойни дело не дошло. Фээсбэшники вовремя поняли, на кого мы работаем, и уехали. Меня же отвезли в больницу.

...Коржаков, узнав, что одного из нашей бригады отправили в больницу, дал приказ работать с ними до конца. Из джипа всех вытащили и мордой в снег...»

В общем, погорячился Гусь. Не стоило ему распускать язык по поводу президента. Мог бы вспомнить, что произошло всего за год до того. Если Борис Николаич с собственным парламентом не церемонился, то неужели же испугается какого-то там банкира? Даже если тот, в придачу, еще и медиамагнат.

Гусинский подал в суд... Воз, кажется, и ныне там.

Инцидент послужил для нашего «генератора президентов» началом крупных неприятностей, но о них несколько позднее. И, кстати, именно после этой операции расстался с должностью глава столичного управления ФСБ Евгений Севастьянов – не профессиональный чекист, а штатский перестройщик. То ли физик, то ли теплотехник по диплому, заброшенный в это кресло очередной волной дурацких реформ всего и вся. Именно его подчиненных Гусинский высвистел себе на помощь, но против коржаковцев у них почему-то не сладилось...

А «Медиа-Мост» между тем работал. И, надо сказать, весьма специфично.

«Я не фанат телевидения, – говорил по этому поводу Гусинский. – Я фанат зарабатывания денег».

У этого человека какая-то патологическая страсть рисовать свою деятельность в благородных, совершенно не соответствующих действительности терминах... Пришло время, и стало известно, что информационная империя «Медиа-Мост» деньги свои «зарабатывала» вовсе не так, как это принято на Западе – например, рекламой. Источники прибыли были несколько иными.

Например, кредиты от западных компаний. И не только от них: совсем уж головокружительные ссуды выплачивал Гусинскому «Газпром» – и вовсе не торопил с возвратом, когда проходили все сроки. Речь, между прочим, идет о сотнях миллионов долларов. Немалые суммы переводило и «Росвооружение».

А ларчик просто открывался... Тогдашний глава «Газпрома» Рэм Вяхирев, прижатый к стене журналистами, в конце концов был вынужден признать, что «Газпром» не имел от этакой «благотворительности» никаких прибылей, а давал такую прорву денег исключительно для того, чтобы... «его компанию оставили в покое»!

Во всем цивилизованном мире подобные вещи отчего-то называются шантажом и, с точки зрения суровой Фемиды, незамедлительно подлежат...

Но только не у нас – в те годы.

Даже не зная подробностей, крайне легко реконструировать механизм шантажа. Известно, что Гусинский создал мощнейшую службу безопасности, форменную частную армию. «Ставил» ее бывший зампред КГБ СССР Филипп Бобков. В разное время там работало около 200 бывших гэбистов. И все почему-то из недоброй памяти «пятерки» – «идеологического» управления КГБ, того самого, которое, кстати, боролось с диссидентами... Злые языки говорят, что «пятерка» была Гусинскому еще более родной, чем казалось, потому что одно время он и сам подвизался там – в качестве осведомителя...

Имея такую армию, можно добывать любой компромат. А ведь наверняка у «Газпрома» (как у любой мало-мальски крупной российской фирмы, не говоря уже о мелких) имелось множество «скелетов в шкафу». И то же НТВ, прояви газовики скупость, могло, надо полагать, рассказать о них зрителю немало интересного, подавши это умеючи...

Чем привлекал «Медиа-Мост» подкармливавших его западников, предоставляю читателю подумать самостоятельно...

Какое-то время Гусинский процветал. Скорее всего, он уже просто не мог остановиться. Известны его собственные признания журналистам:

«В России есть бродячий цирк, один из его главных номеров – белка в колесе из металлической решетки. Я как эта белка – бегу без остановки. Она думает, что это она крутит колесо, но все наоборот: колесо крутит белку. Если она попытается остановиться – лапки застрянут меж прутьев и их переломает».

Вообще-то, Гусь и здесь по своей всегдашней привычке наворотил немало ерунды. Что-то я не помню в России цирков, где в качестве «главного номера» зрителей приглашали бы любоваться на белку в колесе. Которое, к тому же, обычно было не металлическим, а деревянным – железное белка, зверек мелкий, просто не сдвинет. Да и остановить это колесо белка при желании может без особых усилий – например, когда захочет поесть или пописать. У меня такая была, насмотрелся и говорю со знанием дела...

Но некая глубинная суть все же обрисована чертовски верно – начиная с определенного момента, субъект вроде Гусинского не может остановиться, вынужден разгонять колесо так, что спицы сливаются в сплошной мерцающий круг. Потому что хочет денег, денег, денег, больше, больше, больше...

А потом полоса *прухи* закончилась. Начались неприятности.

Первым отвернулся Лужков. То ли уловив недвусмысленное предупреждение, данное 2 декабря, то ли это просто совпадение такое, но в январе 1995 года мэр столицы подписал распоряжение о создании Банка Москвы, куда начал переводить муниципальные счета. А счета департамента финансов мэрии он перевел в Центробанк еще раньше, сразу после операции «Мордой в снег». По какому-то странному совпадению, лишившись возможности крутить муниципальные средства, «Мост» стал хиреть...

А тут еще злопамятная Лесневская открытым текстом обвинила Гусинского в организации убийства популярнейшего телеведущего Влада Листьева. Впрочем, точности ради непременно следует упомянуть, что другие в том же самом обвиняли и главного конкурента Гусинского – г-на Березовского... Трудно здесь выносить какие-то суждения, поскольку точка в деле Листьева до сих пор не поставлена...

Между тем неотвратимо приближались 1996 год и новые президентские выборы. Тут уж были забыты все распри, и, вопреки русской народной мудрости: «Гусь Березе не товарищ», два соперника объединились, во что поначалу трудно было поверить. НТВ наравне с остальными включилось в избирательную кампанию. Трудно работали, сцепив зубы, но работали.

Ельцин, как известно, победил. Гусинский без награды не остался. В октябре он стал членом Совета по банковской деятельности при правительстве РФ. Через год он уходит из «Мост-банка» и становится «чистым» медиамагнатом. Вскоре Ельцин подписывает указ, включивший НТВ в число общероссийских телерадиовещательных организаций.

Казалось, Гусинского выносит на новый взлет. Он уже чувствовал себя наверху. Его, как писали классики, *понесло*. До такой степени, что он открыто заявил с телеэкрана о себе и ему подобных олигархах следующее: «Мы так же полезны России, как Форд Америке».

Тут уж замутило даже привычных ко всему людей из числа тех, кто разбирался в проблеме...

Как уже говорилось, Форд и его коллеги *производили* материальные ценности, создавая реальные богатства Америки. И крайне отрицательно относились к финансовым спекулянтам, тамошним предшественникам Гуся. Именно о них Форд писал в одной из своих книг: «Деньги еще не есть дело. Даже и большие деньги не могут создать большие предприятия... Денежные маклеры бывают редко деловыми людьми. Спекулянты не могут создавать ценности».

Еще до Отечественной в СССР вышла книга Ильфа и Петрова «Одноэтажная Америка» – об их путешествии по США. Советским писателям удалось встретиться и с Генри Фордом.

«Он говорил о том, что в будущем видит страну, покрытую маленькими заводами, видит рабочих, освобожденных от ига торговцев и финансистов.

– Фермер, – продолжал Форд, – делает хлеб, мы делаем автомобили, но между нами стоит Уолл-стрит, стоят банки, которые хотят иметь долю в нашей работе, сами ничего не делая.

Тут он быстро замахал руками перед лицом, словно отгонял комара, и произнес:

– Они умеют делать только одно – фокусничать, жонглировать деньгами».

Можно цитировать и дальше, но необходимости нет: взгляды Форда хорошо известны, его книги в России переведены. Нужно разве что добавить немаловажные подробности – о принципах, которыми Форд руководствовался в своей практике.

Он не был, разумеется, ни коммунистом, ни левым, и никогда не собирался отказываться ни от своей собственности, ни от своих миллионов. Однако Форд старательно проводил в жизнь нехитрую идею: со своими рабочими надо *делиться* со всем максимумом справедливости.

Проще говоря, по Форду, предприниматель должен научиться получать прибыль не от снижения заработков и повышения цен, а от эффективного производства и материального стимулирования своих работников.

В январе 1914 г. в США, без преувеличения, взорвалась бомба. «Форд мотор компани» объявила, что сокращает рабочий день с 9 до 8 часов и вводит минимальную заработную плату в 5 долларов в день.

Этот минимум, 5 долларов в день, превышал максимальные почасовые ставки на заводах любого из конкурентов Форда. Форд тогда же сказал корреспонденту: «Я прочел мало книг. Я не ученый, а просто механик, сделавший деньги. Но я все продумал. Прибыль необходимо делить между владельцем капитала и рабочими, причем рабочим должна доставаться большая ее часть, ибо они делают большую часть работы, которая создает богатство». Это, говорил он, не подарок и не благотворительность, а законная плата за участие в бизнесе.

Конкуренты, разумеется, взвыли. Форд сказал, что они могут платить своим рабочим столько же, если воспользуются его опытом: «Стандартизируйте все, что выпускаете, упрощайте продукт и его производство, и тогда, возможно, вы также удвоите заработную плату. Довольствуйтесь скромными дивидендами, но прибавьте рабочим хотя бы по пяти центов в день, и вскоре вы сможете прибавить еще. Почему? Потому что поднялась их покупательная способность. У нас каждый рабочий – партнер по бизнесу. Неудивительно, что я делаю деньги, имея 20 тысяч партнеров, которые мне помогают, а не 20 тысяч таких работничков, которые к концу дня посматривают на часы... Мы надеемся сделать 20 000 человек зажиточными и довольными, а не вскармливать горстку миллионеров, которые управляют рабами».

Будь Форд утопистом вроде наших доморощенных «реформаторов», он неминуемо разорился бы. Но в том-то и суть, что его социальные программы прекрасно работали много лет, зарплата рабочих росла, а цены на фордовские машины снижались и снижались! Капиталист Генри Форд был умным человеком и прекрасно понимал, что его собственное процветание невозможно без создания должных условий для тех, кто на него работал.

А потому финансовый махинатор Гусинский попросту не имеет права сравнивать себя с Фордом. Чересчур разные методы зарабатывания денег – впрочем, в применении к Гусю слово «зарабатывать» решительно неприемлемо. Не считать же честным заработком шантаж «Газпрома» или прокрутку муниципальных средств?

Но вернемся к нашему герою. Все вроде бы шло хорошо – и тут удача снова его обманула. Вернее, пошли *обломы* – пока еще небольшие, но довольно чувствительные.

В 1997 году он проиграл битву за «Связьинвест», доставшийся в итоге Потанину. В 1998 году, в результате краха пирамиды ГКО, в числе банкротов оказался и «Мост-банк». А что еще чувствительнее, в результате дефолта резко снизилась прибыль от рекламы. НТВ и без того больше тянуло деньги, чем приносило. «Медиа-Мост» начало трясти.

А там пришли новые времена.

Впрочем, поначалу Гусинский ничего не понял. Он ничему не научился, оставшись самим собой – самоуверенным гонщиком-лихачом, не замечающим, что и машина-то поизносилась, да и трасса уже не та...

Осенью 1999 года снова вспыхнула чеченская война. НТВ поумерило тон, но сменить позиции уже не могло. Разве что работать стало тоньше. Но все равно продолжались «наезды» на политику в Чечне, умелые упоминания о причастности ФСБ к взрывам домов. В предвыборной кампании Гусинский поддерживал старого приятеля Лужкова.

Роковую ошибку он сделал в начале 2000 года. Кажется, после 31 января 1999 года все уже было ясно, не так ли? Все всё поняли правильно, и в приемной Путина выстроились с поклонами самые разные люди. Даже Чубайс себя пересилил. А вот Гусинский вел себя по принципу: «А Баба-Яга против!»

Почему – гадают до сих пор.

По-видимому, не смог наступить на горло собственной песне. Или еще почему-либо...

Не суть. Важно то, что прежнее НТВ в новой России существовать не могло. И человек, открыто заявляющий, что он сам будет ставить президентов, тоже был не к месту.

Вскоре произошло странное, до сих пор не вполне проясненное событие: во время поездки Путина в Испанию и Германию Гусинский был арестован и три дня провел в Бутырке. Ему было предъявлено обвинение по статье «мошенничество в особо крупных размерах» – речь шла о незаконном и безвозмездном изъятии у государства хозяйственного комплекса Второго канала стоимостью в 10 миллионов долларов.

Путин в интервью западным журналистам назвал это событие «сомнительным подарком». Судя по тому, что арест Гусинского явно мешал его переговорам за рубежом, отвлекая от дел, от крупных контрактов и важных соглашений, нет оснований не верить тем, кто считает, что президент никакого отношения к аресту Гусинского не имел.

Скорее уж правы те, кто полагает, что Гуся «заказал» Береза, и этот арест был всего лишь очередным эпизодом в ожесточенной войне двух медиа-империй... Очень уж лучился самодовольством Борис Абрамович, светясь перед камерами, очень уж многозначительными были комментарии...

Самое интересное, что эти три дня, проведенных Гусинским в Бутырке (в довольно комфортных условиях, с телевизором и холодильником), реально пошли ему только на пользу. Вспыхнула мощная рекламная кампания, представившая Гусинского как «диссидента № 1» и даже «узника совести». Настолько выгодная для «бутырского сидельца», что некоторые всерьез стали подозревать: не сам ли Гусинский, используя связи, организовал себе арест и кратковременные «тюремные мучения»? В конце концов, подобные выходки в истории известны.

И подконтрольные нашему герою средства массовой информации, и независимые «инвалиды перестройки» делали все, чтобы превратить это событие в масштабный политический кризис. Путина обвиняли в стремлении ограничить в России все завоеванные тяжкими усилиями демократические права и свободы, в попытках установить личную диктатуру, вернуть 37-й год. А заодно и в антисемитизме. Читателю на полном серьезе вдалбливали: даже если арестовать Гусинского приказал не лично сам Путин – это все равно, мол, результат «флюидов», исходящих от госбезопасности.

Ну что тут скажешь? Коли уж речь заходит о «флюидах», впору тушить свет и вызывать санитаров... А в общем, со временем эта кампания сошла на нет: ну не было в распоряжении «демократической общественности» ни единого прибора, способного зарегистрировать эти самые «флюиды». Тем более что и Гусинского освободили и вскоре даже отпустили в любезную его сердцу Испанию.

...А НТВ из его рук все же упорхнуло. По самому что ни на есть прозаическому поводу: телекомпанию, вульгарно выражаясь, описали за долги «Газпрому» (те самые сотни миллионов долларов невозвращенных Гусем кредитов).

Гусинский бросился жаловаться на Запад – был в Англии, Израиле, США, засветился даже на ужине у президента Клинтона. Однако это ничему не помешало – и НТВ, и «Медиа-Мост» все же пришлось отдать в счет долга. Подробности неизвестны, но на Западе Гусинскому наверняка объяснили с грехом пополам, что ситуацию, когда кредитор требует вернуть немалые долги, в цивилизованном мире чертовски трудно счесть «антисемитизмом» или «душением свобод». На Западе, знаете ли, действует убеждение, что долги следует возвращать, а при неуплате у должника описывают имущество, как бы он при этом ни вопил...

И приземлился Гусинский в Израиле, потрепанный и чуточку обедневший, но бодрый...

Самое смешное, что история на этом не кончилась. Не зря известная поговорка гласит, что свинья грязи найдет. Гусинский и в Израиле влез в тамошнюю политическую жизнь – действуя апробированными в России методами информационных войн...

Возможно, кто-то этого не знает, но в Израиле с давних пор борются два направления, представителей которых можно условно назвать «западниками» и «почвенниками». «Западники», объясняя чуточку упрощенно, хотят перестроить израильскую жизнь на американский манер, а «почвенники» категорически против этого протестуют, напирая на национальную самобытность, духовность народа и религиозно-культурные традиции (а посему мои симпатии полностью на стороне последних).

Гусинский организовал и в Эрец Исроэл некое подобие «Медиа-Моста», вмешавшись в борьбу как раз на стороне «западников». А поскольку, по долетающей информации, пользовался теми же приемчиками, что и в России, то быстро восстановил против себя «почвенников». Начал вместе с беглым фигурантом по делу «ЮКОСа» Невзлиным создавать новую партию из свежих эмигрантов, начал по старой памяти проталкивать в израильском Кнессете (парламенте) нужные ему законы. И наконец, в Израиле возник скандал вокруг подозрительных финансовых сделок и каких-то *неправильных* денег, которые прокачивались через тамошний банк «Аполаим».

Вы, конечно, догадались, что говорят по этому поводу циники? Правильно: что и к этому делу каким-то боком причастен Гусинский. Давно и упорно ходят слухи, что им начали интересоваться правоохранительные органы Израиля.

А вот тут уже, господа мои, никак не пустишь в ход тот немудрящий прием, что время от времени срабатывает на российских просторах, заставляя попахивающих нафталином и аминазином ветеранов перестройки поднимать хай вселенский... Можно еще с грехом пополам объявлять Государственную прокуратуру, президента и вообще всех, кто требует возврата долгов, «антисемитами». Мол, Гусинский еврей и даже председатель Российского еврейского конгресса... Но, согласитесь, даже у НТВ не хватило бы наглости вопить об «антисемитских выпадах», если его пригласит на допрос в Тель-Авиве израильский следователь. Несподручно как-то в таких условиях выставлять себя мучеником, страдающим из-за пятого пункта, поскольку означенный пункт наличествует у всех вокруг...

Посмотрим, чем все кончится у нашего махинатора. Очень хочется надеяться, что, как говорится в Библии, каждому воздастся по заслугам его. Запад в целом (и Израиль в частности) в последнее время наконец-то начинает понимать, что гурьбой хлынувшие в тамошние пределы «мученики» и «борцы с режимом» что-то плохо напоминают идейных борцов за демократические свободы. И отдельная тема для разговора – как смотрят израильские бизнесмены, заработавшие деньги в условиях нормальной рыночной экономики, на новоявленных «политэмигрантов», с ворохом сомнительных *бабок* по всем карманам и шлейфом скандалов за спиной. А уж если гости дорогие начинают себя вести как слон в посудной лавке...

В общем, я уверен, что *настоящие* проблемы у Гусинского – еще впереди. И хватит о нем. У нас есть еще и другие деятели, ничуть не менее колоритные...

3. Московский оголец на Бейкер-стрит

А теперь настало время поговорить о самом шумном, самом приметном и самом специфическом представителе племени российских олигархов – Борисе Абрамовиче Березовском. Коего иные впечатлительные люди готовы считать едва ли не демоном, а кое-кто до сих пор полагает финансовым гением.

Истина, как ей и положено, где-то посередине. Борис Абрамович (далее всюду ради экономии места и трудов – БАБ или Береза), конечно же, мелковат для демона. На мелкого беса еще с грехом пополам тянет, но никак не на большее...

Лет семь назад два ученых человека – профессор Черников и доцент Черникова выпустили книгу о крупнейших компаниях, принадлежащих олигархам. Сегодня, годы спустя, иные ее страницы читаются, как высокопробная юмористика – еще и оттого, что многие «герои» оказались дутыми фигурами, а многие дерзновенные планы откровенным пшиком.

О Березе там написано следующее: «Огромную роль в возвышении Березовского сыграли его математическая подготовка, способности, специализация на проблемах управления».

Ну что же, здесь есть изрядная доля истины. Давно известно, что там, где вульгарный брачный аферист *цапнет* пачечку денег и позолоченное чайное ситечко, специалист в области математики и управления (кассир, финансист) неправедные доходы не уместит в мешках из-под картошки...

Подготовочку БАБ в советское время получил хорошую – за государственный счет. Закончил факультет электротехники и счетно-решающей техники Московского лесотехнического института, работал научным сотрудником НИИ испытательных машин Министерства приборостроения СССР, инженером Гидрометцентра. Закончил аспирантуру в Институте проблем управления Академии наук СССР и, защитив кандидатскую диссертацию, возглавил в том же институте лабораторию. За научные разработки по проблемам логистики управления* был избран академиком Российской академии наук. Эти разработки обкатывались на ВАЗе – тогда-то БАБ и свел знакомство с тамошним руководством. Действительно, специализация на проблемах управления пригодилась – если не сама наука, то обеспечиваемое ею место работы.

Черниковы, относящиеся к героям своего повествования трепетно, прямо-таки влюбленно (и искренне их считающие «российскими Фордами»), все же вынуждены упомянуть: «...накопление есть накопление. И оно нуждалось в материальной и организационной базе, каковой и стала на первом этапе спекуляция».

Это они – о первых шагах Березовского. По сути верно, но ошибаются авторы, говоря о «первом этапе». Вся деятельность БАБа – это спекуляция в той или иной форме.

А началось все с того, что БАБ, как уже говорилось, познакомился с руководством «АвтоВАЗа». И предложил директору завода наладить сбыт автомобилей. Неведомыми путями получив у шести российских банков крупную ссуду в валюте, он создал фирму под названием «ЛогоВАЗ», занимавшуюся продажей «Жигулей», производимых автомобильным гигантом «АвтоВАЗ».

В этом веселом бизнесе были свои хитрушки...

Точнее говоря, существовали правила игры, которые иные до сих пор наивно считают результатом разгильдяйства, головотяпства, непродуманности. Позвольте не согласиться. Головотяпство – это когда абсолютно все несут убытки и переживают трудности. Когда маленькая кучка оборотистых субъектов все же обогащается, правильнее будет вести речь о заранее продуманной стратегии и умысле...

Суть гешефта проста, как три копейки. «АвтоВАЗ», будучи государственным предприятием, вынужден был продавать свои автомобили исключительно по фиксированным, низким государствен-

---

* Лень объяснять подробно, что это такое, благо к нашей основной теме это отношения не имеет.

ным ценам. Зато получил право продавать их не только государству, но и частным фирмам. А вот эти самые частные фирмы, занимавшиеся перепродажей купленных у «ВАЗа» авто, таких ограничений отчего-то не имели...

Представляете, каков навар?! Особенно если учесть, что обсевшие «ВАЗ» многочисленные дилеры не просто покупали у завода машины задешево, а продавали гораздо дороже. Действовали и другие схемы: дилеры брали у завода *ссуду*, и уже из нее расплачивались за машины. А возвращали эту ссуду гораздо позже. Покупатели (между прочим, бравшие машины за валюту), с дилерами расплачивались, естественно, сразу, но до завода его доля доходила через полгода, если не позже. От этого тоже получался нехилый навар: инфляция тогда достигала 20% в месяц. Если дилер задерживал заводу плату на три месяца, выходило, что машину он приобретал за полцены. Да и задержанные денежки тоже не просто так лежали, они тоже крутились и приносили нехилые проценты.

В этот бизнес, насквозь криминализированный, и бросился БАБ со своей фирмой «ЛогоВАЗ».

Вот только не нужно представлять себе руководство завода несчастненькими жертвами обстоятельств, запуганными бритыми братками. Практически все высшее звено управления заводом владело акциями «ЛогоВАЗа», а значит, были в доле... Американские бизнесмены, угодившие в этот гадюшник, отчего-то называли руководство завода «продажным». Должно быть, имелись основания...

Обязательно нужно добавить, что БАБ применил еще один хитрый финт. Продаваемые его фирмой машины считались «экспортными», что позволяло платить за них заводу еще дешевле – и оттягивать выплаты на срок до года, поскольку «экспортный товар» якобы вывозится за границу и там продается, что требует времени.

На деле же «странствовали» только документы, да и то в небольшом количестве. Машины оставались в стране, но из бумаг следовало, что они вывозятся за рубеж, и, не найдя там спроса, вновь возвращаются в Россию, где и продаются наконец...

Как-то так в конце концов получилось, что «ЛогоВАЗ» стал основным и крупнейшим дилером завода, оттеснив прочих конкурентов – достижение нешуточное, учитывая, что конкуренты собой представляли народец специфический. И, разумеется, не отступали без боя – в центре Москвы взлетел на воздух «Мерседес» Березы, так что хозяин чудом уцелел, а потом рвануло в штаб-квартире «Объединенного банка» БАБа.

Расхожая молва твердила, что Березу пытался грохнуть известный криминальный авторитет Сильвестр, а потом, когда сам Сильвестр взлетел на воздух вместе с «шестисотым», те же сплетники намекали на ответный ход БАБа. Точно выяснить вроде бы ничего не удалось. Но достоверно известно, что после кончины Сильвестра всякие бандитские наезды на «ЛогоВАЗ» прекратились начисто... Совпадение, наверное.

«ЛогоВАЗ» очень быстро оброс всевозможными подсобными структурами – конечно же, ничего не производившими, а занимавшимися исключительно манипуляциями с финансами. Как-то так странно сложилось, что дилеры сколачивали состояния, а сам автогигант семимильными шагами двигался к банкротству. В середине 90-х он был среди крупнейших должников государства. Наблюдавшие это со стороны иностранцы готовы были тихо тронуться умом – они никак не могли взять в толк, почему стремительно нищает предприятие, которое наращивает производство продукции, пользующейся стабильным спросом. Наивные люди!

А БАБ тем временем замыслил новое дело: так называемый Автомобильный Всесоюзный Альянс, или сокращенно AVVA. С благословения президента решили построить завод для выпуска новой модели, «народного автомобиля» – и, как нетрудно догадаться, стали собирать с населения деньги на четырехколесное чудо.

Кончилось, если кто помнит, пшиком. Не то что машин никто не получил – даже завод не начали строить. Владимир Каданников, руководитель ВАЗа, объяснял это тем, что требовалось 800 миллионов долларов, а собрали с народа всего 50 млн. К тому же и государство, вот незадача, не выделило дотаций. Словом, старая песня: государство, видите ли, должно выдавать дотации частным фирмам, но прибылью они буду распоряжаться единолично...

Кстати, в эту аферу поначалу ввязался даже американский автомобильный концерн «Дженерал Моторс», но буквально через несколько месяцев, разобравшись, куда вляпались, американцы срочно покинули проект...

Собранные пятьдесят миллионов «зеленых» так и ухнули в неизвестность. Сначала обманутым вкладчикам пообещали вместо дивидендов и «народных автомобилей» разыгрывать «Жигули», но через полгода и эту светлую идею похоронили без всяких благовидных предлогов.

Кстати, тут проявилось и еще одно милое свойство БАБа – *подставлять* своих партнеров по бизнесу. В этот раз попался директор «АвтоВАЗа» Каданников. Его подпись стояла на акциях завода, и как-то так получилось, что все стрелки перевели на него. Позднее, когда бывший директор ВАЗа вошел в правительство, БАБ об этом пожалел и пытался по новой налаживать контакты, но бывший партнер почему-то мириться не захотел. С чего бы это, а?

Самое пикантное в том, что эта несомненная афера была придумана отнюдь не БАБом, это оказался вульгарный плагиат – ее попросту позаимствовали у нацистского руководства. За пару лет до войны в Третьем Рейхе было с помпой объявлено, что конструктор Порше создал великолепный автомобиль «Фольксваген» (что по-немецки как раз и означает «народный автомобиль»), но на строительство завода нужны деньги, и тот, кто их незамедлительно внесет, получит чудо-машину первым...

Добропорядочные немецкие бюргеры (казалось бы, ученые-переученые многочисленными аферами времен грюндерства) с большим воодушевлением понесли свои кровные марки. Денег было собрано немало, но нацисты их до последнего пфеннига пустили на строительство военных заводов.

Вскоре вспыхнула война, и спрашивать, когда же люди получат разрекламированный «народный автомобиль», стало как-то несподручно – в особенности учитывая, что большинство подписавшихся на «Фольксваген» были вынуждены напялить форму и отправиться на многочисленные фронты уже на казенном транспорте. Тут уж и вовсе не до вопросов...

Самое интересное, что «Фольксваген» действительно существовал в проектах и опытных образцах, он и в самом деле оказался весьма неплохим автомобилем, производившимся после войны несколько десятков лет, но после сорок пятого спрашивать насчет выполнения обязательств стало уже не с кого, и довоенные расписки превратились в пустые бумажки...

Вернемся к БАБу. История с «народным автомобилем» поссорила Березовского и директора ВАЗа, и последний, после шести лет кабалы, решил освободиться от хватки БАБа. Во-первых, получалось, что завод продает «ЛогоВАЗу» свою продукцию ниже себестоимости, а во-вторых, рассчитывался «ЛогоВАЗ» большей частью не деньгами, а сомнительными векселями.

Березовский не особенно-то и огорчился: свою армию опытных маклаков, занимавшихся финансовыми и коммерческими операциями за оградой «ВАЗа», он попросту перекинул на новую деляну под названием «Аэрофлот» – прибыльнейшее, доложу я вам, предприятие, владевшее большей частью бывшей инфраструктуры «воздушного хозяйства» СССР и практически не имевшее конкурентов на российском рынке международных авиаперевозок. Годовой оборот компании составлял 1,5 млрд долларов.

Известно классическое высказывание БАБа: «Приватизация в России проходит три этапа. На первом этапе приватизируется прибыль. На втором этапе приватизируется собственность. На третьем этапе приватизируются долги».

Вообще-то господа российские олигархи упорно стремились выполнить только два первых этапа, а от третьего отбивались руками и ногами по причине его невыгодности. Но давайте по порядку.

Культурное высказывание об «этапах» фактически означает: нет нужды *покупать* предприятие. Оно может преспокойно оставаться и в государственных руках. Главное – направить в собственные структуры именно прибыль. А контрольный пакет акций в руках государства даже полезен – всегда можно, ссылаясь на это обстоятельство, взваливать на государство как раз расходы и требовать дотаций...

Схема была уже опробована на «АвтоВАЗе». А теперь ее применили к «Аэрофлоту», 51% акций которого находилось во владении государства, а 49% принадлежали коллективу. Они и несли все бремя расходов и ответственности. А Березовский попросту *присосался*...

Сначала он неведомо каким образом уговорил генерального директора «Аэрофлота» Тихонова перевести все российские счета «Аэрофлота» в «АвтоВАЗ-банк», в значительной степени контролировавшийся БАБом. (Кстати, тогда он в первый раз всерьез схлестнулся с Гусинским – до того «Аэрофлот» держал деньги в «Мостбанке»).

Затем БАБ через свои связи в правительстве добился, чтобы Тихонова заменили маршалом Шапошниковым, бывшим главкомом ВВС.

Шапошников плохо разбирался в управлении гражданской авиакомпанией – и добренький БАБ охотно пришел ему на помощь. Первым замом Шапошникова (фактически руководившим «Аэрофлотом») стал один из учредителей «ЛогоВАЗа» Глушков. Другие функционеры «ЛогоВАЗа» заняли ключевые посты в финансовом и коммерческом отделах, отделе продаж.

А далее, в полном соответствии с «теорией этапов», началась приватизация прибылей. Сначала работали по мелочам. У «Аэрофлота» появилось множество «коммерческих партнеров». По каким-то загадочным причинам он, имея собственное рекламное агентство, заключает договора на рекламу с никому не известными конторами, оплачивая их услуги, естественно, по высшей ставке. С другой фирмой заключается договор на юридическое обслуживание, с третьей – на аренду автомобилей. Как на подбор, почему-то во всех этих фирмах засвечены люди, близкие к БАБу. Каких только совпадений на свете не бывает!

Как известно, аппетит приходит во время еды. Спустя какой-то год «Аэрофлот» принялись *доить* уже по полной программе. Для этого БАБ использовал швейцарскую финансовую компанию «Андава», которая в свое время была учреждена безвременно загнувшимся «АВВА». Тогда фирма не пригодилась и была оставлена про запас, прокрутив всего-то около ста миллионов валютной выручки автогиганта. (Кстати, «Андава» очень быстро путем несложных сделок стала личной собственностью Березовского и Глушкова.)

И пошло окучивание! В мае 1996 года маршал Шапошников вдруг взял да и подмахнул директиву в 152 представительства «Аэрофлота» за рубежом, приказав им перечислить 80% валютной выручки в «Андаву». Когда представители «Аэрофлота» резонно интересовались, почему средства компании уходят на частные счета, их брали за локоток, отводили в угол, и, сделав значительную физиономию, шепотом объясняли, что деньги пойдут на избирательную кампанию Ельцина. На деле, по воспоминаниям Коржакова, уходила валюта в карман – угадайте, кого? – правильно: Березовского... В нарушение действующего в России законодательства «Аэрофлоту» разрешили не возвращать валютную выручку в Россию, и она оставалась за рубежом, где ее небезвыгодно «крутил» БАБ.

«Андава» размножалась примитивным делением, подобно амебе, – одна за другой возникали дочерние структуры, опять-таки выдаивавшие прибыль со счетов «Аэрофлота». Шапошникова, начавшего подозревать, что творится что-то неладное, отправили в отставку, поставив на его место зятя Ельцина Валерия Окулова. С таким директором БАБ был застрахован от любых неожиданностей.

Вот только в 1999 г. вольготной жизни пришел конец. Генеральная прокуратура России провела обыски в офисах «Аэрофлота» и его «дояров» и завела уголовное дело против Березовского с Глушковым. Федеральная прокуратура Швейцарии к этому занятию охотно подключилась, занявшись «Андавой», пребывавшей в ее юрисдикции. Окулов ради восстановления респектабельности разорвал контракты с «Андавой» и «вычистил» из подвластных ему структур «засланных казачков» Березовского...

Обиженный на российские власти БАБ, уже удрав за границу, кричал о том, что президент Путин преследует руководителей зарубежных фирм, которые финансировали предвыборную кампанию Ельцина и самого Путина.

Вообще, наглость Березовского – особая тема. Гусинский рядом с ним – прямо-таки тихий агнец. Но об этом чуть позже...

Набравший вес олигарх положил глаз на компанию «Сибнефть», одну из крупнейших в мире по разведанным запасам. И для покупки пакета акций создал «Нефтяную финансовую компанию».

Аукцион по продаже «Сибнефти» состоялся в декабре 1995 г. Претендентов было двое: НФК Березовского, предложившая

100 млн. 300 тыс. долларов, и «Инкомбанк», чья дочерняя металлургическая компания «Самеко» предлагала гораздо больше – 175 млн.

Однако в последний момент представитель «Самеко» совершил нелогичный, непонятный, прямо-таки безумный поступок – отозвал заявку. Циники утверждали, что ему просто очень хотелось жить...

И «Сибнефть» за поминавшуюся сумму (превышавшую стартовую цену всего на 300 тыс.) досталась Березе. Два года спустя, когда компания продавала свои акции на российской бирже, она уже оценивалась в 5 *миллиардов* долларов. Ровно в двадцать четыре раза больше.

Располагая подобными активами, БАБ мог теперь с иронической улыбкой вспоминать, как пару лет назад американский «Эксимбанк» отказал ему в ссуде (всего-то 60 млн. долларов) – въедливые янки раскопали, что подконтрольный Березовскому «Самаранефтегаз» производит со своей экспортной выручкой некие, деликатно выражаясь, манипуляции (которые американская Фемида называет гораздо жестче и отчего-то стремится привлечь «манипуляторов» к суду)...

Но, как и Гусинскому, БАБу было тесно в рамках российского «бизнеса». Он уже присматривался к политике, решив стать медиа-магнатом. Кстати, сия идея пришла ему в голову раньше, чем Гусинскому. В этой сфере он засветился еще в 1991 году, выступив среди учредителей АОЗТ «Московская независимая вещательная корпорация». Вклад был небольшой, по-видимому, сделан «на всякий случай». И случай не замедлил представиться.

По правде сказать, Березовскому откровенно везло. Хотя он и сам к этому везению руку приложил. Весь 1993 год «ЛогоВАЗ» размещал рекламу в популярнейшем тогда журнале «Огонек», где заместителем редактора тогда работал будущий глава президентской администрации В. Юмашев.

Несколько позднее, когда Юмашев и Коржаков искали издателя для второй книги патрона «Записки президента», вспомнили о Березовском. И БАБ оперативно выпустил книгу президента в Финляндии. Но! Ельцин надеялся заработать на этой книге миллион долларов, однако гонорары оказались существенно ниже. И тогда БАБ подсуетился – судя по всему, он стал попросту вносить на счет высокопоставленного писателя свои кровные денежки и объявлять оные законным гонораром. К концу 1994 года этих гонораров набралось аж на три миллиона долларов...

Дураку ясно, что подобные расходы непременно окупятся со временем стократно.

И окупились, естественно! В отличие от Гусинского, БАБ не стал создавать новый канал – *создавать* что бы то ни было он в принципе не способен, а решил прибрать к рукам государственный канал ОРТ, или, в просторечии, «Первый». С аудиторией в 180 миллионов человек и заработанной еще в советские годы репутацией самого авторитетного, респектабельного, значимого, популярного.

Именно Первый канал был рупором политического влияния, а у Березы уже давно ручки чесались поиграть в политику. На канале крутились огромные деньги – плата за рекламу, но присваивал их кто попало, только не БАБ. И БАБу, разумеется, стало завидно...

И он протолкнул не самую сложную идею: 51% акций ОРТ остается у государства, а остальные нужно распределить среди частных инвесторов.

Как водится, была и «идейная» подоплека: Березовский немало умных словес наплел о том, что близятся-де президентские выборы, к приходу которых он сумеет превратить ОРТ в инструмент для безоговорочной победы.

Проект получил одобрение. Началась приватизация ОРТ, проходившая, по доброй традиции, напрочь незаконно. Не проводилось никаких конкурсов среди будущих акционеров, ни открытых, ни закрытых. Акции распределял Березовский по принципу «кого люблю – тому дарю». Именно поэтому в число акционеров не попали такие российские гиганты, как «Лукойл», «Онэксим-банк» и «Инкомбанк» – их хозяева с БАБом никакой дружбы не поддерживали.

Вложив всего 320 тыс. долларов, Березовский купил 16 процентов акций ОРТ и получил контроль еще над двадцатью. Вот только финансировать текущие затраты канала из своего кармана он решительно не собирался, возложив эту почетную обязанность на государство...

Практически сразу после приватизации ОРТ генеральный директор канала Влад Листьев, популярнейший телеведущий (и оборотистый бизнесмен) продавил решение о моратории на рекламу – до тех пор, пока руководство ОРТ не разберется, что там, собственно, творится, и не разработает «новые этические нормы».

В кулуарах говорили, что дело тут не в одной только высокой морали – деньги Листьев любил и умел их делать. Имела хождение версия, что он попросту нашел на стороне более выгодных клиентов, готовых платить за рекламу гораздо больше Березовского и его группы.

Как бы там ни было, фирмочке «БАБ и К°» грозили потери миллионных прибылей...

Первого марта 1995 года Листьев был убит в подъезде собственного дома. Отчего-то следователи в первую очередь вызвали на допрос именно Березовского, который этим, по его собственным словам, был «страшно удивлен». Позже он признавал, правда, что в период «рекламного кризиса» вел какие-то «необычные» переговоры со столичными криминальными группировками. Ходили слухи, будто милиция располагает оперативной информацией, согласно которой БАБ передал одному из воров в законе 100 000 долларов за устранение Листьева.

Человек Березовского, один из основных продюсеров ОРТ Лесневская, придерживалась другой версии, обвиняя в убийстве Листьева Гусинского, Лужкова и «старую гвардию КГБ». С доказательствами, правда, было слабовато: у вышеназванных не отыскалось ни одного мало-мальски серьезного повода и мотива заказывать популярного ведущего и бизнесмена...

Как бы то ни было, это убийство остается тайной и по сей день. БАБ, включив политические связи, от обвинений отделался. Продажей рекламного времени на ОРТ занялось АО «ОРТ-Реклама», которую возглавлял некто Патаркацишвили, в прошлом заместитель генерального директора одной уже знакомой нам фирмы. «Логоваз» называется. Слыхали о такой?

Прикупив еще и Шестой канал, «Огонек» и «Независимую газету», БАБ действительно стал, без дураков, медиамагнатом. Еще и потому он поспешил покончить с дурно пахнущим бизнесом по продаже автомобилей.

Кстати, именно на ОРТ он в полной мере проявил себя как специалист по *управлению*. Режим, установленный новыми хозяевами «Первого канала», больше всего напоминал описанный Оруэллом. В телекомпании царил страх. Сотрудники боялись сказать лишнее слово – ходили слухи, что помещения и телефоны прослушиваются. Увольняли – а точнее, попросту выкидывали – за любую мелочь. Управделами компании стал бывший офицер-стройбатовец Барабан и порядки завел соответствующие. Так, например, распорядился взыскать с шофера два с половиной миллиона рублей за разбитый автомобиль, при том, что все убытки, до рубля, уже возместила страховая компания.

Случались вещи и посерьезнее. Сотрудник ОРТ Игорь Курочкин попал под машину сразу после того, как поссорился с тем же Барабаном. Не иначе, такова мистическая сила проклятия бывшего стройбатовца.

Впрочем, даже став медиамагнатом, БАБ не избавился от привычки *крутить гешефты*. По крупному, по мелочам, без разницы – тут уж как получится.

Известна, например, история с фильмами, закупаемыми для ОРТ. Фильмы эти, как и все приобретенное за границей, проходят таможню. А там, как известно, берут пошлину. Но ведь пошлину можно взять по-разному! Можно – с прокатной стоимости, то есть с суммы, которую телекомпания платит за право показа. А можно – со стоимости видеокассет. В последнем случае фильмы, предназначенные к показу, оформляют как предназначенные для предварительного просмотра и не имеющие коммерческой стоимости. Оценивают их в цену видеокассет, на которые они записаны. А там – кто проверит, показывали их по ОРТ или нет, и если показывали, то какие именно кассеты?

Кто, в самом деле, взялся бы проверять медиамагната, приближенного к самому президенту?

К тому времени БАБ уже получил несколько весьма ощутимых ударов по карману и, что не менее важно, по самолюбию. Будучи председателем Совета безопасности, он пытался убедить Черномырдина назначить именно его председателем правления «Газпрома», но в последний момент это назначение заблокировал Б. Немцов.

Потом Березовский потерпел поражение во время приватизации «Связьинвеста», коим также пытался завладеть. Тут уже на его пути несокрушимым бастионом встал Чубайс, обеспечивший победу Потанина. Разобиженный БАБ развязал с помощью своей медиа-империи форменную информационную войну, рассчитанную, такое впечатление, на людей умственно ущербных: Береза и Гусь драматически заламывали руки по поводу участия в приватизации «Связьинвеста» Джорджа Сороса, которого с трагическим надрывом именовали не иначе как «спекулянтом». Предположим, Сорос и есть финансовый спекулянт, но уличавшая его в том сладкая парочка сама занималась в основном как раз таки финансовыми спекуляциями...

Именно подконтрольные БАБу средства массовой информации, кстати, *слили* в оборот пикантную информацию о правительственном «Союзе писателей» – Чубайсе, Кохе и прочих, получивших, как я уже упоминал, огромные гонорары за ненаписанную книгу, гораздо более похожие на какие-то другие выплаты. История, конечно, *попахивает,* но все же, по моему глубочайшему убеждению, Березовский, издатель президентских мемуаров, мог бы и помалкивать...

Дошло до того, что застрелили одного из ближайших сподвижников Чубайса, Михаила Маневича, и поползли слухи, что следующим будет сам Чубайс. Что там таилось за «дракой бульдогов под ковром», разумеется, осталось неведомым, но вскоре Ельцин уволил БАБа из Совета безопасности.

Но мы еще не изучили, чем БАБ занимался, будучи главой означенного Совета...

Преинтереснейшими вещами, знаете ли! Вновь речь шла о больших деньгах, *очень* больших...

Березовский стал этаким главным специалистом по освобождению захваченных в Чечне заложников – в десятках случаев именно его усилиями бедняги оказывались на свободе. Однако очень быстро заговорили в открытую, что тут и не пахнет ни благородством, ни филантропией. В игре, как обычно, замаячили деньги. Сам Масхадов признавался Полу Хлебникову: заложников никогда не отпускали «просто так», из дружеского расположения. Всякий раз из Москвы приезжали чиновники с «большими деньгами» – а передавались они боевикам исключительно через Березовского. В чем тут заключался интерес БАБа, каждый волен определять для себя, исходя из жизненного опыта и здорового цинизма.

Речь шла о сотнях тысяч, о миллионах долларов, а похищенных, повторяю, были многие десятки.

Салман Радуев как-то проговорился, что у Березовского есть личный интерес к чеченской нефти – конкретнее, к нефтепроводу Баку – Новороссийск. Генерал Лебедь тоже выступал с шокирующими признаниями: он заявил однажды, что Березовский заплатил чеченским «полевым командирам» за то, чтобы они не отпускали двух корреспондентов принадлежавшего ему же ОРТ. Тут уже речь шла о наработке чисто политического капитала: бедолаги страдали в плену, генерал Лебедь их освободить не смог, но тут примчался на белом коне Борис Абрамыч и вмиг их вызволил из узилища с пауками и крысами... Орел!

А там и Масхадов в интервью российским и британским журналистам стал утверждать, что Березовский самым вульгарным образом финансирует иные чеченские группировки, организуя для них выплату выкупа. Безусловно, что-то тут было и от обиды Масхадова на тех «полевиков», что ему не подчинялись, но, в общем, в масхадовские обвинения охотно веришь, зная Березовского...

Да и сам БАБ в интервью французской газете «Фигаро» признал, что давал деньги тому же Шамилю Басаеву. Речь шла о сумме в миллион долларов, которые, по словам благодетеля, он выделил «на восстановление республики». Напомню – Шамилю Басаеву.

Восстановители, блин...

Эти теплые отношения с некоторыми «полевыми командирами» активнейшим образом продолжались два с половиной года. Председатель Конфедерации народов Кавказа, чеченец Юсуп Сосламбеков, Березовского считал своим личным врагом. И говорил:

«Его миротворчество обеспечит кавказцев и россиян минимум на 50–70 лет войны. Он заинтересован не в мире и стабильности, а наоборот, в нестабильности. Через кавказский коридор протекает не просто нефть и газ, здесь уже четко функционируют маршруты по доставке в Россию наркотиков из Афганистана. Все это увязано в клубке интересов, за которые ведется схватка. Вскоре мы предоставим конкретные факты, свидетельствующие о том, что Борис Абрамович расчистил себе дорогу с помощью полевых командиров, которых он подкармливает в Чечне. Скажем, убийство заместителя полпреда российского правительства Акмаля Саидова, который занимался посредничеством при освобождении заложников, в том числе и Власова. Нам известно, что Саидов уже раскопал данные о причастности Березовского к этому преступлению. Вскоре после этого Саидов был похищен и через несколько дней найден убитым».

Конкретных фактов Сосламбеков уже никогда не представит – вскоре и он был убит. Неизвестными лицами...

А к концу двадцатого столетия звезда Березовского стала клониться к закату. Ему удалось свалить премьер-министра Кириенко, пытавшегося ограничить забавы БАБа с ГКО, удалось *заломать* и Примакова, не скрывавшего, что собирается Березовского посадить, а его «финансовую империю» демонтировать. «Увольнение Примакова было моей личной победой!» – заявил он все той же «Фигаро».

Однако тучи сгущались... Вспыхнул скандал вокруг принадлежавшей Березовскому могучей сыскной конторы «Атолл». Началось все с мелочей – выявляя банду рэкетиров, московское РУБОП вышло на оную контору и решило произвести там обыск. Результаты оказались такими, что у скромных борцов с организованной преступностью челюсти отвисли. Никому не известное частное охранное предприятие было оснащено шпионской техникой не хуже приснопамятного КГБ.

Результаты «прослушки» ошеломляли еще больше. Там были материалы на Черномырдина, Юмашева, директора ФСБ и многих других. Одна кассета называлась «Таня». Другая – «Семья».

Вскоре после операции материалы отобрали у РУБОПа некие генералы МВД. Генералы эти не названы были, но догадаться нетрудно: замминистра внутренних дел Рушайло был известен как «человек Березовского».

Ах да, я забыл сказать, кому принадлежала упомянутая контора...

А в ноябре 1988 года Коржаков на пресс-конференции заявил: Березовский шантажирует семью президента, угрожая обнародовать компромат.

В том же году БАБ принялся открытым текстом заявлять, что управлять Россией должны не какие-то там политики, а некий состоящий из бизнесменов «совет корпораций России».

Мелкий бес возомнил себя демоном.

За что и поплатился.

Постепенно Березу начали *обкладывать*. 2 февраля 1999 г. произошел обыск в офисе «Сибнефти». 4 февраля – обыск в «Аэрофлоте». 19 февраля Генеральная прокуратура возбудила уголовное дело по «АвтоВАЗу». В тот же день Госдума поперла БАБа с должности исполнительного секретаря СНГ.

6 апреля 1999 года Генпрокуратура выдала санкцию на арест Березовского и тут же объявила его в розыск. 8 апреля соответствующие документы пошли в Интерпол. 14 апреля санкция была отменена, но обвинение Березовскому все же предъявили, взяв с него подписку о невыезде.

Но это были еще цветочки!

Потому что потом пришел Путин, и нашему герою поплохело окончательно, резко и качественно.

Поначалу он, судя по всему, и мысли не допускал, что Фортуна отворачивается. Выступая в центральном офисе «Дойче банка» в Берлине, с жаром утверждал: залогом процветания России является отказ ее властей от попыток выяснить, каким способом олигархи вообще и он, Березовский, в частности, приобрели свои капиталы. И не раз повторял идиотский тезис, прямо заимствованный из марксистских брошюр начала двадцатого века: «Капитал нанимает на работу правительство». Отсюда логично и закономерно вытекало, что правительство обязано при виде олигарха (особенно БАБа) почтительно вставать и робко интересоваться, какие будут распоряжения.

Однако новая власть решительно расходилась с Березовским во взглядах на сей предмет, полагая, что правительство если кто и «нанимает», то как раз весь народ, а не кучка спекулянтов.

БАБ энергично *дергался*. Стал депутатом, потом от мандата торжественно отказался. Столь же торжественно передал свой пакет акций ОРТ «творческой интеллигенции». Организовал свою политическую партию «Либеральная Россия», но в ее «политбюро» тут же произошли предельно странные убийства (Юшенков и другие). Кто-то называл их «политическим террором властей», кто-то уверял, будто все из-за денег: то ли не поделили, то ли кто-то кого-то кинул самым вульгарным образом. Больше верится как раз в последнее: все связанные с Березой скандалы как раз крепко припахивали купюрами, а не политикой...

Затем Березовский решил объявить Путину войну. После чего в воздухе явно стали носиться «флюиды» и резко запахло шизофренией и паранойей одновременно.

Он пригрел бывшего сотрудника ФСБ Литвиненко (уличенного в рэкетирстве) – и тот стал вещать из безопасного лондонского далека, будто дома в России взрывали не чеченские экстремисты, а сама ФСБ. Успеха эти откровения не имели.

После провала идеи с партией БАБ не иначе как решил «сыграть в Ленина», потому что уехал в Лондон и принялся там старательно разыгрывать политэмигранта. 11 сентября 2003 года, через день после того, как он получил политическое убежище в Великобритании, БАБ заявил, что некий агент российской СВР пытался его отравить. Будто бы у него была с собой отравленная авторучка, которой он должен был уколоть Березовского на суде.

Во время президентских выборов БАБ носился одновременно с двумя «суперидеями»: привести к власти своего президента-марионетку, став при нем министром, и убить какого-нибудь кандидата, свалив вину на Путина.

Наконец, в рамках борьбы с российским тоталитаризмом БАБ пошел по избитому пути былых коммунистических вождей: выпустил трехтомник своих трудов устрашающего объема и веса.

Хотя лучше всего, пожалуй, ситуацию с БАБом обрисовал Коржаков в интервью «Парламентской газете»:

«При президенте Владимире Путине пребывание Березовского в России вообще стало невозможным без ежедневного общения со следователем. Потому БАБ и сбежал за границу, откуда вместе со своими немногочисленными "подберезовиками" продолжает бороться, как он утверждает, "с ГБ-шным режимом". Хотя именно Березовский на этот режим должен молиться: всем известно, как может действовать спецслужба, когда ей приказывают... Достаточно вспомнить операцию израильского "Моссада", когда из латинской Америки был выкраден, доставлен в Израиль, осужден и там же казнен нацистский преступник Эйхман. Так что в данной ситуации мы видим не силу БАБа, а нерешительность наших спецслужб и их кураторов»...

...Там же, в Лондоне, Березовского посетил российский «патриот № 1», главный редактор знаменитой газеты «Завтра» Александр Проханов, который взял у него многословное интервью. Полностью текст этой поэмы в прозе приведен в приложении, где любители сладкого и липкого могут его прочесть. Поучительнейшее чтение! Вот только пальцы потом не надо облизывать. Лучше руки вымыть...

А здесь я приведу лишь первый вопрос г-на Проханова:

«Борис Абрамович, наш разговор протекает на веранде дворца, среди зеленых лугов и дубрав, на территории английского острова, которую вы купили. Задаю себе вопрос: кто вы сейчас? Меньшиков в Березове? Наполеон на Корсике? Троцкий в Мехико? Кем вы себя чувствуете в изгнании?»

На мой взгляд, абсолютно точно и хлестко о том, кем является БАБ, сказано как раз в его трехтомнике. Точнее, на его суперобложке, где напечатан обширный стих, принадлежащий подуставшему перу подзабытого поэта Вознесенского. В основном эта «поэма» исключительно апологетична, набита заумными красивостями в худшем стиле «позднего Андрея В.». Но есть там и великолепнейшее двустишие, вопреки замыслам стихотворца бьющее не в бровь, а в глаз:

«Бежит по Бейкер-стрит
твой оголец, Москва...»

В десяточку! Несмотря на все свои миллиарды и головокружительные аферы, на подлинную гениальность в махинациях, наш герой все же, полное впечатление, начисто лишен таких качеств, как импозантность, вальяжность, авантажность. Он решительно не тянет на демона. Скорее уж на мелкого беса. Всегда суетлив, всегда вприскочку проносится по заднику сцены, несерьезно дергая ручками, подмигивая и гримасничая. Мелкий бес... Трудно представить отчего-то, чтобы Черномырдина именовали «Витьком», Потанина – «Вовчиком», а Алекперова, скажем, «Махметкой». С *ними*, как бы мы их ни оценивали, решительно не сопрягаются легковесные клички. Зато Березовского отчего-то без всяких препонов тянет простецки именовать Березой, Гусинского – Гусем. Такой уж у них, новомодно выражаясь, имидж. Мелких бесов, лишенных авантажности.

Березовский еще пытается грозно надувать щеки и что-то ниспровергать, но это опять-таки несерьезно, потому что его время бесповоротно прошло. Нет уже той России, в которой только и мог процветать гений финансовых афер. Россия нынче *другая.*

А в общем, никто о нем не сказал лучше покойного Хлебникова: «Суть разрушительного наследия Березовского в том, что ради собственных интересов он украл само государство... Березовский, равно как и другие «приближенные» капиталисты, ничего не сделал для российских потребителей, для промышленности, для российской казны. Не создал нового богатства. Все его деловые начинания сводились к захвату предприятий, которые уже были высоко прибыльными либо оснащены исключительными ресурсами. Компании, которые он приватизировал, не стали богаче, конкурентоспособнее. Наоборот, под его патронажем они постепенно разрушались... Вся деловая карьера Березовского выстроена на подкупе государственных чиновников или крупных управленцев...»

Честное слово, это звучит панихидой по уходящим в небытие временам Великого Хапка. Конечно, еще долго придется лечить и экономику, и общество, но Россия все же *другая*. И аферы Березовского, думается, на глазах становятся древней историей. Остается мелкий бес, бегущий вприпрыжечку по лондонским туманным улицам...

4. Футбольный бизнес еврея-оленевода

Следующий наш персонаж с легкой руки журналистов считается загадочным, этаким «серым кардиналом». Говорит он мало, а все больше многозначительно молчит или роняет короткие фразы – в отличие от словоохотливого Березовского. Одна газета даже назвала его «олигархом без лица». Хотя лицо-то как раз у него есть, и весьма примечательное. Едва ли среди наших олигархов найдется еще один, светлый лик которого так отражает сущность ремесла тех, кого, приличия ради, назвали этим умным словом – олигархи. А образ жизни – их человеческую сущность.

Если Гусинский, Березовский, «узник совести» Ходорковский, о котором речь впереди, оказавшись на обочине, изображают из себя неких «борцов за свободу», громко говорят о своей высокой миссии, политике, будущем России, то этот небольшой человек с вечной трехдневной щетиной, одетый, несмотря на свои миллиарды, в свитер и джинсы – такой, какой есть.

Очень поучительная в итоге получается картинка.

Но давайте все по порядку.

Роман Абрамович происхождением и связями был не отягощен. Слухи о его детстве и юности ходят разные, но ни в одной из версий прошлого этого человека не прослеживается номенклатурных родственников, престижных учебных заведений и прочих атрибутов благосостояния эпохи застоя. Родился он в 1966 году, мать вроде бы была учительницей музыки, отец работал на стройке. Рано осиротел, вырос в семье дяди, иные даже говорят, что в детдоме – но с детдомом, похоже, перебор, приплели для драматического эффекта. Однако все же он – выходец с самых низов, куда там Гусинскому, тот хотя бы нефтехимический институт закончил, а этот... Когда одна из газет попыталась выяснить, есть ли высшее образование у Романа Абрамовича, проведенное ею журналистское расследование не выявило следов олигарха ни в одном из вузов, значащихся в его биографии, кроме некоей юридической академии времен «перестройки».

После школы он некоторое время прожил на севере, в Ухте, затем загремел в армию. Военной карьеры не сделал, даже в сержанты не выбился, однако приобрел множество приятелей. Все это потом пригодится – и ухтинские связи, и армейские...

Едва Роман демобилизовался, как грянула во всей своей красе «перестройка».

Попачалу с компанией друзей он организовал кооператив «Уют». Делали резиновые игрушки, еще какую-то аналогичную мелочь. Потом эта компания из «Уюта» так и шла по бизнесу – от мелкого кооперативчика до «Сибнефти».

Каким образом состоялся прыжок от мелкого бизнеса к миллионному состоянию – в случае Абрамовича известно точно. Поскольку существует конкретное уголовное дело. В феврале 1992 года из любимого города Ухты в Москву, а оттуда в Калининград отправился состав с топливом. До места он не дошел, без осадка растворившись на российских просторах. Однако, на удивление, следственное управление ГУВД Москвы сумело отыскать следы состава, где было 3,5 тысячи тонн дизельного топлива. Его по подложным документам перенаправил куда-то и продал Абрамович.

Следствие шло резво... а потом вдруг почему-то заглохло.

А Абрамович в конце 1992 года зарегистрировал собственную фирму «Петролтранс». Торговля шла бойко. Глава фирмы был близко знаком с неким Андреем Городиловым, сыном директора могучей структуры – «Ноябрьскнефтегаз». Имея такого приятеля, торговать нефтью становится не просто, а очень просто, и с 1995 года наш герой уже был самым крупным торговцем нефтепродуктами.

Но это все присказка. А вот теперь и сама сказочка разворачивается...

24 августа 1995 года президент Ельцин подписал указ о создании «Сибирской нефтяной компании», которую тут же выставили на залоговый аукцион. Абрамович стал одним из хозяев новой фирмы. Как бы ни был богат Роман Аркадьевич, продавить такой документ ему было явно не под силу. Здесь надо искать кого покрупнее.

И этот «крупный хищник» находится на удивление легко.

Борьбу за «Сибнефть» рука об руку с ним вел еще один будущий олигарх – Березовский.

Рассказывать, как приватизировали «Сибнефть», как создавали фирмы-однодневки, как проводили сам аукцион и оттирали конкурентов, я, пожалуй, не буду: сколько можно об одном и том же-то! Счетная палата подсчитала, что государство на приватизации «Сибнефти», купленной за 100 млн 300 тыс. долларов, потеряло 18,6 трлн рублей.

Но даже став одним из богатейших людей страны, Абрамович продолжал *мухлевать*. Вообще, удивительные существа эти наши олигархи! В одночасье войдя в число богатейших людей планеты, все равно продолжают вести себя, как инженеры со сторублевой зарплатой, считающие копейки.

Еще в 1993 году он зарегистрировал в Швейцарии фирму «Руником», на которую регулярно направлял прибыль «своих» заводов – целее будет. Но помимо того, что Абрамович стриг с этих могучих предприятий прибыль, он еще и по мелочам экономил на налогах. Например, «Сибнефть» через «Руником» отправляла нефть якобы за границу. При этом налог на добавочную стоимость не платился. А на территории Украины нефть оперативно переадресовывалась местным клиентам.

Подумайте: провести такую аферу, заполучить громадную по мировым меркам собственность, и еще подтягивать к прибыли налоговые проценты!

Это как если вор обнесет квартиру, возьмет в ней десять тысяч баксов, что в тайном сейфе, а по пути еще не поленится забежать в кухню и прибрать мятую десяточку, что валяется на буфете.

Его попыталось прижать Омское РУБОП совместно с налоговой полицией. Однако дело в очередной раз благополучно заглохло. Зато главного налоговика Омской области обвинили во взятке. Поскольку был мужик, по-видимому, уж совершенно чист – случается такое на наших просторах, хотя и нечасто – то взяткой признали... 200-метровую трубу, которую местный «водоканал» подвел... нет, не к его дому, а к поселку, в котором тот жил.

Бодался теленок с дубом...

Знали бы омские налоговики, *кого* они посмели тронуть!

Транспортировка нефти шла через две посреднические фирмы: «Белка Трейдинг» и «Ист-Ост Петролеум Компани». Возглавлял их скромный предприниматель с простой украинской фамилией Дьяченко.

Жену у него Татьяной звали.

Слыхали о таком?

К тому времени у Абрамовича пошли совсем уже головокружительные расклады.

Главный президентский охранник Коржаков, силовик, мужик неуживчивый, многих восстановил против себя. И когда его все же выжили с его поста, он заговорил. В числе прочего рассказав, что именно Абрамович был во второй половине 90-х главным казначеем Семьи. Той, что с большой буквы.

Злые языки утверждают, что именно Абрамович оплачивал отдых дочери президента Татьяны Дьяченко на горнолыжных курортах Швейцарии, а также купил для нее дом в Гармиш-Партенкирхене. Впрочем, даже по тогдашним его деньгам это такие мелочи, что не стоит и говорить. Но из того же источника, по уверениям злых языков, шли нехилые средства на предвыборную кампанию Бориса Николаевича. А вот это уже значительно интереснее! Однако когда сия информация попала к генеральному прокурору Скуратову, который, в отличие от большинства его коллег, еще не понял, что нужно сидеть тихо и молчать в тряпочку, то судьба прокурора была решена.

Абрамовича в Семью ввел Березовский – как выяснилось, на свою голову, потому что молодой коллега быстренько потеснил старшего товарища. Нет, в политику он мудро (в отличие, кстати, от БАБа) не лез, ограничившись ролью «кошелька». Березовский же, у которого к тому времени от громадья планов по управлению страной уже слегка поехала крыша, забыл, что в основе любой политики всегда лежит денежный интерес. За что и поплатился. Интересы прежних партнеров схлестнулись в последнем и решительном бое, когда Березовский задумал слияние «Сибнефти» и «ЮКОСА». Абрамовичу это зело не понравилось, и объединение не состоялось – и сами можете судить по результатам, кто из двух медведей к тому времени был в берлоге главным...

В политику Абрамович, как уже говорилось, не лез, ограничившись, когда формировался кабинет Степашина, лоббированием интересов всего двоих – Аксененко и Калюжного. Эти имена не на слуху, между тем один был первым вице-премьером, а второй – всего-навсего министром, но министром весьма нужным: топлива и энергетики... Но в 1999 году Абрамович выкинул фортель, по поводу которого аналитики и журналисты долго ломали головы и перья. Ну зачем ему, одному из богатейших людей страны, втемяшилось становиться «начальником Чукотки»?

Ну, зачем предприниматели всех уровней баллотируются в депутаты – не вопрос. Ясно, что все дело в депутатской неприкосновенности. В 1999 году Абрамович стал депутатом Госдумы от Чукотки, получив за это в народе прозвище «еврея-оленевода», а в 2000-м умудрился пересесть в кресло губернатора. Тут все понятно: иммунитет остается, однако положение посолиднее будет...

Но почему именно Чукотка?!

А кто его знает. Там, наверное, дешевле...

По поводу «романа с Дальним Севером» каких только предположений не строилось! И политические: Путин, дескать, принялся «равноудалять» от Кремля олигархов, а умный Абрамович, в отличие от своего прежнего покровителя, решил таким образом прогнуться перед новой властью, искупая старые грехи. И экономические: журналисты скрупулезно подсчитывали природные богатства Чукотки, которые-де только и ждут, чтобы их начали разрабатывать. (В этой связи стоит вспомнить, что кроме резиновых утят Абрамович в своей жизни никогда и ничего не *производил*, лишь гонял деньги со счета на счет. А приватизация «Сибнефти» признана неэффективной не только по прибыли в государственный карман, но и по итогам работы компании.) Сам же Абрамович по поводу Чукотки сказал: «А почему никто не верит, что мне это просто интересно?»...

Может быть, и интересно. Губернатором, кстати, он был хорошим. Строил в нищем, заброшенном краю школы, больницы, посылал чукотских детей на отдых к морю. Губернаторские выборы выиграл с рекордным счетом: 92%. Сам же утверждал, что вложил в Чукотку не то 100, не то 300 миллиаров долларов. Благодетель, стало быть. Чистый ангел, не меньше.

Но давайте все же отвлечемся от высокоумной аналитики и зададимся маленьким вопросиком: а не было ли там для нашего героя выгоды?

И тут же начинают выплывать преинтереснейшие вещи.

Ну, во-первых, согласно закону, губернатор платит налог с личных доходов по месту работы. Благодаря подоходному налогу Абрамовича и его команды бюджет края сразу увеличился на 35 млн долларов. Так что рассказ о благотворительности как-то тускнеет. Социальная сфера на Чукотке – это совсем не то, что в Москве. Много ли надо этой территории с традиционно нищим бюджетом, чтобы губернатор прослыл «благодетелем»? А сколько он инвестировал... да кто же считал, сколько денег было на самом деле!

А вот въедливые западники из журнала «Stern», кажется, и заметили крохотный фактик, потерявшийся в лавине прочей информации – что именно в то время Чукотка была объявлена внутрироссийской оффшорной зоной. И что концерн Абрамовича платил всего 13 процентов налогов – в два раза меньше, чем прочие российский нефтяные компании. А по другим данным, процент был и того меньше – около десяти.

И это уже куда теплее!

Говорят, в планы губернатора входило превращение Чукотки в свободную экономическую зону с правом ведения самостоятельной внешней торговли. Однако не выгорело. А в 2004 году и льготы внутреннего оффшора на Чукотке были отменены. И «еврея-оленевода» оттуда как ветром сдуло. Когда стало ясно, что сделать из Чукотки свободную экономическую зону не получится, пречистый губернатор потерял интерес к северу. Теперь объектом его пристального внимания стала Западная Европа.

Нынешние времена для темных дельцов неблагоприятные. И хотя с приходом к власти Путина Абрамович, в отличие от других, не пострадал, но занервничал, и занервничал сильно.

По странному совпадению, именно после ареста Ходорковского, «олигарха» № 1 и самого богатого человека в России, «еврей-оленевод» оставил любезную его сердцу Чукотку и рванул в Лондон, начав лихорадочно распродавать нажитую непосильным трудом российскую собственность. За каких-то два года он сбросил *все*, что имел, не слишком-то заморачиваясь по поводу цены. Состоялось, наконец, слияние «Сибнефти» и «ЮКОСА» – прежний хозяин «Сибнефти» свою долю взял деньгами. Пошли на продажу акции «Аэрофлота» и доля в концерне «Русский алюминий».

Вырученные деньги он переводил за границу и там тратил. Причем тратил на удивление нелепо!

Страсть к роскоши овладела нашим олигархом еще в середине 90-х. Сначала, в 97-м, он купил шикарную яхту. Несколько месяцев спустя – виллу, затем замок в Баварии. Однако все это еще было, что называется, «в рамках».

Но когда в России запахло жареным, его приобретения становились все более и более экстравагантными. Абрамович принялся *чудить*.

В 2003 году он купил себе одну из самых дорогих на свете игрушек – футбольный клуб «Челси». Вбухал 133 миллиона в клуб, на котором висело еще на полторы сотни миллионов долгов, да тут же прикупил игроков на 200 миллионов. Забава, стало быть, обошлась Абрамовичу в *полмиллиарда*. А когда ему попеняли, что он гору денег тратит на чужой футбол, олигарх небрежным жестом отстегнул 50 миллионов ЦСКА. Как ни старались наши газетчики облагородить этот жест, сие *меценатство* выглядело подачкой. Да, собственно, подачкой и являлось.

Затем он купил квартиру в Лондоне, поместье в Суссексе. А потом, похоже, вообще сорвался с катушек.

Летом 2003 года Абрамович приобрел еще одну яхту, осенью – третью. Последняя игрушка была оборудована целой системой ПВО и даже маленькой подводной лодкой.

В мае 2004 года последовала четвертая яхта. Затем началась полоса замков.

В 2004 году за каких-то 27 миллионов долларов он купил замок Шато де Кро на Французской Ривьере (в домике, между прочим, несколько десятков одних только спален... впрочем, Абрамович человек компанейский); в 2005 году – бывший особняк какого-то итальянского князя неподалеку от Рима. Правда, у итальянцев это место не считается особо престижным, мог бы найти что-нибудь получше. Но, создается впечатление, что ему все равно, что покупать – лишь бы покупать, покупать, покупать...

Ходят слухи, что он собирается прикупить не то команду «Формулы-1», не то парочку клубов НХЛ. А может, и то, и другое...

Но, что самое характерное, среди его покупок нет *ни одной* западной компании. Ни одного завода, даже свечного. Газет и пароходов тоже не наблюдается.

В общем-то, так оно и должно быть. Как я уже говорил, Абрамович никогда ничего не производил. Его состояние – это результат банальнейшей аферы. А подобных остапов-бендеров на Западе не очень-то жалуют. На Западе за такие замашки, кои наши «бизнесмены» приобрели в России, можно и состояние потерять, и отправиться на нары всерьез и надолго.

В Англии, куда Абрамович перебрался на жительство, он автоматом стал самым богатым человеком. Тем не менее, несмотря на все его богатство, относятся к нему с чисто британской сдержанной насмешечкой. В этой стране за деньги статуса не купишь. Вон Абрамовичу, например, не дали вид на жительство. Жене и детям дали, а отцу семейства, хозяину острова и дворца – шиш.

В таком, слегка насмешливом, тоне выдержана статья в солидной британской газете Daily Mail. Всю ее приводить нет смысла, там много всего, о чем здесь уже говорилось, а вот отдельные фрагменты процитировать полезно:

«Место действия – вертолетная площадка в Бэттерси на южном берегу Темзы. Двухмоторный "Дофин" идет на посадку; лопасти винта постепенно замедляют вращение, и из вертолета вылезает худощавый человек со специально выращенной недельной щетиной на мертвенно бледном лице в сопровождении красавицы блондинки намного выше его ростом.

Без единого слова эта пара, в окружении как минимум девяти телохранителей, направляется к кавалькаде черных "Мерседесов"...

Устраиваясь на заднем сиденье бронированного "Мерседеса" с тонированными пуленепробиваемыми стеклами, россиянин Абрамович улыбается характерной ледяной улыбкой; затем процессия на полной скорости направляется к "Стамфорд Бриджу" – стадиону "Челси" на западе Лондона.

Однако тридцатишестилетней жены рядом с ним нет – она едет в точно такой же машине позади – Абрамович не хочет, чтобы пятеро их детей (старшему из них еще не исполнилось одиннадцати) лишились обоих родителей сразу в случае покушения на его жизнь.

Добро пожаловать в окутанную тайной – чтобы не сказать, растущей паранойей – жизнь богатейшего жителя нашей страны (в смысле Британии. – *А. Б.*)...

...Как только "Мерседес" въезжает на стадион "Челси", рассчитанный на 42 000 мест, телохранители снова окружают своих патронов. Абрамович настолько помешан на безопасности, что специально нанятая женщина сопровождает его супругу даже в туалет...

...О своей жизни или о жизни своей семьи Абрамович не рассказывает практически ничего. "Я не кинозвезда, – как-то заметил он. – Я не стремлюсь к известности. Я хочу жить спокойно".

Его страх перед попыткой похищения так велик, что местонахождение его детей постоянно держится в секрете.

"Романа действительно ужасает возможность похищения, – говорит один из его бывших советников по вопросам безопасности. – Это одна из причин, по которой он говорит обо всем так загадочно"...

..."Я люблю путешествовать, – бормочет Абрамович в разговоре с друзьями, улыбаясь чуть застенчиво и глядя куда-то поверх собеседника. – Но больше всего я люблю ничего не делать. В таких случаях я расслабляюсь".

Пока он вроде бы не собирается заняться охотой на лис или рыбалкой – любимым времяпрепровождением английских помещиков. Он любит дома смотреть фильмы на DVD: больше всего ему нравятся "Соломенные псы" и "Криминальное чтиво"».

Таков богатейший человек Англии (и один из богатейших в России): стоит посреди Лондона огромный шестиэтажный дом, окруженный камерами слежения и напичканный охранниками, а в самом сердце его в комнате лежит на диване небритый человек в джинсах и смотрит «Криминальное чтиво».

Сегодня в личной жизни Абрамовича произошли большие перемены, но сам образ жизни остается незыблемым...

Есть такой анекдот.

Лежит в Бомбее индус в парке на травке, под банановым деревом. Подходит к нему англичанин. «Ну что ты тут лежишь? Встал бы, сорвал, что ли, гроздь бананов...» – «А зачем?» – спрашивает индус. «Продал бы...» – «А зачем?» – «Деньги были бы...» – «А зачем?» – «Нанял бы еще индуса, чтобы он для тебя бананы рвал» – «А зачем?» – «Разбогател бы, набрал рабочих, они бы за тебя работали, а сам лежал бы, блаженствовал...» – «Мистер, да я и так лежу, блаженствую...»

Однако сами же англичане с усмешкой говорят, что сколько бы у Абрамовича ни было денег, своим в Британии он все равно не станет. На этот счет дети Альбиона суровы. У них свои традиции и свои правила. Мелочь, но показательная: когда владелец «Челси» приехал в Ливерпуль на матч своей команды, его, самого богатого человека Англии, не пустили в директорскую ложу без галстука. Пришлось срочно одалживать у кого-то из сопровождения.

И ничего с этим не поделаешь! Сколько бы ни вложил богатый выскочка в процветание Британии, он все равно останется для них лишь богатым выскочкой. И не более.

Как вспоминает один хорошо знающий Абрамовича человек: «Еще в глубоком детстве Рома поставил перед собой две цели. Во-первых, завоевать Россию. Во-вторых, завоевать весь мир».

Вроде бы сперва все шло по плану. Но в конечном итоге сколь бы ни хотелось как лучше, а получилось как всегда.

Впрочем, по сравнению с судьбой следующего (и последнего) нашего персонажа, Абрамовичу еще очень и очень повезло... Потому что сейчас пойдет речь о человеке, который *уже* прописался не на Канарах, а на нарах...

5. Осень олигарха

«Деньги, они ведь такие красивые!» – ответил Михаил Ходорковский несколько лет назад одному из телеведущих, когда тот поинтересовался, почему Ходорковский стал банкиром.

Это, конечно, рассчитанная на непритязательные умы красивая фраза. В первую очередь потому, что сказавший ее ни разу не был замечен в накоплении эфиопских бырров, монгольских тугриков и прочих дензнаков различных экзотических государств, порой представляющих собой прямо-таки произведения искусства: напечатаны в несколько красок, изображены на них всевозможные образчики диковинной для наших широт флоры и фауны...

Главной страстью Ходорковского были почему-то доллары США, в отношении дизайна, как известно, безнадежно уступающие купюрам многих других стран, особой красотой не блещущие, да и цветом унылые...

Будущий олигарх родился в семье простых советских технарей невысокого полета, вырос в коммуналке. Закончил Московский химико-технологический институт, но пошел не по химической, а по комсомольской линии: был заместителем секретаря комитета комсомола оного вуза и членом Свердловского райкома комсомола столицы. При комсомоле и стал раскручиваться на тернистой ниве частного бизнеса.

Безусловно, не стоит стричь всех комсомольских функционеров под одну гребенку. В свое время мой хороший знакомый, бывший представитель ЦК ВЛКСМ по Сибири и Дальнему Востоку, как раз и стал практически основателем первой относительно крупной системы частного книгоиздательства в стране. Причем самым честным образом, ничего не «прихватизируя» и не впаривая доверчивым согражданам красивые акции, обеспеченные исключительно воздухом. Свои комсомольские связи он использовал только для того, чтобы взять кредит. На эти деньги издал первую книгу, из прибыли до копеечки расплатился с банком, и дальше уже вел дела, не вымогая помощь у государства и не присасываясь к казне. Было создано Всесоюзное творческое объединение, которое за четыре года издало более 200 книг молодых фантастов, провело множество семинаров во всех уголках страны. А когда объединение – вполне цивилизованно – прекратило существование, из него вышло немало известных впоследствии издателей, успешно продолжавших дело уже в собственных фирмах.

Однако история становления реального производства пока не написана. На слуху, к превеликому сожалению, имена *худшей* части комсомольских функционеров, подавшихся как раз таки в строители пирамид и надуватели мыльных пузырей...

Короче говоря, в 1987 году Ходорковский стал директором Центра научно-технического творчества молодежи при родном райкоме комсомола. Заявленная цель была самой благой: внедрение в производство новых научно-технических разработок. Вроде бы (ходят темные слухи) означенный центр и в самом деле пытался добросовестно что-то внедрять. Но твердят также, что с гораздо большим усердием «молодые технари» ввозили из-за рубежа поддельный коньяк «Наполеон» и незабвенный спирт «Ройял», неизвестно из чего выгнанный, «варили» джинсы. Как там обстояло на самом деле, сегодня мало кто помнит, но в любом случае сподвижник Ходорковского Леонид Невзлин, по некоторым данным, все же признавался: «Коньяк мы финансировали. В конце концов, никто им не отравился».

Спасибо хоть за это, благодетели...

Занимался Центр и операциями, которые можно с некоторой натяжкой называть банковскими – обналичкой. Объясняю для тех, кто не в курсе: при социализме все было жестко структурировано. Существовали, например, фонды, предназначенные «для внедрения результатов научно-технического прогресса», и хоть у тебя рабочие с голоду будут пухнуть, но ты не имеешь права ни копейки из этого фонда потратить, допустим, на зарплату. А с помощью «прокрутки» денег через Центр НТТМ предприятие получало вполне официальные наличные рубли, которые могло тратить по своему усмотрению – и тоже вполне официально. Но процесс обналички был, разумеется, не бесплатным. Первые опыты на этой делянке обходились предприятиям в половину переведенных по безналу денег, потом конкуренция снизила сумму «отката» до 10–15 процентов. Что, в общем-то, всех устраивало. В интервью одному американскому журналисту Ходорковский похвастался, что уже в 1988 году у него был доход в 80 миллионов рублей в год. Сие имело место еще в те далекие времена, когда про миллион рублей говорили: «Не бывает таких денег!»

И это только начало!

А потом произошло событие, направившее нашего героя на его блистательную и роковую стезю. В один прекрасный момент комсомольцы вдруг обнаружили, что деньги у них закончились. Побежали в банк за кредитом, а там вежливенько так говорят, что не могут выдать денежки организации, подобной Центру. Вот если бы их о подобной услуге попросила «классово близкая» контора, то бишь *банк*...

Так на свет появился «Менатеп» – пока еще исключительно как «подсобное хозяйство» Центра, созданное лишь для получений кредитов. Вот только через буквально несколько месяцев комсомольцы поняли, что новая развлекуха им нравится, и «научно-техническое творчество» деловой молодежи замкнулось на «Менатеп». Комсомольцы увлеченно, как детвора в песочнице, игрались с кредитами и процентами, а внедрение помянутых достижений научно-технического прогресса, под которые, собственно, и были выбиты кредиты, как-то незаметно сошло на нет. Чуть позже о прогрессе и вовсе перестали вспоминать – как не принято в респектабельном доме английского лорда вспоминать о юношеских гешефтах пращура, ходившего под черным флагом с черепом и костями где-нибудь в Карибском море...

«Менатеп» принялся плодиться! Причем в темпах, которым позавидовала бы любая кроличья чета, не признающая контрацептивов, – и вскоре в объединение «Менатеп» входило несколько *десятков* банков.

Были среди них структуры, прямо скажем, экзотические. Например, торговый дом «Менатеп-Импекс», занявшийся ввозом кубинского сахара, в обмен на который поставлялась нефть. Все выглядело вроде бы пристойно – ну, если не считать, что на эти негоции весьма неодобрительно поглядывали власти США. Нет, дело тут не в неприязни к Фиделю Кастро. Просто «кубинский маршрут» Ходорковский окучивал в компании с гражданином США

Марком Ричем, которому очень не хотелось возвращаться в Штаты, поскольку тамошняя Фемида давненько грозила ему своим холодным оружием за всевозможные «шалости» из разряда уголовно наказуемых.

Маховик завертелся! Поле деятельности Ходора было поистине бескрайним и, по обыкновению, с... каким-то душком, если можно так выразиться.

Во-первых, он развил бурную деятельность на международной ниве. Наш экс-комсомолец способствовал созданию некоего финансового заведения под названием European Union Bank — и не где-нибудь, а на острове Антигуа, заслужившем славу «всемирной прачечной» по отмыванию грязных денег, в том числе наркодолларов. Чем этот банк занимался, в точности неизвестно, но читателям, кто хочет подробнее узнать об острове Антигуа, рекомендую увлекательнейшую книгу Д. Робинсона, указанную в библиографии, где о тамошнем коловращении денег рассказано подробно и в красках...

Во-вторых, попутно Ходорковский завязал неплохие связи в американском Bank of New York — том самом, что был связан с отмыванием грязных денежек, поступавших из России.

В-третьих, на ниве снабжения Москвы продовольствием старательно трудились АОЗТ «Алиот» и АО «Колос», принадлежавшие главным образом «Менатепу». «Алиот» — вот чудеса! — получив кредит в 8 (восемь) миллиардов рублей, чуть ли не на следующий день скоропостижно закрылся, а его руководство неведомо куда испарилось... Надо ли уточнять, что вместе с кредитом?

В-четвертых, чуть погодя выразил Ходорковский и горячее желание вступить в почтенные ряды производителей. Для чего предложил свои инвестиции Московскому пищевому комбинату. Чуть позже, в результате неких достойных старика Хоттабыча манипуляций, «инвестиции» оказались самым натуральнейшим кредитом, коий следовало вернуть — и 75% акций пищекомбината перешли во владение «Менатепа». При этом на директора комбината Леонтьева оказывалось то, что деликатно именуется «силовым давлением»: и угрозы по телефону, и незаконные обыски кабинета, и задержание милицией, и тэ дэ, и тэ пэ... Информация об этом «давлении» исходила, кстати, не от каких-то злобных «врагов реформ», а из службы безопасности «Моста», где трудились бывшие сотрудники КГБ, вплоть до отставных генералов, умевших добывать серьезные сведения...

Было и в-пятых, и в-шестых, и в-двадцать восьмых...

Естественно, Ходорковский и двинулся по любимому пути всех наших олигархов: при первой возможности прильнул трепетными устами к вожделенным казенным деньгам – например, к Фонду ликвидации аварии на Чернобыльской АЭС. Позже именно «Менатеп» стал уполномоченным банком государственной компании «Росвооружение» (чья история еще ждет своего вдумчивого и прилежного летописца).

...Как-то незаметно повелось связывать рождение финансовых пирамид с МММ, братальниками Мавроди и Леней Голубковым. На самом деле *первым* продавать населению свои широко разрекламированные фантики – о, простите, *акции*! – стал именно «Менатеп». Он же одним из первых среди частных банков получил право на организацию обменных пунктов для частных лиц – золотое дно для понимающего человека. Погрел руки Ходорковский и на участии в государственной программе с длинным названием «Фонд финансовой поддержки завоза товаров в районы Крайнего Севера и Дальнего Востока»...

А потом «Менатеп» обратил свой крайне заинтересованный взор и на отечественную промышленность... Но об этом – чуть позже. Сначала поговорим о другом.

О власти.

На ниве «новорусского» бизнеса ребятки из партийных и комсомольских структур имели фору перед всеми остальными. И фора эта называется коротким словом: *связи*. В конце 80-х у Ходорковского были молодые друзья из хороших семей. У одного родители работали в Госбанке, у другого имели тесные контакты в правительственных кругах. Через них удалось добраться аж до самого Горбачева. Именно с дозволения первого и последнего президента СССР «Менатеп» получил «чернобыльские» деньги. Что с ними делал банк, какая их часть навсегда осела на его счетах, можно только гадать. Но известно, что когда в 1991 году «Менатеп» подал в суд на Центробанк в связи с задержкой платежей, то председатель ЦБ Геращенко напомнил – лишь напомнил! – Ходору о чернобыльских деньгах. И будущий олигарх мгновенно заткнулся.

Через «Менатеп» шли и конвертация денег КПСС, и, надо полагать, еще некоторые *проекты*. В 1990–1991 гг. Ходорковский и его помощник Невзлин стали до такой степени своими в «верхах», что были назначены советниками премьера Силаева. К 1991 году Ходорковский считался уже запредельно «крутым» специалистом, ему вроде бы даже предлагали пост министра топливного и энергетического хозяйства. Правда, после августа министром стал человек из команды Гайдара по фамилии Лопухин, – однако и этот беззаветно любил «Менатеп» и по-дружески ему помогал... Естественно, дружила спарка Ходор – Невзлин и с чиновниками помельче.

В 1997 году служба безопасности «Моста» составила аналитическую записку на «Менатеп», в которой говорится: «идеологические проблемы и расхождения никогда не смущали руководителей МФО при поисках и использовании высокопоставленных связей в государственных и партийных структурах – ранее советских и КПССовских, затем – российских и либерально-демократических. Значительное число экспертов утверждает, что своим становлением "Менатеп" обязан вливаниям "партийных денег". По всей вероятности, с этим утверждением можно согласиться, тем более что существуют хотя и не прямые, но веские косвенные доказательства такой связи.

Однако молодые руководители "Менатепа" получили в свое распоряжение средства намного более мощные, чем "партийные деньги", а именно – права распоряжения определенной частью государственной собственности. Им удалось плавно перейти от советского периода к российскому и не только сохранить эти права, но и значительно приумножить их...

"Менатеп" – одна из весьма немногих коммерческих структур, которая имеет многообразные и солидные опоры среди российского чиновничества и в политических кругах. При этом опорные "механизмы" "Менатепа" можно подразделить на две части – "старая" советская и "новая" российская, большей частью либерально-демократическая номенклатура. Конечно, это деление во многом условно, т. к. немалая часть "старой" номенклатуры представлена и среди "новой", а "новая" сама по себе или через родственников и хороших знакомых также имеет корни в "старой".

Руководство "Менатепа" в интересах лоббирования использует обычный набор приемов – действия через связи во властных структурах и некоторых политических партиях, которые, естественно, в той или иной форме оплачиваются. От наиболее простого способа – непосредственно деньгами, до несколько или сильно завуалированных – например, прием на работу родственников полезных чиновников, обеспечение им высокооплачиваемого места работы на случай ухода с госслужбы, заказы чиновникам и политическим деятелям исследований по различным темам (во многих случаях лишь для вида), оказание финансовой помощи политическим и общественным организациям, предпочтительно минуя официальные счета и избирательные фонды.

...В результате "Менатеп" создал одну из самых мощных лоббистских структур в современной России, которая во многом привела к «слиянию» коммерческого дела с государственными органами...

...Можно сделать вывод, что "Менатеп" в настоящее время является той структурой в России, которая, располагая большой степенью независимости от государства, одновременно имеет самые серьезные рычаги влияния на него. Эта система построена преимущественно через "личностное" влияние на государственные ведомства, многие высшие чиновники которых имеют в "Менатепе" и в связи с "Менатепом" личные интересы, как в настоящем, так и на будущее. Этим объясняются и те случаи, когда "Менатепу" в довольно сложных обстоятельствах удавалось выходить сухим из воды».

Но и это было лишь начало! Похоже, Ходорковский всерьез мечтал о своего рода «дивном новом мире». В 1992 году совет директоров «Менатепа» объявил о намерении создания «финансово-промышленной олигархии». Что это такое, проговорился главный рекламщик банка.

Оказалось, руководство хотело сформировать некий «клан» из самых крупных своих клиентов, из тех, на счету которых не менее 5–10 миллионов долларов. Для них создали специальное управление, которое не только обслуживало счета, но и лоббировало их интересы в структурах власти.

Надо объяснять, чем это пахнет? Произойди подобное, и государственная власть станет плясать в руках такого «клана», как кукла на ниточках. А проще говоря – марионетка.

И если впоследствии Ходорковский и компания по поводу этих планов помалкивали, то это не значит, что «клан» не создавался.

Само собой, полез «Менатеп» и в политику. В памятном октябре 1993 года Ходорковский воспользовался ситуацией на полную катушку. Его банк был в числе немногих, снабжавших деньгами тогдашнего президента. А чуть позже, в декабре, он спонсировал гайдаровский «Выбор России».

И когда начался очередной этап дешевой распродажи национального достояния, ЕБН с Гайдаром, естественно, в долгу не остались.

В самые короткие сроки Ходорковский скупил пакеты акций АО «Апатит», «Воскресенских минеральных удобрений», «Уралэлектромеди», Среднеуральского и Кировоградского медеплавильных комбинатов, Усть-Илимского лесопромышленного завода, Волжского трубопрокатного и т. д. На такой «шопинг» и у Рокфеллера, пожалуй, денег не хватило бы, но тут есть одна закавыка: Ходорковский со товарищи не столько покупал эти предприятия, сколько выигрывал на конкурсах. А как проходили конкурсы – мы уже знаем.

Дальше – больше!

Скупив множество самых разнообразных предприятий, некоторые просто «на всякий случай», Ходорковский замахнулся на нефтяную компании «ЮКОС», вторую по величине в России. Это уже была не сказочная курочка, это был всамделишный страус, несущий соответствующего размера золотые яйца...

Та же служба безопасности «Моста» определила условия аукциона, на котором Ходорковский получил «ЮКОС», следующим образом: «Практически "Менатепу" государством было предоставлено право банкомета в игре в "очко", когда он не только сдает карты и принимает участие в розыгрыше "банка", но при этом еще и единовластно определяет, кого и на каких условиях допустить к игре».

Еще до начала аукциона из окружения Ходорковского открытым текстом стали исходить не особенно-то завуалированные предостережения конкурентам: «ЮКОС» будет нашим, и точка! Консорциум из «Инкомбанка», «Альфа-банка» и «Российского кредита» предложил за акции «ЮКОСа» 350 миллионов долларов. Однако заявки на участие в аукционе регистрировал сам «Менатеп»... Знакомо, не правда ли? Стоит ли удивляться, что заявку консорциума он не принял! И «ЮКОС» достался представлявшей интересы «Менатепа» компании, которая заплатила за пакет акций всего на 9 миллионов больше стартовой цены в 150 миллионов...

В августе 1998 года увлеченно игравший в ГКО «Менатеп» рухнул и обанкротился, но это уже мало что могло изменить: банк превратился в «изработавшуюся лошадку», впору было вывешивать на дверях объявление: «"Менатеп" закрыт, все ушли в "ЮКОС"»...

Именно после этой блистательной сделки фамилия Ходорковского украсила первые строчки списков богатейших людей планеты, публиковавшиеся в серьезных западных изданиях. Это был человек, который мог всерьез претендовать на то, чтобы «делать будущее» России.

Давайте теперь посмотрим, какое именно будущее нес этот суперолигарх нашей стране.

Получив «ЮКОС», Ходорковский приехал в Нефтеюганск. Неделю в сапогах лазил по скважинам. Рабочие жаловались на низкую зарплату и на тяжелую жизнь. Ответ был простой: «Не желаете работать за эти деньги, привезу сюда китайцев, а вы можете уматывать!»

Пришлось работать и за эти деньги, и не за эти, потому что план реструктуризации «ЮКОСа» предусматривал сокращение численности работающих *в три раза*! А из остальных, соответственно, выжимать все соки – за ту же зарплату.

Те, кто мог уйти, стали уходить. Естественно, увольнялись лучшие специалисты, благо рядом ждали с распростертыми объятиями «Сургутнефтегаз» и «Лукойл», где думали о будущем, а не только о том, как бы выкачать нефти побольше и побыстрее.

Затем «ЮКОС» принялся облегчать лодку. Сервисные предприятия отпустили на вольные хлеба. Но другой-то работы в регионе нет! И тогда «ЮКОС» стал перезаключать с ними договора на драконовских условиях.

Сбрасывали на баланс муниципалитетов инфраструктуру городов. Налоги при этом платили не живыми деньгами, а векселями, бумажками. И как прикажете на эти бумажки все содержать? А как хотите! Как в песенке поется: «А если зарплата вам жить не позволит – так вы не живите, никто не неволит».

Если что – китайцев привезем. Они едят мало...

В 1998 году разразился нефтяной кризис. На мировом рынке цены на нефть упали до 9–12 долларов за баррель. Вы думаете, «ЮКОС» поступился немалыми накопленными за границей прибылями?

Щас, ждите!

Свои проблемы фирма решала за счет государства и рабочих. Первому перестали платить налоги – ну нет денег, нет, нет!

Со вторыми поступили еще круче. Рабочим Нефтеюганска под угрозой увольнения предложили... написать заявления с просьбой снизить заработную плату на 30–50%. «У компании нет иных резервов, кроме понижения зарплаты», – сказал богатейший человек России, чье состояние уже тогда оценивалось в 7 миллиардов долларов.

Нефтяники вспоминают, что на промыслах собак ели...

А вскоре в Нефтеюганске откровенно запахло криминалом.

Ну, если уж говорить откровенно, криминалом там пованивало всегда. Однако теперь произошло нечто из ряда вон. То есть для бандита Ходорковского, будь он бандитом, дело обыкновенное. Но для Ходорковского-либерала... Ведь он объявляет себя либералом! Даже статью, написанную в тюрьме, так и назвал: «Крушение либерализма в России»...

Несколько раньше, еще только начиная «наводить порядок» в Нефтеюганске, «ЮКОС» задолжал огромную сумму компании «Дебит». И возвращать ее не спешил, а когда глава «Дебита» Петухов все же подал иск в суд, у него отчего-то начались серьезные проблемы с налоговой полицией. Чтобы избавиться от этих проблем и вернуть наконец свои деньги, Петухов решил баллотироваться на пост мэра Нефтеюганска и на выборах победил. После чего немедля потребовал, чтобы отныне «ЮКОС» платил причитающиеся с него налоги реальными деньгами, а не векселями или не имеющей особой ценности собственностью.

Однако «ЮКОС» настаивал на том, что платить будет как раз таки векселями – и в довесок передал на баланс города аэропорт, требующий огромных эксплуатационных расходов, а также сельскохозяйственные установки и асфальтовый завод (отнюдь не золотое дно). В результате город лишился средств для выплаты зарплат бюджетникам. Начались задержки с зарплатой и у нефтяников «ЮКОСа». И тут им – бац! – объявляют о предстоящем снижении зарплаты.

По городу прокатились многотысячные демонстрации. Самым нейтральным лозунгом, появившимся над толпой, был: «ЮКОС» – кровосос!» Мэр Петухов назвал «ЮКОС» «преступной организацией, которая живет за счет продаж нефти, произведенной жителями Нефтеюганска». Всего в демонстрациях участвовало 25 000 человек – четверть населения города!

Через три дня по пути на работу мэр был убит. Отчего-то население обвиняло «ЮКОС», с ходу отметая версии об убийстве из ревности или в криминальной разборке по поводу кооперативных ларьков... А специалисты, изучающие рабочее движение в других странах – в тех же США, например, – могли бы привести ряд красноречивых аналогий.

Вновь начались волнения, демонстранты остановили движение на мосту через Обь и подожгли входные двери в квартирах трех депутатов городской думы, которые считались людьми «ЮКОСа». Самое пикантное, что сразу же после этого куда-то поспешно слиняли не только эти трое, но и еще шесть депутатов, к которым вслух никто претензий не высказывал...

Потом тяжелые времена вроде бы закончились. «ЮКОС» повысил зарплату и даже стал проявлять трогательную заботу о детях своих работников. Впрочем, он и тут соблюдал свой интерес –

об этом замечательном опыте можно прочесть в приложении, в материале газеты «Стрингер» «Югендленд имени Ходорковского». Но в Нефтеюганске ничего не забыли...

А «ЮКОС» процветал. Прижав к ногтю собственных рабочих на далеком Севере, Ходорковский одновременно принялся окучивать Запад.

В 2001 году он пригласил группу британских журналистов в увеселительное турне по России на своем личном самолете. Поездка была организована принцем Майклом Кентским, ее участники адекватно отблагодарили хлебосольного хозяина восторженными статьями. Правда, московские корреспонденты, знающие ситуацию, прозвали турне «самолетом позора».

Ходор основал фонд «Открытая Россия», чтобы развивать «идеи демократии и гражданского общества». Оказался вдруг в числе благотворителей и меценатов, став покровителем школ и сиротских домов. Устраивал выставки российского искусства. Оказывал помощь библиотеке конгресса США... Что поделать, в западном деловом мире, куда он изо всех сил пытался пролезть, свои законы. «Диких капиталистов» там не любят. Чтобы изменить уже сложившееся мнение о себе, надо стараться – и он старался. Пытался показать себя «цивилизованным» и в деловом мире. Принимал на работу иностранцев – само собой, не в Нефтеюганске, а в Москве, и не нефтяниками те работали, а топ-менеджерами. Бывший британский министр иностранных дел лорд Дэвид Оуэн стал председателем одной из дочерних компаний «ЮКОСа». На презентации фонда в Америке высшему вашингтонскому обществу Ходорковского представлял президент Всемирного банка.

В 2003 году правление «ЮКОСа» приняло решение выплатить акционерам в качестве дивидендов два *миллиарда* долларов. И тут Ходорковский сделал шаг, логику которого совершенно невозможно понять с точки зрения здравого смысла. Он заявил, что государство должно... выдать «ЮКОСу» субсидии!

На страницах газеты «Коммерсантъ» он тщательно обосновывал свое заявление, излагая, в общем, ничуть не противоречащие истине соображения: 98% нефтеперегонных установок исчерпали предусмотренные нормами гарантийные сроки; более половины этого оборудования работает на износ более 30 лет; сеть нефтепроводов и газопроводов изношена; замене установок не уделяется должного внимания... И тут же сетовал, что правительство и Государственная Дума глухи к потребностям *частной* компании, даже не думают, противные, выделять субсидии и давать кредиты.

Ситуация складывалась прямо-таки шизофреническая. Владельцы «ЮКОСа» увлеченно распихивали по карманам миллиарды долларов прибыли. И в то же время ремонт своей износившейся собственности оплачивать из собственного кармана категорически не желали – по их глубокому убеждению, это было обязанностью государства... Ходорковский, опять-таки печатно, изрек очередную историческую фразу: «Я не позволю, чтобы мне диктовали, что мне делать с моими миллиардами».

Подобное поведение уже не назовешь ни цинизмом, ни наглостью – слов еще не придумано...

Однако время было уже не то!

Еще в аналитической записке СБ «Моста» по поводу банка «Менатеп» говорилось: «Эта сила "Менатепа" (связи с чиновниками. – *А.Б.*) является одновременно и его слабостью. Если по каким-либо причинам поддержка госструктур ослабнет или совсем исчезнет (например, при частичной или полной смене власти), то "Менатепу" будет крайне сложно выжить. Позиции МФО могут быть серьезно подорваны и в результате беспристрастного расследования многих операций, в которых оно принимало участие, используя небескорыстную помощь госчиновников.

В связи с этим можно сделать вывод, что перспективы развития банка полностью зависят от развития политического процесса в стране».

То, что Ходорковский переключился с финансов на нефть (а по сути и не переключался вовсе, а просто начал финансовую возню *вокруг* нефти), ничего, в общем-то, не меняло. А политический процесс пошел в другую сторону.

С приходом Путина прежняя идиллия в отношениях с властью незаметно закончилась. Первый звоночек раздался, когда на встрече с президентом Ходорковский от большого ума выразил свое искреннее недовольство аукционом по продаже «Славнефти» – власти, дескать, отсекли от участия конкурентов, чтобы расчистить дорогу двум конкретным персонам. Путин, не повышая голоса, спокойненько так поинтересовался: а самое большое количество разведанных нефтезапасов, то есть «ЮКОС», досталось Ходорковскому по-честному? Не так уж давно происходили аукционы, и многие прекрасно помнили все, что творилось вокруг *тогдашнего* конкурса.

Ходорковский, насколько мне известно, внятного ответа так и не подыскал.

Будь на его месте не комсомольский, а партийный деятель, с аппаратным опытом и умением чуять ветер, он бы сбавил обороты. А если б оный деятель был еще и умен, то уселся бы посреди своих вышек, платил налоги и молчал в тряпочку. Или, как Абрамович, быстренько распродал добро и смотался за границу. Но – комсомольцы-добровольцы, молодо-зелено, опыта набраться не успели, а в перестроечные годы если чего и можно было набраться, так это лишь наглости беспредельной.

В апреле того же 2000 года на встрече с Путиным Ходор снова попытался показать власти ее место. Президент в ответ несколько раз напомнил нефтяному магнату о проблемах с невыплатой налогов и о недопустимости теневого финансирования политических партий – пусть даже из его, Ходорковского, личных средств. В ответ тот не особенно даже тонко намекал, что правительству и президенту не стоит вмешиваться в конкретные экономические проблемы, а стоит «выступать только гарантом». Себя и своих коллег он именовал «творческим меньшинством страны», «интеллектуальной элитой». А сверхвысокие доходы «ЮКОСа» объяснял «результатом работы наших мозгов»...

Имея чутье, увидел бы в глазах президента, что и второй звонок уже прозвенел... Но откуда ж ему взяться, чутью-то?

Ходорковский не унимается! Теперь он объявляет, что через несколько лет собирается оставить бизнес и все свои силенки сосредоточить на общественно-политической деятельности. По-моему, подобные заявления следует толковать однозначно: вряд ли амбициозный нефтяной магнат собирался довольствоваться ролью министра или какого-нибудь там депутата Госдумы. С большой долей вероятности рискну предположить, что комсомольский мальчик мечтал о президентском кресле (благо подобные предположения никоим образом не подпадают под статьи Уголовного кодекса касаемо «клеветы» и «нанесения морального ущерба»). В 2003 году немецкий журнал «Шпигель» открытым текстом заявил: «Он пришел бы вовремя, чтобы стать преемником Путина после его второго срока».

Постепенно Ходорковский все более противопоставлял себя российской власти. Задолго до описываемых событий он в открытую, всем своим поведением показал, что делает ставку на США. А потом *схлестнулся* с президентом по поводу Ирака.

Но лучше дадим слово журналистам «Комсомольской правды», заявившим, что в последнее время Ходорковский почувствовал себя «круче Путина».

«Ну скажите, какому президенту понравится, – риторически вопрошали они, – когда он прикладывает титанические усилия для того, чтобы отстоять одну внешнеполитическую линию ("США по отношению к Ираку не правы"), а крупнейший бизнесмен в его стране выступает в роли пятой колонны, пропагандируя линию прямо противоположную ("Правы США или нет, но мы должны быть с ними").

А тут еще подчиненные сигнализируют: мол, когда вы вылетели за границу с очень важным для страны официальным визитом, этот нехороший человек проплатил против вас кампанию в прессе...

Но особо, говорят, президента разгневал случай, когда внесенный им в Госдуму законопроект, предполагающий заметный рост налоговых поступлений в бюджет (а это зарплаты врачам, учителям, военным, пенсии и проч.), депутаты неожиданно "прокатили". Люди из путинской администрации, проведя расследование, выяснили: законопроект оказался невыгоден "ЮКОСу".

И люди Ходорковского якобы заплатили депутатам за то, чтобы те голосовали "против". Самые компетентные политики в России признают: в последний год ни одно крупное экономическое решение в Думе не могло пройти без предварительного согласия Ходорковского».

Оставим на совести журналистов слова «якобы» и «говорят». Нельзя им иначе! А на самом деле – ну вот не тот Путин человек, чтобы пользоваться непроверенной информацией. Не тот, и все. Внешняя разведка КГБ – место серьезное, и учат там на совесть.

Итак, давайте посмотрим, в чем «виноват» Ходорковский. Это уже не война амбиций магната и президента, как пытаются преподать нам конфликт. Нет, это совсем другое. Ходорковский объявил войну отнюдь не Путину – он объявил войну *всей* российской власти. И доказательство тому – кампания в прессе во время важного зарубежного визита, когда внимание мировых СМИ было приковано к российскому президенту. Ход, согласитесь, более чем недвусмысленный.

Хотя, с другой стороны, ежели подумать... Все это как-то слишком мелко, чтобы из всей толпы олигархов, нарушавших (нарушающих, планирующих нарушать) закон, для показательной расправы выбрать именно Ходорковского. Ну, подумаешь, пакостит по мелочам! Ну, даже сорвал принятие законопроекта. Ну, проплачивает оппозиционные СПС, «Яблоко» и КПРФ. Нет, мелко...Что-то он сделал еще, что-то такое, чего стерпеть было уж никак невозможно.

Не верю я, что вся заварушка из-за *политики*, ну не верю...

И читаю в той же «Комсомолке», чуть ниже, в конце списка «грехов» Ходорковского: «Однако главное, пожалуй, в том, что Кремль весьма беспокоит альянс, наметившийся между империей Ходорковского и американской "Мобил экссон"... Слияние компаний может представлять угрозу национальной безопасности страны: энергетика России окажется в серьезной зависимости от американских партнеров».

Еще один исторический шаг олигарха озвучил член правления межрегиональной общественной организации «Совет по национальной стратегии» Станислав Белковский. «Самый яркий (хотя и доселе публично не обсуждавшийся) акт отречения элиты девяностых годов от России был зафиксирован весной 2003 года в Вашингтоне. В беседе с одним из высокопоставленных представителей администрации США знаменосец этой элиты бизнесмен Михаил Ходорковский прямо заявил, что, придя к формальной политической власти, он (его клан) пойдёт на полное ядерное разоружение России»*.

А вот это уже очень серьезно.

И грянул гром...

В свое время тот же журнал «Шпигель» писал (со ссылкой на главного эксперта компании United Finansional Groop Салливана: «Против крупнейшего предпринимателя страны мало что может сделать даже российский президент». Но кое-чего западники не учли, поскольку у них другие нравы и другая школа бизнеса. В России власть может сделать все что угодно практически с любым предпринимателем, поскольку среди хотя бы относительно крупных представителей этой породы практически нет таких, которые не нарушали закон в особо наглых размерах.

Достаточно лишь поинтересоваться делами не так давно минувших дней.

...Сначала арестовали одного из ведущих акционеров и совладельцев «ЮКОСа» Платона Лебедева по обвинению в хищениях, мошенничестве и неуплате налогов (речь шла об умопомрачительных суммах). Почти в тот же момент приземлился на нарах один из руководителей службы безопасности «ЮКОСа» Алексей Пичугин, обвинявшийся в организации заказных убийств. (Поскольку жизнь частенько обгоняет любой детектив, то известие об осуждении Пичугина пришло аккурат в тот момент, когда писалась предыдущая страница.)

Короче, Пичугин получил сполна и по заслугам. Хотя уже после оглашения приговора один популярный во времена громокипения перестройки журналист пытался его реабилитировать, причем крайне оригинальными методами. Во-первых, вещал он, Пичугин никого сам не убивал, а «всего лишь» организовывал убийства. А это, по мнению виртуоза пера, является чуть ли не оправдывающим обстоятельством: не лично ведь молотком тюкал по головам, а *планировал*, не более того, надо ж понимать разницу! Во-вторых,

---

* По оценке Белковского, этот проект принес бы Ходорковскому и К° около 160 млрд долларов.

посмотрите, люди добрые, кого Пичугин планировал убивать – самых натуральных бандитов! Чего ж их жалеть?

Круто, да? Автор столь оригинальных методов защиты в свое время работал в газете Гусинского – отсюда и любовь к подобным умственным вывертам. К счастью, те, что вершили правосудие, руководствовались законами, а не подобной «логикой»...

Закончилось все арестом самого Ходорковского. Третий человек «ЮКОСа», Леонид Невзлин (которому фирма ради вящей респектабельности купила за приличную сумму титул ректора Российского государственного гуманитарного университета), не дожидаясь повесток, поспешил улететь за границу и попросил политического убежища в Израиле.

Ходорковскому, как известно, предъявлены обвинения по семи статьям Уголовного кодекса: хищние как государственных средств, так и доверенных ему средств частных лиц, уклонение от уплаты налогов (и как частное лицо, и как предприниматель), мошешничество и подделка документов, злоупотребление доверием и неисполнение решений суда. В большинстве случаев имеются отягощающие *довески*: «в крупных размерах», «в особо крупных размерах».

Следствие начало копать с далекого 1994 года. Материалы полностью можете почитать, если кому интересно, в приложении, а здесь приведу лишь несколько отрывков:

«Ходорковский М. Б., работая председателем Совета директоров ОАО КБ "Менатеп" (банк "Менатеп") в г. Москве, в 1994 г. создал организованную группу лиц с целью завладения путем обмана акциями российских предприятий в период проведения приватизации и в процессе преступления руководил деятельностью этой группы».

Данная группа, как далее сообщается, «преследовала цель завладеть правом на стратегическое и оперативное управление предприятиями и коммерческими организациями, похитив их акции. Обладая указанными полномочиями, Ходорковский и члены организованной группы обеспечили приобретение права владения, пользования и распоряжения всеми средствами акционерных обществ. Таким образом, они обеспечили реализацию производимой предприятиями продукции подконтрольным им посредникам не по рыночной, а по заниженной цене. Посредник, в свою очередь, перепродавал продукцию потребителям по рыночной цене. Полученную разницу Ходорковский и действовавшие в организованной группе с ним лица обращали в свою пользу, чем причиняли ущерб другим акционерам, которые таким образом лишались права на дивиденды от чистой прибыли».

Как человек, четырнадцать лет отдавший частному бизнесу, я лично не вижу здесь ничего надуманного, продиктованного «злобной фантазией» следователей. Не самая хитрая схемка, встречались и заковыристее...

Далее в материалах обвинения приводятся и другие схемы: создание подставных юридических лиц, «консалтинговые» фирмы, служившие исключительно для перекачивания денег по такой длинной цепочке, что и концов не найти. И десятки конкретных эпизодов по таким сделкам. Большая часть – периода 1997–1999 годов, но есть материалы и посвежее: эпизоды с присвоением миллионов долларов, относящиеся к 2000–2003 годам. Общие убытки государственной казны от неуплаты налогов исчисляются в *миллиардах* долларов...

Фиктивные договоры, незаконные льготы, обман акционеров и клиентов, выплата не деньгами, а сомнительными (как выражались сто лет назад – «бронзовыми») векселями, подделка подписей с целью значительного уменьшения поступлений в пенсионный фонд, уклонение от уплаты налогов и страховых взносов.

Естественно, после ареста Ходорковского в определенных кругах началось нечто вроде истерики с рыданиями, дробным падением на пол в обмороке и битьем посуды подешевле... Особенно старались Чубайс, Немцов и Явлинский (коему «ЮКОС» не так давно прикупил в подарок популярную газету «Московские новости»). Как водится, долго блажили о тридцать седьмом годе, о тоталитарном перевороте, о произволе. Отдельные, самые шумные, даже заявляли, что Путину необходимо срочно устроить импичмент. Пужали, что после подобных шагов рухнет вся экономика, что Россия потеряет десятки миллиардов долларов западных инвестиций, что финансовая система России-де уже «рухнула» или, по крайней мере, «находится в шоке», что «надвигается катастрофа». Содержавшиеся на деньги «ЮКОСа» «Московские новости» объявили, что, мало того, и «западный предпринимательский мир замер в шоке». А заодно стращали западных инвесторов в стиле детских стихотворений Чуковского: маленькие дети, ни за что на свете не ходите, дети, в Россию гулять! Мол, нет никаких гарантий, что и почтенных западных бизнесменов завтра не распихают по сырым подземельям, заковав в ржавые кандалы.

Путин, не задумываясь, ответил на все эти эскапады: «Дело не столько в приватизации. На самом деле приватизация лишь не большой компонент расследования. Но мы говорим о криминальной деятельности, об участии в криминальных делах, даже покушениях и убийствах во время слияний... От чего я пытаюсь предостеречь стороны, так это от политизации дела. Надеюсь, что все окончится, и очень скоро, и мы увидим результаты. Пока еще мы узнали лишь небольшую часть всего того, что было замуровано в недрах гигантского айсберга под названием ЮКОС».

Кое о чем из этого айсберга мы поговорим в других главах.

А время шло. «Страшные» пророчества оказались бурей в стакане воды. Ничего не произошло. Упавшие было акции «ЮКОСа» начали расти. Оперативное управление компанией стали осуществлять новые менеджеры – между прочим, граждане США, отчего-то не испугавшиеся застенков и кандалов. Никакого обвала на российском фондовом рынке не случилось. Отечественный экономист А. Сушкевич писал: «...Арест Ходорковского – не только не трагедия, но событие, слабо отличимое от раннего выпадения снега на Кубани. Или неожиданного отзыва лицензии у какого-нибудь крупного российского недропользователя. Крупная корпорация, бизнес которой почти на 100% связан с добычей углеводородного сырья, вряд ли уменьшит объемы добычи и реализации своей продукции из-за ареста ключевого менеджера. Еще меньше вероятность падения показателей выработки и продаж в экономике в целом».

Что интересно, почти не было попыток разыграть «антисемитский» козырь. Впрочем, с «пятым пунктом» Ходорковскому не повезло: евреем был его папа, а израильтяне, в силу своих религиозно-исторических традиций, упрямо считают национальность по женской линии (чтобы человек мог считаться евреем, у него еврейкой должна быть мать, либо бабушка, либо прабабушка). Но все же, коль скоро того требуют политические интересы, то и прадедушка в ход пойдет!

Тем не менее самая известная газета еврейской общины в России еще в июле 2003 года писала: «Ходорковский, Невзлин и их коллеги по клубу миллиардеров доказали, что они умеют делить и вычитать в масштабах всей России. Теперь им придется доказать, что они умеют складывать и умножать в том же масштабе. Они богатели вместо России, дальше им придется богатеть вместе с Россией. Путь первоначального накопления (разграбления) пройден до конца. Теперь надо начинать какой-то новый путь».

Так что и отсюда поддержки ждать не приходилось.

Да и то сказать: уж больно от дела Ходорковского дурно пахло.

За редчайшими исключениями, крупнейшие российские бизнесмены в защиту Ходорковского не выступили. «Западный предпринимательский мир», полное впечатление, так и не узнал, что «находится в шоке». И ничего удивительного в этом нет: едва выяснив, в чем именно обвиняют Ходорковского, западные «партнеры» шарахнулись от него, как от чумного. Еще не хватало – защищать человека, обвиняемого в неуплате налогов!

Пока эта книга пишется, приговор Ходорковскому еще не вынесен. Но пятнадцатью сутками, хочется верить, он не отделается.

Невзлин пока отсиживается в Израиле. Вместе с Гусинским, как уже мимоходом упоминалось, создает новую партию из эмигрантов, что-то лоббирует, участвует в каком-то бизнесе. Однако вряд ли такое положение продлится вечно. Российская Генпрокуратура, объявившая Невзлина в международный розыск, считает, что основным заказчиком по всем преступлениям, инкриминируемым Пичугину, был именно Невзлин: взрывы, покушения на убийства, угрозы убийства, непосредственно убийства.

Речь идет о чисто уголовных преступлениях, а потому нет гарантии, что «ректор» навсегда сохранит статус политэмигранта. Еще в 2000 году Россия и Израиль подписали Европейское соглашение о выдаче преступников – и несколько укрывавшихся в Израиле представителей российского криминалитета были высланы в Россию. Механизм помаленьку работает...

Меж тем иные наши хитрецы совершенно безосновательно полагают, что Израиль так и живет по старому казачьему принципу «с Дона выдачи нет», и достаточно, отыскав у себя еврейские корни, шумно объявиться «жертвой политических репрессий»... Ничего подобного. Уголовников нигде не любят.

Помню, как лет несколько тому назад угодил в серьезные хлопоты один мой знакомый, решивший, что в «земле обетованной» каждому туда приехавшему можно хоть на голове ходить. От большого ума он вступил в какую-то крайне экстремистскую организацию, ходил на демонстрации с кольтом за поясом, орал что-то вроде: «Бей араба-подлеца, рожа просит кирпича». Власти не препятствовали – поскольку никаких *действий* эта организация не предпринимала, ограничиваясь маршировкой не в ногу и истошными воплями. А в демократической стране всякий вправе покричать вдосталь...

Проблемы начались неожиданно. Означенный субъект решил на досуге слетать развеяться в Париж – путь недалекий, билет стоит долларов двести, отчего же не поглазеть на Эйфелеву башню и парижанок в мини?

Вот только в аэропорту при паспортном контроле его тут же взяли под ручки полицейские и вежливо, но решительно объявили: месье, мы не можем впустить вас в страну, поскольку вы являетесь членом экстремистской организации, занесенной в черный список...

Оказалось, что соответствующие службы Израиля, позволяя данным экстремистам драть глотку и шататься с лозунгами по улицам, в то же время старательно отправляют списки всех до единого членов всех до единой экстремистских организаций в Интерпол и прочие международные конторы соответствующего профиля – для зачисления в тот самый черный список. И лица, в том списке поименованные, будут непременно выдворены назад при попытке въехать не только во Францию, но в любую другую страну Шенгенского соглашения и Европейского союза...

Вот тут-то знакомец мой и взвыл, честя на чем свет стоит собственную неосмотрительность, но поезд ушел (то есть самолет улетел), уже ничего не переиграешь...

...Так что с Невзлиным еще ничего не решено. А Ходорковский сидит. Несмотря даже на то, что писатель Проханов, наш яркий светоч национал-патриотизма, побывав в его вотчине, Нефтеюганске, ухитрился узреть на небесах некие «пречистые знамения» в поддержку «ЮКОСа». Чуть ли даже не архангелы и архистратиги небесные продефилировали перед Прохановым с транспарантами: «Благодать почиет на Ходорковском, осанна!»

По правде сказать, верится плохо. Совсем не верится.

После ареста Ходорковского и у нас, и на Западе вовсю заговорили об «избирательном правосудии». Да, действительно, в том, что касается экономических преступлений, правосудие у нас избирательное и другим быть не может. Потому что если начать разбираться со всеми, кто мошенничал, уходил от налогов, организовывал убийства и прочая, то пресловутый «тридцать седьмой год» покажется не более чем зачисткой рыночной площади в городе Урюпинске.

Впрочем, есть в истории борьбы со всякого рода бандитами, пиратами, басмачами и «лесными братьями» такой прием. В какой-то момент им объявляли амнистию. Дескать, тем, кто выйдет из лесов и пустынь и захочет начать новую, честную жизнь, прежние грехи будут прощены. Но впредь, уважаемые, извольте жить по закону.

Открыто об этом нынешняя российская власть, конечно, не скажет. Но намеки есть. Те, кто впредь будет работать на благо России – и платить налоги, само собой – могут спать спокойно. А если нет – ну, значит, нет...

Лично мне очень хотелось бы верить, что в этом и есть смысл «дела Ходорковского».

Глава пятая

КУКОЛЬНЫЙ ТЕАТР ДЛЯ ВЗРОСЛЫХ

1. Всё на продажу

Разумеется, чтобы проверить все вышеописанные операции и получить огромную прибыль, недостаточно было одного изощренного ума и оборотистости. Присвоение бывшей «общенародной собственности» было одной колоссальной *операцией*, со своими штабом и действующей армией, с «агентами влияния» и умело поставленными дезинформацией и пропагандой.

Для пришедшей «новорусской» публики привычно было все необходимое покупать. И в новом мире все стало товаром – власть, влияние, знания.

В романе Ильфа и Петрова «Двенадцать стульев» есть замечательная сценка аукциона. Продается статуэтка «Правосудие». Стартовая цена... кто больше... раз, два, три... правосудие продано!

Новая Россия стала громадным аукционом. Все, что покупалось, то и шло на продажу.

Об этом в одной главе не расскажешь, тут тома надо писать. Желательно много. И желательно не книжные, а тома уголовных дел.

Обслуга реформы была разнообразна: бандиты и купленные «силовики», коррумпированные чиновники и карманные средства массовой информации.

О первой паре написано и снято уже столько, что, пардон, из ушей лезет. То, что экономика времен реформ насквозь криминальна, не знает разве что слепоглухонемой. Поговорим о второй «сладкой парочке», без которой была немыслима глобальная распродажа.

Есть такое умное слово: коррупция. Означает оно, по-ученому, превращение в деньги административного ресурса, а по-простому – что люди, которые получают деньги от государства за выполнение определенной работы, начинают торговать *налево*.

Например – и это лишь одна сторона дела – они берут взятки.

О том, как это выглядит для «рядового» предпринимателя, в красках рассказывает Артем Тарасов:

«Брали все: начиная от мелких чиновников и кончая крупным начальством. Бюрократы всех уровней вошли во вкус и с бешеной скоростью стали изобретать ограничения, которые бы делали их позицию в нефтяном и экспортном бизнесе очень "нужной", а значит, и денежной.

Приходит, например, в порт на погрузку танкер. И диспетчер решает, пропустить его вперед или поставить в хвост очереди. Значит, нужно дать взятку диспетчеру. Иначе можно загорать дней пять-шесть и при этом платить за простой тысячи долларов штрафа в день.

Да что там порт! Ведь труба, качающая нефть, проходит по семи-восьми регионам России. Местные руководители очень быстро поняли: кусок трубы, оказавшийся на их территории, просто обязан приносить деньги им в карман. Поэтому, не согласовав прокачку нефти со всеми заинтересованными лицами в регионах, получить ее в порту было невозможно.

А на железной дороге есть такая потрясающая вещь, как узловая станция. И если вы не заплатили там кому следует, ваш товарный поезд загоняется в тупик: о нем просто забывают, а вы даже не знаете, на какой именно станции это произошло. Поэтому свою цистерну, вагон или весь состав всегда сопровождали люди с портфелями денег.

И вот наконец вы добираетесь до таможни. Там тоже свои правила: ведь таможенную декларацию можно оформить за двадцать минут, можно за день, а можно и за десять дней не оформить. При этом всегда легко к чему-нибудь придраться: ах, у вас на справке печать неясная...

Пока везут из Тюмени справку с более ясной печатью, улетучивается не одна пачка денег...»

По-ученому это как раз и называется коррупцией. Так вот: коррупция в России 90-х годов была абсолютной. Не коррупция как преступление, а коррупция как система.

«Со взятками никто не боролся, – продолжает Артем Тарасов. – К примеру, за пятьдесят тысяч долларов можно было устроить встречу с Черномырдиным. Мне самому тогда это предлагали посредники. С любым человеком можно было встретиться, любой вопрос решить за взятку под столом или на столе».

Как и какими методами прикармливали чиновников разных уровней, я уже рассказывал в главе, посвященной «ЮКОСу». Но масштабы!

Коррупцией в России на протяжении многих лет занимается фонд «ИНДЕМ». По данным на 2004 год, коррумпированные чиновники получили как минимум 33 *миллиарда* долларов взяток. По двести долларов на каждого российского жителя, включая неработающих пенсионеров и грудных младенцев.

Платят за всё. Об этом известно каждому, но не все знают масштабы. Кроме поборов в бизнесе, россияне, например, дают взятки, чтобы получить *бесплатную* медицинскую помощь в поликлинике (более 180 млн долларов), найти *бесплатное* место в больнице (237 млн), получить в той же больнице *бесплатное* лечение (182, 5 млн), устроить ребенка не в отличную, а просто всего лишь в *нормальную* школу (70 млн долларов). А уж в бизнесе берут все и со всех: милиция, СЭС, пожарные, любые чиновники, каждое самое мелкое согласование стоит денег. 75% всей суммы приходится на долю муниципальных структур, 20% – региональных и лишь 5% – федеральных. («Рейтинг коррупции» по России можете прочесть в приложении.)

Так что дело совсем не в кремлевских чиновниках. Все гораздо хуже. Система гнилая сверху донизу. И спровоцирована такая ситуация *государством*. Устанавливая мизерную зарплату чиновникам, сотрудникам правоохранительных органов и прочим госслужащим, их просто-напросто *вынуждали* брать взятки. Им *давали понять*: на этой должности платят мало, потому что она дает большие возможности. Добирайте сами.

Раз, два, три... государство продано!

Таким образом, за какие-то десять лет в России *развратили* целое поколение государственных служащих. И что теперь с ними делать, никому не известно.

(Разумеется, все началось гораздо раньше, еще при Петре Первом взяткодательство приобрело ужасающие масштабы, однако данная книга посвящена не историческим экскурсам в прошлое. Она посвящена современности. В частности, последнему десятилетию.)

Озлобленность россиян по отношению к чиновникам колоссальна. Сколько раз приходилось слышать: «Не буду платить налоги! Не хочу крапивное семя кормить!»

Стоит ли удивляться?..

А теперь об основе нашей демократии, ее символе и оплоте – депутатском корпусе. Когда нас призывали голосовать за народных избранников, то кричали во весь голос: они-де будут следить за исполнительной властью, сделают ее деятельность «прозрачной», мимо них не пройдет ни одно нарушение, и прочая, прочая, прочая.

Что же вышло на деле?

А на деле возникла еще одна мутная волна коррумпированных чиновников (ибо депутат тот же чиновник: он получает содержание от государства за то, что выполняет (точнее – должен выполнять) определенную работу.

По отзывам компетентных источников, у наших народных избранников, кроме немалых окладов, существует и несравненно более прибыльный «приработок» – лоббирование в Думе интересов финансовых групп, а также отдельных лиц. То есть, переводя на русский, проталкивание нужных законопроектов, внесение поправок в законы и депутатские запросы.

Процедура выглядит следующим образом. Самой дешевой лоббистской услугой считался депутатский запрос в государственный орган. В письменном виде таковой оценивался в тысячу-полторы доллары. Если для повышения результативности требовалось личное вмешательство депутата (телефонный звонок, визит), плата могла вырасти до двух с половиной тысяч.

Еще дороже стоил парламентский запрос, внесенный на пленарном заседании Думы – до ста тысяч долларов. Инициатива по внесению нового закона – от сорока до восьмидесяти тысяч долларов.

Злые языки из числа консультантов Думы утверждали, что комиссионные в случае принятия необходимого заказчику законодательного акта достигали 30% от суммы сделки. А сделка эта могла выражаться в миллионах, если не в сотнях миллионов зеленых бумажек с портретами президентов США...

Кроме того, подобная практика существовала не только в Думе, но и на всех уровнях законодательной и исполнительной власти – от федерального до районного. Это могло быть предоставление квот, лицензий, госзаказов, льготных кредитов, или же наоборот – отсрочка долгов.

А если вернуться к Думе, то проталкивание важных законопроектов либо внесение поправок в законы стоило от 50 до 300 тысяч долларов. В интервью английской газете «Дейли телеграф» «красный миллионер» Семаго, член фракции КПРФ, простодушно лупая глазенками, говорил: «Как правило, на подкуп идет 10% от запланированной прибыли, которую получает фирма или организация в случае принятия (закона. – *А. Б.*)».

Особенно урожайные денечки стояли, когда утверждался государственный бюджет – в Думу, ища заступничества у народных избранников, рядами и колоннами шли директора сотен заводов, представители десятков министерств и ведомств. Вряд ли их кейсы были наполнены петушками на палочках и тульскими пряниками.

Раз, два, три... демократия продана!

Особую роль в «перестройке» сыграли СМИ. Не знаю, как у других народов планеты Земля, но у нашего человека существует какая-то поистине детская вера во все, что пишется на газетных страницах или говорится с телеэкрана. Сколько раз нарывались, сколько раз кидали наш народ грубо и цинично, и все равно – верят!

Верят снова и снова!

Объяснять в стотысячный раз, что не все написанное – правда, наверное, уже не стоит. Проще рассказать, как что делается и что сколько стоит в мире журналистики.

Итак, пиар (в переводе с английского – отношения с общественностью, public relations). Конкретнее, выстраивание образа заказчика в глазах общества. Еще конкретнее – запудривание этому обществу мозгов; в зависимости от заказа – пудрой черного или белого цвета.

Особенность России в том, что всевозможные западные понятия, которые весьма прилично выглядят на их, понятий, исторической родине, у нас доведены до своего логического конца. С них последовательно срывают одежду, затем срезают мясо, и остается, в конце концов голый скелет. Суть остается.

Так получилось и с пиаром.

Сначала «черным пиаром» назывались материалы СМИ, которые публиковались или показывались за деньги. «Белым», соответственно, то, что делалось за интерес. Но это все было давно и неправда. Сейчас за интерес не печатается и не показывается *ничто* из того, за что можно содрать деньги. А «черным пиаром» стали называть сочетание заказных материалов с так называемыми «грязными» избирательными технологиями.

Впервые эти технологии, разработанные в США в 30-х годах XX века, запустил в обиход питерский политтехнолог с характерной фамилией Кошмаров. И вошел тем самым в историю прессы. Даже термин такой появился – «кошмарить».

Делается все крайне просто. Сначала приходит заказ. Потом в какой-нибудь малотиражной газетенке или на одном из бесчисленных информационных сайтов помещается поклеп на клиента (во время выборов, когда гуляют громадные деньги, под *акцию* даже можно *учредить* газетку. Выйдет пара номеров, потом ее по суду закроют, но свое дело «боевой листок» уже сделал). Затем эту информацию с соответствующей ссылкой перепечатывают более крупные издания – раз ссылка есть, то все: они уже неподсудны. Если клиента гнобят всерьез, к делу подключается и телевидение.

И покатился по стране грязевой вал!

Потом можно сколько угодно судиться, выигрывать процессы, помещать опровержения. Закон психологии: первичная информация куда сильнее вторичной. Или совсем уж по-простому: клевета – что уголь, не обожжет, так замарает.

Жертва «черного пиара», естественно, тоже не молчит. Она отбивается руками, ногами, зубами... впрочем, в основном деньгами. И вспыхивают в СМИ настоящие информационные войны. Золотое дно для журналистов и бриллиантовое – для посредников-пиарщиков!

В 2002 году газета «Ведомости» провела небольшое исследование продажности прессы и напечатала его результаты. Что показательно: материал заметили, даже шумок поднялся. Но отнюдь не по факту того, что наша пресса продается. Ребятки-журналюги обсуждали, действительно ли расценки таковы, или, может, быть, чуток другие?

В целом общий объем продаж на этом рынке (по данным на 2002 г.) составляет 20–25 млн долларов ежегодно. Существуют долгосрочные контракты на информационную поддержку – их цена начинается со 100 тысяч долларов. А на телевидении, естественно, куда дороже: «информационная поддержка» на центральном канале стоит сотни тысяч долларов в месяц.

По мнению Олега Техменева из Lobby.net, «все бумажные СМИ можно разделить на три условных типа: "легкие" с точки зрения доступности для проникновения на их страницы заказных материалов, "полулегкие" и "тяжелые". В "легких" можно опубликовать за деньги практически любую информацию. В "полулегких" за деньги легко размещают только хвалебные статьи, но статьи конфликтного характера должны быть основаны на реальных, подтверждаемых документами и очевидцами фактах. "Тяжелые" издания – это те, в которых разместить заказную статью невозможно. Чтобы протащить ее на страницы издания, нужно подкупать конкретного журналиста. Который сам напишет то, что требуется, и убедит редактора (или, может быть, поделится с редактором? – *А.Б.*), что факты в его статье изложены объективно...

По словам пиарщика из крупной российской финансовой компании, стоимость услуг журналистов "тяжелых" изданий достаточно высока. За "абонемент", состоящий из шести упоминаний компании или конкретного лица, журналист может получить от 500 до 2000 долларов в месяц. Сам посредник-пиарщик получает от клиента в полтора-два раза больше. За статью положительного характера журналисту платят 1000–2000 долларов, а клиенту это обходится в 2000–4000 долларов.

Статья конфликтная, компрометирующая стоит дороже всего. От 2000 до 6000 долларов получает журналист. Пиарщик берет 8000–10 000. Как рассказал Техменев, ему известен случай, когда выплата за "блок на негатив" в одной из крупнейших российских газет достигла 750 тысяч долларов на весь период ведения информационной кампании.

По словам специалиста по связям со СМИ из крупной финансовой компании, без новостного повода протащить заказные публикации в "тяжелые" СМИ невозможно. "Далеко не все корреспонденты соглашаются на сделку. Иногда приходится "ломать" человека, – продолжает он. – В этом случае я как бы инвестирую в будущее и отказываюсь от своего гонорара. Я даю журналисту все деньги, полученные мной от клиента. Например, 8000 долларов. Мало кто отказывается от таких сумм. Потом с этим человеком уже можно работать"...»

Соответственно, «легкие» издания стоят дешевле. В провинции – труба пониже и дым пожиже, но правила действуют и там. На телевидении, как уже говорилось, все значительно дороже.

В области пиара и рекламы крутятся бешеные деньги, во много раз превышающие доходы от продажи газет и журналов.

Таковы особенности русского пиара.

Западные технологии рассчитаны на западные СМИ. Там СМИ живут в основном с продажи и кровно заинтересованы в тиражах, а соответствующие службы зорко следят, чтобы объявленный тираж газеты совпадал с реальным. Иначе получится обман рекламодателя. Поэтому на Западе СМИ хотя бы стараются быть интересными – чтобы покупали, чтобы смотрели, тамошним изданиям надобно лезть вверх по лестнице, называемой рейтинг. Выше ступенька – дороже и расценки на рекламу.

У нас же все наоборот. Газета существует не для читателя, а для заказчика и рекламодателя. У наших СМИ давно интересы заказчиков стоят *над* профессиональным интересом. И, соответственно, самые высокооплачиваемые и уважаемые из журналистов – не те, кто умеет хорошо писать или снимать, а те, кто может качественно расхвалить или умело вылить ведро дерьма. Именно они идут по дороге с развернутым знаменем, а другие, быть может, и более умелые, но менее удачливые, прозябают на обочине.

При подобном раскладе пресса достаточно быстро пришла к тому, что, по сути, прессой быть перестала. Что именно у газеты внутри – тем, кто ее делает, зачастую (есть все же некоторые исключения) глубоко по барабану. Стоит ли удивляться, что качество газет все ниже и ниже, что читать в них давно уже нечего? Ибо все разборки, которым уделяется основное внимание, читателя не интересуют, а то, что может читателя заинтересовать, не интересует газетчиков.

Естественно, тиражи сначала ползут, а потом кубарем летят вниз, как ком снега со склона холма. Для западного издания это катастрофа! Нашим же на все нас...ть. Достаточно быстро менеджеры додумались до простой, как сейчас говорят, фишки. Поскольку реальные тиражи никем не проверяются, то в выходные данные ставится тираж фальшивый (в несколько раз превышающий реальный) – для предъявления потенциальному заказчику. А дабы создать видимость, что издание востребовано читателем – вдруг клиент решит проверить, как газета продается! – служба распространения *платит* торговцам за место на их лотках.

Вот вам и ответ на недоуменный вопрос человека, остановившегося перед газетным киоском: «Кто читает всю эту ахинею?»

Да никто ее не читает! Валяется на прилавке газетенка с громким названием, желтеет и пылится, а когда свой срок отлежит, ее заменяют следующим номером, одним на весь киоск. Потому что делается это все не для читателя, а для того, чтобы под эту нехитрую аферу получить заказ.

Существуют, впрочем, и газеты, которые читают. Но и они не живут с продаж, разве что за исключением таких колоссов, как «АиФ». Так что означенная система ценностей действует и здесь, лишь, может быть, менее явно...

Раз, два, три... правда продана!

Но одних только купленных СМИ недостаточно. Народ все же подозревает, что им не стоит верить безгранично. Они – особенно телевидение – сыграли свою роль в рекламе дутых акций и сомнительных начинаний, а также междоусобных олигархических войнушек. Надо придумать еще какое-нибудь приспособление, заставляющее пар (то есть возмущение и недовольство народа) уходить исключительно «в свисток».

А чего его придумывать-то? Такой инструмент давно существует. Это «политические партии», якобы выражающие интересы определенных слоев населения и защищающие эти интересы со всем усердием. На деле же эти партии изначально были марионетками. Потому что закон таков: кто платит, тот и заказывает музыку. Или, говоря иными словами: кабы я ведал, где ты нынче обедал, знал бы и чью песню поешь...

При этом партии могли яростно меж собой биться, притворяясь, будто на дух не переносят друг друга, но в реальности «враги» оплачивались из одного и того же кармана. В точности как в кукольном театре, где актер, надев на обе руки куклы-перчатки и спрятавшись за ширмой, выставляет на всеобщее обозрение своих Петрушек и Мальвин, по очереди за них разговаривает, меняя голос. Дети этому верят. К сожалению, верят до сих пор и вполне взрослые индивидуумы, искренне полагающие, что «ихний» Зюганов живота своего не щадит, сражаясь против супостата Явлинского, и наоборот...

Свою партию ведет Мальвина, свою – Пьеро, пудель Артемон тоже не уступает. Все они кажутся яркими индивидуальностями – но за кулисами прячется Карабас-Барабас, которому означенные персонажи всем скопом принадлежат, душой и телом...

2. Чем отличается птица Говорун?

Манипулировать общественным мнением начали буквально с первых дней российской «независимости», выдавая за «революционную романтику» заранее задуманные и тщательно разработанные акции. Кое-кто, наверное, помнит, как в первый же последовавший за падением ГКЧП день сотни «победителей» несли по улицам Москвы длиннейшее трехцветное полотнище – российский триколор. Выглядело красиво, но люди знающие тогда же подметили, что этот вполне профессионально изготовленный кусок материи нужно было заранее, не за один день сконструировать и толково сшить. Значит, готовились заранее!

В первые годы «независимости» в формировании общественного сознания огромную (непропорционально огромную!) роль играла так называемая «демократическая интеллигенция». Ей верили безоглядно, за нее голосовали на всевозможных выборах, по ее зову выходили на площади. Но этой интеллигенции, в свою очередь, был необходим некий «мозговой центр», блистающий кумир, в котором она нисколечко не сомневалась бы и внимала с тем же почтением, с каким африканский дикарь слушает жуликоватого шамана, объявившего себя чудотворцем с помощью украденной у белого охотника зажигалки.

(Это вовсе не метафора. В начале двадцатого столетия одна из европейских разведок успешно создала своему агенту, замаскированному под странствующего факира, репутацию «чудотворца». «Чудо» состояло в том, что самые сильные арабы не могли поднять небольшой сундучок. А секрет был в том, что к металлическому ящичку через металлическую же подставку подводился ток, включался сильный электромагнит, и бессильны оказывались любые силачи...)

Мессией и пророком для интеллигенции стал человек по имени Григорий Явлинский, объявленный виднейшим экономистом современности за создание незабвенной программы «500 дней», по которой за означенный срок экономика России якобы должна была волшебным образом перестроиться и превратить страну в подобие Эдема. Так и написано было: на сто тридцатый день прекращается инфляция... на двести тринадцатый чиновники перестают брать взятки.. на четыреста пятый благосостояние народа возрастает ровно на сто пятьдесят процентов... Что-то вроде того.

Это была прекрасная программа. С одним-единственным недостатком: она могла работать только в некоем виртуальном мире, населенном безвольными фигурками, которых можно переставлять с клетки на клетку сколько душе угодно.

Самое смешное, что Явлинский – определенно сам того не зная – просто-напросто наступил на те же грабли, что и Бенито Муссолини за полсотни лет до него...

Муссолини в свое время написал основополагающий труд под скромным названием: «Доктрина фашизма». Собственно, это книжечка карманного формата, состоящая самое большое из сорока страничек. В отличие от Гитлера, откровенно призывавшего разжиться всеми окружающими территориями, до которых только сможет дотянуться рука арийского сверхчеловека, Муссолини в своей «доктрине» не высказывал ни националистических, ни расистских идей. Там и речи не шло о национальной исключительности, истреблении всех «недочеловеков» и захвате чужих территорий. Многих это, допускаю, удивит, но именно так и обстояло...

Дуче всего-навсего намеревался создать в родной Италии так называемое «корпоративное государство». Царство Божье на земле. В упрощенном (но отнюдь не карикатурном!) изложении выглядит это так: население соблюдает все законы и предписания, вовремя платит налоги, в едином порыве сплачивается вокруг властей и ударно трудится на благо родины. Власть, в свою очередь, неустанно и трогательно заботится о населении – оперативно рассматривает жалобы и водворяет справедливость, не берет взяток, не волокитит... словом, денно и нощно радеет о благе народном.

Положа руку на сердце, это отличная программа. Великолепнейшая. С одним-единственным недостатком, но делающим ее невыполнимой: программу невозможно было претворить в жизнь в Италии. Итальянские чиновники частенько брали взятки, наплевательски относились к своим обязанностям, развели жуткую бюрократию, сплошь и рядом оставаясь глухи к чаяниям народным. А народ, в свою очередь, частенько нарушал законы и не собирался от этой привычки отказываться.

И не в Италии дело. Эта великолепная программа не работала бы в Германии и Аргентине, Швеции и Уругвае, Великобритании и на Таиланде. Нигде не работала бы! Поскольку рассчитана она не на реальные страны и реальных людей, а на некое «идеальное общество», которого в природе не существует.

Вот и получилось так, что Муссолини вместо построения царства Божьего на земле связался с Гитлером. Итальянская армия вторглась на Балканы и в Африку, свирепствовала тайная полиция, партизаны уходили в горы – и кончилось все тем, что сочинителя утопических программ подвесили за ноги...

Такой же утопией была и программа Явлинского. Ничего удивительного в этом, по сути, нет. Если учесть, что автор программы, призванной перестроить российские, как нас учили в школе, «производительные силы и производственные отношения», ни того, ни другого, простите, и не нюхал. Кроме пары лет, когда параллельно с учебой в вечерней школе трудился слесарем в львовской стекольной фирме.

Затем у него развернулась чистой воды карьера «ученого экономиста». Диплом московского Института народного хозяйства, там же аспирантура, работа в НИИ управления угольной промышленности и НИИ труда...

В 1989 году академик Леонид Абалкин, став зампредсовмина, вспомнил о бывшем ученике и пригласил его в свою комиссию по экономической реформе. Феерические были времена, каких только назначений тогда не делалось!

Но молодой человек решил, что – вот она, судьба. И на полном серьезе принялся сочинять программу, как перестроить экономику. Если кто не помнит, это была программа «500 дней». Ее уже почти утвердили, но потом все же одумались. Повезло парню. Если б ее приняли, это его имя, а не Гайдара, стало бы в русском языке ругательством. А так он на своей неудаче сделал о-очень неплохую политическую карьеру, когда Гайдара в политике уже и след простыл.

Впрочем, в то время Явлинский своего везения не оценил. Он обиделся, ушел из заместителей предсовмина и потом долго всерьез утверждал, что именно его программа позволила бы сохранить Союз.

Демократическая интеллигенция, посаженная своим вчерашним любимцем Гайдаром на хлеб с водой из крана, кивала умненькими головками: верим, верим...

Впрочем, было и альтернативное мнение. Многим памятен издевательский анекдот: «Что нас ждет после пятисот дней? Три дня, девять дней, сорок дней...» Но мало кому известно, что придумали его, я точно знаю, не какие-нибудь там «красно-коричневые», а именно предприниматели, производители, прекрасно видевшие, с чем имеют дело...

Получив столь мощный старт, Явлинский процветал довольно долго. Поначалу занимался экономикой, затем ударился в политику. Вместе с послом России в США Лукиным и бывшим главой контрольного управления администрации президента Болдыревым создал избирательное объединение. Называлось оно по первым буквам фамилий отцов-основателей – ЯБЛ (Явлинский, Болдырев, Лукин). Некоторые циники переставляли буквы в другой последовательности, отчего получалось и смешно, и совершенно неприлично.

Потом Болдырев ушел, но название менять не стали, разве что развернули его в «Яблоко». И это объединение, затем переквалифицировавшееся в партию, долгое время имело значительный вес и в Государственной Думе, и в общественном мнении. Оно влияло на принятие законов, оно прямо было причастно к строительству того воровского капитализма, что расцвел пышным цветом.

Сила Явлинского заключалась в том, что он ничегошеньки реального не делал, а значит, не знал и провалов с поражениями. Легко не ошибаться, ничего не делая. Во времена своего процветания «Яблоко» только тем и занималось, что критиковало остальных – и власть, и политических конкурентов. При этом в ее критике было немало правды. И это прокатывало! В любой развитой западной стране избиратели потребовали бы еще и конкретных дел, но в одуревшей от гласности России хватало просто красивых речей...

Но, кроме идей и программ, нужны и деньги. Взносы членов этих карликовых партий – там, где они есть – ну никак не могут обеспечить вождям достойную зарплату, офисы, автомобили и все такое... Кто-то должен их содержать. А это содержание надо отрабатывать.

Поначалу, еще в 1991 году, когда Григорий Алексеевич создал свой Центр экономических и политических исследований, за его спиной нарисовался один из наших старых знакомых. Самый весомый (в физическом смысле – уж точно!) из будущих олигархов России, будущий медиамагнат Владимир Гусинский. Именно Гусь оплачивал помещение, занимаемое ЭПИ-центром. Именно его СМИ раскручивали нашего «непризнанного экономического гения».

Затем, когда у Гуся начались серьезные проблемы, хозяин сменился. Злые языки утверждают, что Явлинский был с потрохами куплен «ЮКОСом». Именно «ЮКОС» построил в Москве роскошную штаб-квартиру «Яблока» и купил для Явлинского «Московские новости». В обмен «Яблоко» включило в свои избирательные списки людей «ЮКОСа». Нет сомнений, что вернулись к спонсору сторицей, да и депутатская неприкосновенность сама по себе – вещь в хозяйстве порой необходимейшая...

Картину омрачало только одно: Явлинский начал зарываться. Похоже, он всерьез поверил в свою богоизбранность и гениальность. Он, полное впечатление, искренне верил – и верит – будто деньги ему давали оттого, что он лучший политик всех времен и народов.

Вот что он заявлял публично: «Осмелюсь предположить, что базовые элементы моей картины мира и моей политической философии являются базовыми элементами мировоззрения всех либеральных и демократических политиков России и, что гораздо важнее их избирателей, массового демократического электората».

Изъясняясь проще, и Солнце, надо полагать, не смеет взойти, пока не прокукарекает с плетня г-н Явлинский...

Перед президентскими выборами 1996 года люди Ельцина в ходе закулисных переговоров уговаривали Явлинского поддержать кандидатуру их патрона, обещая взамен любой пост в правительстве или хорошие перспективы для бизнеса. В общем-то, подобные закулисные торги – непременная принадлежность избирательных кампаний в любой стране, и они вовсе не считаются чем-то порочным. Дело, как говорится, житейское.

Вот только для достижения успеха нужно еще быть и реалистом... Меж тем Явлинский за свое согласие на кремлевские предложения потребовал ни много ни мало:

1. Отправить в отставку премьера и первого вице-премьера, руководителя администрации президента, начальника службы безопасности президента, директора ФСБ, министра обороны.

2. Прекратить военные действия в Чечне.

3. Изменить всю социально-экономическую политику по рецептам, предложенным самим Явлинским.

Цена была, мягко выражаясь, чрезмерной. Могу себе представить, как отвисли челюсти даже у многоопытных, видавших все на свете «кремлевских». Как говорится, пациент считает себя даже не Наполеоном, а самим Господом Богом...

Когда «электорат» стал понемногу умнеть, «Яблоко» начало терять симпатии избирателей. Особенно после того, как Явлинский, совершенно не улавливая общих настроений, занял осенью 1999 года фактически прочеченскую позицию. На декабрьских выборах того же 99-го в Госдуму «Яблоко» получило жалких 7% голосов...

А там и у спонсоров начались известные хлопоты с правоохранительными органами. Что, надо полагать, серьезно повлияло на текущий в кассу «Яблока» золотой ручей. Да и поумневший избиратель все чаще сравнивал Явлинского с Птицей-Говоруном из известного мультфильма.

С учетом всех этих факторов, закат «Яблока», смею думать, не за горами. Печально, однако, что сия пустомельная партия все же не один год старательно протаскивала в Думе решения, служившие к вящему обогащению олигархии... И долго служила тем самым предохранительным клапаном, выпускающим излишек перегретого пара.

Впрочем, конкурентом Явлинского на том же политическом пятачке стал выступать «Союз правых сил» – очередная «либеральная» партия под верховным патронажем Анатолия Чубайса. Народ там собрался специфический: Немцов, Хакамада, Егор Гайдар.

Вообще-то, во всем цивилизованном мире «правыми» называются несколько иные политические силы, но суть не в том. «Союз правых сил» тоже главным образом состоит из крепко пропахших нафталином фигур. Многие из них бывали во власти, и на нехилых должностях, но поминают их деятельность главным образом нецензурно. О какой-то серьезной поддержке избирателей и речи не идет: сподобил бы Господь набрать те самые пресловутые пять процентов...

Народ поумнел, знаете ли. Прекрасным тому примером были недавние события в Красноярске. Завелся у нас физик Валентин Данилов, который был неопровержимо уличен в том, что продал китайской разведке ценнейшие материалы, касавшиеся работы спутников в околоземном пространстве, а вдобавок самым вульгарным образом присвоил четыреста тысяч рублей, которые должен был перечислить на счета родного НИИ.

Голубчика, разумеется, привлекли. В промежутке между двумя судебными процессами он, откровенно гонясь за депутатской неприкосновенностью, выдвинул свою кандидатуру в горсовет. Объявил себя стойким и последовательным сторонником Явлинского, Немцова, Хакамады и К°, а также утверждал, будто является диссидентом и жертвой происков злобных чекистов, намеренных создать очередное дутое дело по чертежам 37-го года.

Году в девяносто втором, нужно признать, его с такой избирательной платформой восторженная толпа на руках внесла бы не то что в горсовет, а пожалуй что и в совет Верховный. Но в две тысячи пятом массовое сознание уже изрядно поправилось, и выборы красавец проиграл с треском. И нового суда не избежал. И ближайшие четырнадцать лет проведет на полном государственном обеспечении – не столь уж роскошном, понятно, по нормам содержания заключенных.

Чует мое сердце: это многих славный путь, как сказал поэт...

А в общем Григорий Алексеевич Явлинский нисколько не похож на монументальную фигуру. Удручающе мелок, если разобраться. Свою незавидную роль он сыграл с грехом пополам, и это никак нельзя назвать высшим пилотажем.

Есть и другой персонаж. Этот, надо признать, поистине монументален, формата Церетели. И партия его не в пример многолюднее, и свершения масштабнее в сто раз, и доходы несравнимо выше. А главное, он до сих пор на плаву, океанским лайнером величественно проплывает мимо хрупких лодочек с надписями «Явлинский», «Хакамада», «Немцов»...

И партия его действительно до сих пор насчитывает сотни тысяч членов, в основном неимущих. Хотя светлый лик основателя уже давно не влазит в телеэкран...

3. Нехилый бизнес красного барона

Геннадий Андреевич Зюганов появился на свет семимесячным – что дало повод кому-то из его придворных летописцев сравнить патрона с Уинстоном Черчиллем. «Я Рак с претензией на Льва», – соизволил пошутить сам Зюганов по этому поводу, имея в виду, что, появись он на свет двумя месяцами позже, то родился бы под знаком Льва, а так пришлось стать Раком...

Родился будущий партийный лидер в деревне Мымрино. Деревенька захолустная, но стоит на стыке трех губерний, а потому Зюганов не без гордости заметил как-то, что «мымринский петух кричит сразу на Калужскую, Орловскую и Брянскую области». В общем, двумя достопримечательностями славно Мымрино: петухами-горлохватами и Зюгановым...

В ЦК КПСС он работал в отделе агитации и пропаганды. Тем, кто подзабыл, а то и вовсе не знает таких тонкостей, спешу дать пояснение... Так уж сложилось, что мне в свое время пришлось проработать года полтора в газете обкома КПСС, и партийную жизнь функционеров невысокого ранга я немного изучил. Так вот, на низшем уровне (особенно в райкомах) существовал свой незримый табель о рангах и своя система отношений. Те, кто занимался реальным производством, промышленностью и сельским хозяйством, были, в общем, нормальными управленцами, всерьез пахавшими не за страх, а за совесть. Что характерно, они на дух не переносили тех своих коллег, кто занимался агитацией и пропагандой – в лицо этого, понятно, не высказывали, дабы не нарваться на неприятности, но втихомолку презирали и относились с брезгливостью, как к пустомелям, вместо настоящего дела сотрясавших воздух словесами. Была весьма существенная разница между дельными мужиками, озабоченными посевной-уборочной, возведением заводов, прокладкой дорог – и белоручками, день-деньской пересказывавшими с трибун очередную «историческую» речь генсека...

Зюганов как раз из последних. До определенного момента его карьерная биография была ничем не примечательной – классический неспешный, с соблюдением всех правил путь наверх. Тихо-тихо ползла улитка по склону Фудзи... И доползла аж до самого ЦК КПСС.

И тут грянул ГКЧП. И взлетел Папа Зю в политические небеса ослепительной, шкворчащей, рассыпающей вороха искр ракетою!

Тогда впервые проявились во всем блеске некоторые его специфические таланты...

Начнем с того, что о замыслах ГКЧП Зюганов (на чем сходятся многие исследователи) был прекрасно осведомлен заранее. И даже незадолго до того стал как бы одним из его идеологов, оказавшись в числе подписантов приснопамятного «Слова к народу», резко критиковавшего Горбачева и призывавшего встать страну огромную на смертный бой с «предателем». Организаторы ГКЧП, умилившись такому совпадению мыслей, решили включить в состав своего комитета и Зюганова, но буквально накануне августовского выступления гэкачепистов Папа Зю срочно взял отпуск и улетел за тридевять земель, в Кисловодск. Оказавшись решительно ни при чем. Отсидевшись в безопасном отдалении.

Правда, в отдалении этом он не бездействовал – вовсе даже наоборот. Когда ГКЧП подвергся единодушному осуждению советской... тьфу ты, демократической! – общественности, Зюганов прилетел из Кисловодска соколом, привезя с собой... проект документа о запрете КПСС!

Ага, вот именно. Это не опечатка и не злобная инсинуация. Именно Зюганов разработал документ, послуживший основой для официального решения, указа Ельцина о запрете КПСС. Документ этот он незамедлительно отправил Ельцину и Горбачеву. Некоторые высказывают убедительную версию: судя по проработанности, законченности этого текста, он никоим образом не был экспромтом и, вполне возможно, писался не то что до краха ГКЧП, а, не исключено, вообще до появления того на публике...

Здесь нет ни капли сюрреализма. Обычная житейская оборотистость. После запрета КПСС единственной реальной силой на российском пространстве оставалась бы возглавляемая Зюгановым Компартия РСФСР. А потому вскорости состоялось закрытое совещание членов обоих ЦК – КПСС и КПРФ, на котором стараниями Зюганова и его команды было принято решение: отстаивать в Конституционном суде только КПРФ, а КПСС не защищать, как «исторически сошедшую с арены». После этого состоялись некие «консультации» Зюганова с Ельциным и Бурбулисом, с которых Папа Зю вернулся окрыленным.

Вообще-то в новой, независимой России образовалось аж пятнадцать коммунистических партий, но четырнадцать из них так и остались карапузиками вроде кружка кролиководов. Лишь КПРФ была тяжеловесом – ей выделили помещение под штаб-квартиру в Российском общественно-политическом центре, курировавшемся администрацией президента. Ни одна из коммунистических газет не была закрыта – и всем им «мягко рекомендовали» ориентироваться в публикациях именно на ту линию, что проводит КПРФ. Таким образом, с помощью властей новой России Зюганов стал откровенным монополистом «левой идеи». В Англии подобные партии вполне респектабельно именуются «оппозицией Ее Величества». Есть некие маргиналы, а есть вполне приличные люди – «оппозиция Ее Величества». Равноправные участники игры, облеченные монаршим доверием.

Впрочем, нельзя исключать, что «особые отношения» меж Ельциным и Зюгановым завязались не после краха ГКЧП, а парой-тройкой лет раньше. Как автор детективных романов (не самых лучших, но и вроде бы не самых худших), я просто обязан отработать все версии, вполне возможно, имевшего место тайного сотрудничества.

Дело в том, что в определенный период Ельцину позарез нужна была КПРФ. Именно Ельцину, каким бы парадоксальным это ни казалось... Достаточно вспомнить структуру коммунистической партии на территории СССР. Россия была единственной республикой, в которой не существовало своей компартии, а значит, и своего аппарата. Четырнадцать компартий союзных республик – и КПСС. Все это хозяйство находилось в руках Горбачева. Митингующие в поддержку Ельцина толпы, конечно, обеспечивали моральную поддержку, но на ней одной далеко не уедешь...

А ведь более половины членов КПСС и две трети ее руководителей, того самого «партийного офицерства», проживало на территории России! Могучая сила...

Словом, создание КПРФ со своим ЦК и Политбюро автоматически привело к созданию второго, альтернативного центра власти, способного на равных «пободаться» со структурами Горбачева (особенно если учесть, что Горбачев, лишившись поддержки возжелавших строить независимые государства «националов», свой центр власти практически терял, оказавшись в подвешенном состоянии)...

На определенном этапе, пожалуй, не было человека, более заинтересованного в создании КПРФ, чем сделавший ставку на Россию Ельцин. И удивительно легко «вождем» новорожденной КПРФ стал бесцветный, серенький Иван Полозков, своим догматизмом вызвавший отторжение даже у Егора Лигачева, деятеля достаточно консервативного...

Очень уж гладко все прошло – и создание КПРФ, не вызвавшее особого сопротивления «перестройщиков» и самого Ельцина, и избрание Ельцина Председателем Верховного Совета РСФСР (что без поддержки российских коммунистов было невозможно). Потом, правда, Зюганов в два счета схарчил Полозкова, но это было потом...

Короче говоря, нельзя исключать, что меж Ельциным и Зюгановым еще года за три до развала Союза существовали некие договоренности, о которых мы пока не знаем. Как и о том, что, нуждаясь друг в друге, они в глазах общественного мнения выглядели антагонистами и ярыми противниками, но на деле, вполне может статься, играли одной командой. В политике встречаются и более сложные комбинации, эта еще простенькая...

Но вернемся в 1991 год. Итак, Ельцин стал, просторечно выражаясь, чем-то вроде государя императора, а Зюганов – официальной, респектабельной «оппозицией Его Величества». Совершенно как в Англии. Там подобный расклад действует не одну сотню лет. В парламенте джентльмены спорят друг с другом с пеной у рта и чуть ли не сходятся на кулачки, но вечерком недавние «противники», усевшись у камина со стаканчиком виски в стенах какого-нибудь закрытого для посторонних клуба, ведут вполне приятельские беседы, обсуждая в деталях, как завтра опять устроят театр с «ожесточенными дискуссиями» и «столкновением мнений»...

Монаршую милость нужно было отрабатывать – и Зюганов старался, выстраивая и муштруя членов своей партии, заставляя их голосовать за угодное царю решение. Значительная часть фракции «Коммунисты России» в Верховном Совете Российской Федерации собиралась опротестовать в тогдашнем парламенте заключенные лидерами России, Украины и Белоруссии «Беловежские соглашения» об «упразднении» СССР и создании Союза Независимых Государств. Но Зюганов взял их в жесточайший оборот. Как уж он уговаривал своих «ратников», истории пока что неизвестно, однако, когда Верховный Совет голосовал за ратификацию «Беловежских соглашений», все 15 депутатов-коммунистов подняли ручонки «за».

Вот вам прямой и недвусмысленный ответ на вопросы рядовых членов КПСС: «Какая сволочь развалила Союз?» Ответ простой: Геннадий Андреевич Зюганов. Именно он обеспечил и запрет КПСС, и распад СССР на полтора десятка суверенов...

Именно он, кстати, обеспечил передачу Крыма Украине. Напоминаю: 31 мая 1997 г. Кучма и Ельцин подписали договор, по которому Россия соглашалась на бессрочное и бесповоротное отторжение в пользу Украины Крыма и Севастополя. Договор требовал ратификации парламентом, то есть тогда еще Верховным Советом. Повторилась та же история: сначала депутаты-коммунисты назвали договор «предательским», но после того как с ними старательно провели разъяснительную работу Зюганов и Селезнев, все до одного послушно проголосовали «за».

Когда в 1993 году конфликт между Ельциным и Верховным Советом достиг наивысшей точки и началась осада Белого дома, Зюганов вновь старательно сыграл роль карманной оппозиции Его Величества. Выступив по телевидению, он от имени КПРФ призвал всех своих сторонников немедленно покинуть Белый дом.

Ларчик открывался просто: победа Хасбулатова Зюганову не приносила никакой пользы, а вот поражение – огромную выгоду. Основные конкуренты Зюганова, лидеры наиболее крупных коммунистических организаций иного толка моментально были выброшены из политической жизни, отстранены от участия в выборах – РКРП Анпилова и СКИП-КПСС Шешина. Четвертая Государственная Дума должна была увидеть в своих стенах исключительно «ручных» коммунистов – и их вождя Батьку Зюгача. 7 ноября 1993 г. члены «мелких» коммунистических партий вышли на демонстрацию, но членов КПРФ Зюганов призвал воздержаться от участия в уличных шествиях. Хорошие отношения с «антинародной властью» были гораздо важнее! В течение следующих 10 лет КПРФ так и оставалась единственной левой партией, имеющей фракцию в Госдуме, – и остается таковой по сей день. А год спустя, в годовщину трагедии у Белого дома, Зюганов открытым текстом заявил собравшимся у Госдумы пожилым людям, назвавшим себя «защитниками Белого дома»: «Не тех вы тогда защищали». Развернулся и величественно удалился в здание. Наивные ветераны, боюсь, не сделали выводов из наглядного урока и не поняли, кого следует считать единственным вождем оппозиции...

Вся парламентская деятельность фракции КПРФ – это умелое подавление наиболее «революционных» настроений. С трибуны Зюганов говорил одно, в кулуарах добивался совершенно другого. Например, когда 27 октября 1994 г. в Думе готовилось голосование по вопросу о вотуме недоверия правительству (из-за «черного вторника», резкого падения курса рубля по отношению к доллару), он уговаривал коллег из фракции «Женщины России» поддерживать правительство. Тем самым Зюганов нейтрализовывал собственную фракцию, каковая, по его собственному признанию, «к сожалению, вынуждена голосовать против правительства по принципиальным соображениям». Как говорится, и рыбку съел, и на елку влез.

После выборов в Шестую Государственную Думу в декабре 1995 года КПРФ фактически стала главным «авторитетом» парламента. Из 450 депутатских мандатов зюгановцы и их союзники получили 156. Делегировав своих представителей в Аграрную депутатскую группу и «Народовластие» (которым не хватало людей для регистрации своих объединений), КПРФ стала контролировать более 20% депутатского корпуса – и ровно половину думских комитетов, 14 из 28. Да и председателем Думы стал член руководства КПРФ г-н Селезнев.

Сила вполне достаточная, чтобы при желании всерьез осуществить те цели, что декларировались с трибуны – максимально осложнить жизнь «антинародному режиму», блокировать деятельность правительства, провести свои законопроекты и т. д., и т. п.

Но разве это входит в задачу «оппозиции Его Величества»? Никоим образом! Зюганов держался совершенно иначе: в беседе с бывшим президентом США Р. Никсоном он заверяет собеседника, что по коммунистическому пути Россия никогда больше не пойдет, а на встрече с ветеранами Великой Отечественной... просит прощения «за мерзавцев из КПСС, разоривших нашу страну».

В президентских выборах 1996 года Зюганов, конечно же, участвовал как единственно возможная альтернатива «антинародному режиму», но вместо реальной предвыборной борьбы лишь старательно имитировал таковую. КПРФ ожидала от своего вождя самых решительных действий, однако сразу же после первого тура команда Зюганова откровенно умерила активность едва ли не до нуля. Один из лидеров КПРФ, некто Подберезкин, вспомнил: «Предвыборную кампанию свернули искусственно. Купцов, например, запретил мне организовать пресс-центр, куда уже подали заявки около 500 журналистов. Сказал, что лучше сделать пресс-центр в Госдуме, но так и не сделал».

Зато, ко всеобщему изумлению, газеты КПРФ «Правда» и «Советская Россия»... опубликовали обращение мэра Москвы Лужкова с призывом голосовать за Ельцина. Интересная получилась «предвыборная борьба», а?!

Ну а параллельно Зюганов всячески поддерживал идею создания Госсовета, предложенную Березовским и Смоленским (куда оба олигарха, ясное дело, планировали войти). Должно быть, Папа Зю ратовал за Госсовет исключительно по доброте душевной. И что любопытно: несмотря на то, что некоторые крупные источники финансирования КПРФ прекратили свое существование (например, «Тверьуниверсал банк» Рыжкова), финансовые возможности КПРФ не только остались на прежнем уровне, но даже возросли. Широкое поле раздумий для циников...

Купцов объяснял подобное поведение своего вождя следующим образом: «Они очень боялись, что, если выиграют, то Ельцин власть не отдаст и партию распустит»...

То ли лукавит товарищ Купцов, то ли не понимает очевидных вещей. А зачем, собственно, Зюганову нужна была победа на выборах? Стань он президентом России (допустим, Ельцин власть все же отдал), ему пришлось бы заниматься реальной, серьезнейшей, неподъемной работой, руководить страной. Как говорят в Одессе: «оно вам надо»?

Рискну предположить: Зюганову гораздо уютнее, безопаснее и выгоднее было оставаться как раз лидером «официальной оппозиции». В этом случае он по-прежнему ни за что решительно не отвечает, изображая имитацию бурной деятельности, да вдобавок получает весьма солидные материальные блага. Где еще отыщешь столь доходную и непыльную работенку? На баррикадах солидному человеку откровенно неуютно, там, знаете ли, посвистывают пули, спать приходится на голой земле, питаться всухомятку. А наш герой решительно не походит ни на Джузеппе Гарибальди, ни на Че Гевару, ни даже на Анпилова. С последним можно не соглашаться абсолютно во всем, можно относиться к нему по-всякому, но нельзя отрицать, что он всерьез коченеет на морозе и получает по хребту милицейской дубинкой...

Зюганов – дело другое. Он респектабельный. Всерьез бороться за что бы то ни было его откровенно не тянет. Живется и так неплохо.

И сподвижники ему под стать. Весной 1998 г. на нескольких пленумах ЦК КПРФ происходил этакий «бунт на корабле». Сколотилась группа, наименовавшая себя Ленинско-Сталинской платформой, и обвинила «утвердившуюся в руководстве ЦК аппаратную группу» (то бишь Папу Зю с атаманами) в ужаснейших, с точки зрения коммунистических ортодоксов, грехах: «пропаганда национал-реформистских и демохристианских взглядов», «отклонение от ленинских идеологических и организационных принципов партийного строительства», «ликвидаторская тенденция ограничить задачи КПРФ», «вхождение во власть», и, наконец, не в бровь, а в глаз: «врастание в буржуазно-президентскую политическую систему».

С крамолой в собственных рядах Батька Зюгач боролся нехитрым, но эффективным методом: смутьянам предложили забыть о составленном ими документе, пообещав, что в противном случае прокуратура займется расследованием касаемо того, как бунтовщики распорядились партийными средствами...

Этого хватило, знаете ли! Мятежники смиренно выполнили все требования ЦК – за исключением одного-единственного человека, генерала Макашова. Субъект это специфический, лично я не согласился бы находиться с ним рядом в пределах пресловутого гектара, но, по крайней мере, приходится признать, что он один не замешан в вольном обращении с партийными денежками. Ведь остальные, все поголовно, восприняли угрозу всерьез. Значит, рыльце все ж таки в пушку?

Ну разумеется, какие уж там идейные борцы в потрепанных пальтишках... Геннадия Андреевича гораздо более заботило, что о нем подумают не члены его собственной партии, а те самые «акулы капитала», к которым он по определению должен испытывать классовую ненависть. Поэтому Зюганов при любом удобном случае старался подольше покататься по заграницам, встретиться там с влиятельными людьми и произвести наилучшее впечатление – чтобы не приняли за классического большевика из старых страшилок: в драной тельняшке и с шашкой в зубах. Даже троица авторов апологетической книги о Папе Зю с детским цинизмом писала: «Многочисленные поездки Зюганова за границу и встречи с лидерами западных цивилизаций в общем убедили сомневающихся в том, что КПРФ способна вести дела с Западом, в том числе получать кредиты и добиваться уступок».

Какие уж тут баррикады!.. А кстати, откуда дровишки, то бишь дензнаки в изрядном количестве?

Летом 1996 года, вскоре после поездки Зюганова в знаменитый Давос и его бесед с крупнейшими фигурами западных политического и финансового миров, некоторые газеты выдали сенсацию: якобы между лидером КПРФ и банкирами была достигнута тайная договоренность – Зюганов проигрывает грядущие президентские выборы, а в благодарность получает часть «золота партии», хранящегося в швейцарских банках.

Эту версию я никак не комментирую по одной-единственной причине: вокруг «золота партии» нагромождено столько чепухи, что отыскать верный след тут попросту невозможно...

А главное, Зюганову вовсе не было нужды вести с западными банкирами подобные торги. У него и без того существовали стабильные источники дохода в родном Отечестве.

После того как КПРФ в 1993 году уверенно обосновалась в новой Государственной Думе, ее финансовое положение, как по волшебству, улучшилось резко. В 1993 году, до выборов, доходная часть бюджета КПРФ составляла всего павсего около 13 млн рублей. Через год – уже 128 млн. Разгадка проста: большая часть партийного бюджета попросту заимствовалась из государственных денег (то есть наших с вами), выделяемых на содержание Госдумы. Иными словами, 95% бюджета партии – это как раз «думскос содержание». В 1998 г., к примеру, нижняя палата российского парламента истратила па себя 515 млн деноминированных рублей. Если вспомнить, что примерно треть депутатов палаты были членами КПРФ или «союзниками», получается, что Папе Зю треть и досталась... Кроме этого, бесплатно использовались для партийных целей помещения Госдумы, служебный транспорт, все виды связи, компьютеры и копировальная техника. Вдобавок, как пишут: «КПРФ имела и имеет доступ к использованию бюджетов контролируемых регионов», то есть тех, где сподвижники Зюганова достигли кое-какой власти.

Само собой, зарабатывали и на лоббировании, как и прочие народные избранники. Особенно думские коммунисты почему-то любили работать с Федеральной комиссией по рынку ценных бумаг.

Если присмотреться повнимательнее к работе думских коммунистов, моментально всплывают интереснейшие факты. В 1993–1994 гг., сразу после «овладения» парламентом, фракция КПРФ начала неприкрыто лоббировать интересы компании «Агропромсервис», что позволило последней в 1995–1996 гг. получить жирные подряды на «восстановление разрушенного войной хозяйства Чечни». Что это была за «черная дыра», многие, думаю, наслышаны. Огромные бюджетные средства, выделенные на пресловутое восстановление, как выразился сам президент, «черт знает, куда делись». Согласно отчету Счетной палаты, «Агропромсервис», усердно восстанавливая разрушенное, ухитрился аж 16 миллиардов рублей использовать «не по назначению». По некоему совпадению, у КПРФ в то же время появилась новая штаб-квартира (богато обставленный двухэтажный особняк с отличной оргтехникой), новые офисы в регионах, иномарки, средства на издание газет.

И здесь появляется интересная фигура – В. М. Видьманов, президент корпорации «Росагропромстрой» и «Росагропромстройбанка», через которые и шли в 1995 году «чеченские» деньги.

Это – один из главных «кошельков» КПРФ. Глава наблюдательного совета газеты «Правда», член Президиума ЦК КПРФ. В 1999 и 2000 годах занимался сбором средств на избирательные кампании Зюганова.

Тут снова начинаются любопытнейшие совпадения. В 1995 году через корпорацию Видьманова было прокачано примерно 150 млн долларов «чеченских» денег. Чуть позже, при обсуждении вопроса о Чечне, фракция КПРФ старательно обходила все вопросы, связанные с бюджетным финансированием данной республики как раз в 1995–1996 гг. В результате до расследования судьбы пропавших денег так и не дошло... Быть может, часть их попала в бюджет одной из политических партий? Лично я даже не пытаюсь угадать, которой...

Известно лишь, что зюгановцы испытывали нежную любовь к видьмановским структурам. Ю. Воронин пробил поправки в проект федерального бюджета на 1998 г., увеличивавшие государственные инвестиции в программу «Свой дом» (строительство жилья в сельской местности), а программу эту претворял в жизнь именно «Росагропромстрой». Причем претворял, нужно уточнить, довольно своеобразно: в апреле 2003 года Дума (уже нового созыва, основательно очищенная стараниями избирателей от зюгановцев) послала запрос в Счетную палату, требуя проверки означенного «Росагропромстроя». Оказалось, что миллиард рублей, выделенный на программу «Свой дом», испарился неведомо куда...

Функционеры на местах, кстати, старались соответствовать генеральной линии партии. Как только коммунист Михайлов, к примеру, стал курским губернатором, в области моментально открылся филиал АСБ-банка, принадлежавшего тому же «Росагропромстрою».

Впрочем, иногда отдельные храбрецы шли с генеральной линией вразрез. Скажем, фракция КПРФ публично выступала против введения повременной оплаты телефонных разговоров, но думский депутат от КПРФ Маевский активно лоббировал интересы компании «Вымпелком», пробивавшей «повременку». Что характерно, отважный диссидент не понес никакого наказания за столь явный отход от генеральной линии...

Кое-какие закулисные тайны стал раскрывать тот же В. Семаго, когда поссорился с Зюгановым: «Например, Зюганов говорит тому или иному депутату: если не проголосуешь как приказано, на избрание в следующую Думу можешь не рассчитывать. Вспомните, что из прошлой Думы в новую прошло только 25% старого состава. Вот это и есть расплата за непослушание...»

Он же: «Масса спонсорских средств нигде не учитывается. Более или менее финансовые дела партии знают 3–5 человек, включая Г. Зюганова. Большинство членов ЦК о многом даже не догадывается. Впрочем, меньше знаешь – крепче спишь».

Семаго, кстати, в период финансирования им самим КПРФ был не «отечественным производителем», а совладельцем нескольких казино. Так что часть бюджета КПРФ притекала с зеленых столов и от «одноруких бандитов».

Но были и другие источники. Например, Тверьуниверсалбанк, вплоть до своего банкротства в 1996 году. А то и конторы гораздо более сомнительные. Даже Волохов, автор «Новейшей истории Коммунистической партии», порой поющий Зюганову неприкрытые дифирамбы и оправдывающий иные его фортели самыми благородными соображениями, все же упоминает, что в 2000 году, когда за кресло губернатора Московской области боролись генерал Громов и Г. Селезнев, КПРФ прибегла к помощи крупной компании «Реал Агро», руководитель которой «был напрямую связан с осетинской диаспорой и соответствующей преступной группировкой». Выборы, как известно, кандидат коммунистов с треском продул – и разобиженные спонсоры сгоряча едва не оторвали голову первому секретарю Московского обкома КПРФ: «Дэнги взял, собак худой, а дэла не сдэлал!» Как-то обошлось, никого не зарезали...

Неугомонный Семаго брякнул однажды, что деньги на предвыборные кампании КПРФ с 1995 года поступали и от братьев Живило, владельцев концерна МИКОМ (одним из акционеров которого был известный правдолюб В. Илюхин). После чего кемеровский губернатор Аман Тулеев направил Зюганову письмо с требованием разъяснить, насколько эта информация соответствует действительности (дело в том, что один из братьев Живило всерьез подозревался в подготовке покушения на Тулеева). Зюганов отмолчался...

Давным-давно сгинувший в небытие МИКОМ был фирмой весьма непочтенной. Гораздо более респектабельной, безусловно, смотрится Российская академия сельскохозяйственных наук. Несмотря на «простецкое» название, это учреждение – вовсе не приют чистой академической науки, а еще и крупнейший на планете (!) собственник земли – академии принадлежит около 6,5 миллиона гектаров (легко догадаться, не северной тундры и не никчемных барабинских степей). А также – мясные, молочные, пивные заводы и другие коммерческие структуры.

В 1996 г. означенная академия активно поддерживала кандидатуру Зюганова на президентских выборах, а Зюганов позднее энергично отстаивал ее интересы в Думе. Речь шла опять-таки не о «чистой» науке. Академии из государственной казны было выделено 400 миллиардов рублей «на фундаментальные исследования». Велись эти исследования весьма своеобразно: сто миллиардов из четырехсот, как установила финансовая проверка, были использованы «не по назначению». Точнее говоря: обнаружились в бюджете КПРФ. Похоже, расхожий образ киношного академика как чертовски непрактичного индивидуума, рассеянно хлебающего щи вилкой, решительно не соответствует реальности...

Полный список спонсоров Зюганова привести невозможно ввиду его размеров. Здесь и ЗАО «Нефтестрой», и ассоциация «Атомэнергострой», оборонные предприятия («Пензенский дизельный», «Воронежский механический» и другие заводы. Десятки акционерных обществ и предприятий: АО «Капролактам», АО «Дзержинскхиммаш», КБ «Альба-Альянс»... (Хочется верить, что Папе Зю все они помогали исключительно бескорыстно, без всякого расчета на ответные услуги...)

В 1995 году избирательную кампанию КПРФ в Государственную Думу финансировал и В. Гусинский, активно вкладывавший деньги и в близкие КПРФ национально-патриотические движения. Причина проста: хорошая хозяйка никогда не складывает яйца в одну корзину. К слову, принадлежавшее Гусинскому НТВ относилось к КПРФ и Зюганову довольно нейтрально, но деятельность Папы Зю и его партии освещало регулярно. Не хвалебно, конечно, но и не вело против них информационных войн.

И наконец, источником неплохих доходов стала продажа мест в Госдуме – что вынужден был признать такой знаток проблемы, как А. Проханов в ходе знаменитого скандала вокруг Семигина (о котором подробно будет рассказано позже). Тут не было ни самодеятельности, ни хаоса: великолепно выстроенная система рыночных отношений с твердыми расценками.

Первые четыре места в списке никогда не продавались, поскольку были зарезервированы под верхушку (Зюганов, Купцов, Горячева, Харитонов). А вот места с 5 по 12 (основная часть общефедерального списка) можно было приобрести, выложив по полтора миллиона долларов за место.

Места с 13 по 25 (часть общефедерального списка, гарантирующего кресло в Думе) стоили чуточку подешевле – миллион «зеленых» за место.

Еще дешевле – места в региональных списках (от 350 тыс. долларов до 200 тыс.). Впрочем, первые восемь обходились в полмиллиона.

Этот «прайс-лист» касается мест рядовых членов Думы – какие-либо посты, разумеется, стоили гораздо дороже.

Некая Л. Неклюдова из Омского обкома КПСС как-то призналась в популярной телепередаче, что пару лет назад в Омске у КПРФ имелся свой кандидат на должность мэра города, но его так и не выставили – появился «левый» человек (не в смысле убеждений, а в том смысле, что совершенно посторонний), готовый заплатить хорошие деньги. А. Кравец, первый секретарь Омского обкома КПРФ, поступил по-партийному принципиально: место продал...

Весной 2003-го, во время выборов красноярского губернатора между первым и вторым туром выборов в Красноярск приезжал уже знакомый нам Вильманов и предложил руководителям корпораций «Русский алюминий» и «Норильский никель» «купить поддержку коммуно-патриотических сил» – всего за полмиллиона баксов, которые должны были пойти на издание новой книги Зюганова (сообщение АПН со ссылкой на источники в спецслужбах).

А уж сами сподвижники Папы Зю! М. Бурченко, управделами КПРФ и заведующий партийными финансами, имел прямое отношение к винному бизнесу. А Н. Грищак, первый секретарь Приморского обкома КПРФ (патронировавший С. Горячеву) тесно сотрудничал с теми, кого отдельные циники именовали «рыбной мафией»...

Одним словом, на митингах и в партийной печати лидеры КПРФ всячески поносят «дикий капитализм», но сами предпочитают действовать как раз по его волчьим законам. Всякий, кто перестает отстегивать бабки, моментально вылетает из списка «союзников». Так случилось с бывшим директором Воронежского механического завода Г. Костиным – пока платил, все обстояло нормально, как только прекратил, КПРФ его мгновенно перестала замечать. Так случилось и с пастырем «одноруких бандитов» Семаго: В. Купцов на пресс-конференции заявил откровенно: «Последние три года Семаго не финансировал деятельность КПРФ, из которой он будет в последнее время исключен». Ну, разумеется, исключили. Бизнесмен Куевда, глава московской строительной фирмы, с начала девяностых годов финансировал партию, «поднявшуюся» и благодаря его вливаниям. Но потом у него то ли дела пошли хуже, то ли надоело отстегивать зюгановцам – как бы там ни было, башлять Куевда перестал. И моментально вылетел из избирательного списка КПРФ 1999 года.

Справедливости ради стоит заметить, что даже самые ярые недоброжелатели КПРФ ни разу не уличили людей Зюганова в том, что деньги с клиентов они вымогали с помощью утюга или паяльника. Чего не было – того не было. Каждый был волен решать – платить или отказаться. И каждый был волен впоследствии поступать с купленным товаром, как ему заблагорассудится – некий Саркисян купил место в списке КПРФ и прошел в Думу, но сразу же ушел из КПРФ в «Единство». Партия промолчала – как-никак ей было честно уплачено...

Легко догадаться, что, руководя столь прибыльной фирмой, как АОЗТ КПРФ, Зюганов и сам не бедствует, сушеными кузнечиками, подобно древним отшельникам, не питается и ходит не в смазных сапогах производства мымринской артели... Еще в 2003 году ведущий «Момента истины» А. Караулов сообщал о личных счетах Зюганова, открытых для лидера КПРФ финансистом партии Пешковым на Кипре, в Ларнаке (на Кипре, кстати, давно действует АСББ-банк, дочернее предприятие «Росагропромстроя»). Не слышно было, чтобы Зюганов подал па Караулова в суд за клевету.

Другой журналист, Радзиховский, писал, что супруга Зюганова владеет долей в каком-то фонде размером примерно в миллион триста тысяч долларов (эта сумма – не капитал самого фонда, а как раз доля «первой красной леди»). И снова не слыхать о попытках Зюганова наказать клеветника по суду...

У дочери Зюганова (работающей в частном предприятии «Иствест») – три «Фольксвагена». У самого Зюганова – клубная карточка ресторана «Националь», костюмы за 6–8 тысяч долларов, рубашки по двести-триста долларов, три квартиры (одна – в Москве, в доме, где раньше жил Ельцин), а также, по сообщениям журнала «Коммерсантъ-власть» и газеты «Московский комсомолец» – и особняк в районе небезызвестного Рублево-Успенского шоссе...

Разумеется, побуждения тут самые благородные. Весьма расположенный к Зюганову историк партии комментирует эту роскошную жизнь так: «Для того, чтобы получать деньги для партии, для того, чтобы разговаривать на равных с руководителями финансовых и промышленных кругов, необходимо иметь соответствующий имидж, а для его поддержания – соответствующий уровень доходов».

Слово «доходы» применительно к руководителю партии (напомним: той самой, что якобы представляет интересы всех сирых и обездоленных) носит некий, мягко скажем, странноватый оттенок, чего историк партии определенно не понимает. А вообще, И. В. Сталин в свое время беседовал совершенно на равных не то что с финансистами и промышленниками – с лидерами ведущих стран Запада. Но при этом ходил в простом френче и швейцарскими часиками ценой тысяч в пятнадцать баксов не щеголял.

Можно сказать и проще: пост руководителя монаршей оппозиции оплачивается неплохо. Чтобы променять столь теплое и сытное местечко на президентское кресло, нужно быть совершеннейшим придурком, а Папе Зю это не свойственно...

А поскольку деньги, как установлено еще древними римлянами, не пахнут, то в конце концов Зюганов завязал самые сердечные и взаимовыгодные отношения с Березовским...

Началось это еще в 1994 году, когда Березовский, раздосадованный на Чубайса и его «ближних бояр», отстранивших БАБа от самых привлекательных залоговых аукционов, слил в СМИ историю с солидными валютными гонорарами за ненаписанную книгу о приватизации. Среди дюжины публикаций, попавших на стол к Ельцину и вызвавших череду громких отставок, была и статья «Правды».

В 1996 году, когда КПРФ и «союзники» получили сильные позиции в Госдуме, Березовский и Зюганов стали встречаться чаще, чем юная барышня и влюбленный гусар. Видные функционеры КПРФ зачастили в дом приемов «ЛогоВАЗа» на Новокузнецкой улице в столице. «Агропромбанк», обслуживавший Березовского, стал финансировать компартию. По этому поводу в КПРФ (точнее, в ее верхушке) начался затяжной и склочный конфликт. «Прагматики» (Зюганов, Купцов, Мельников, Куваев, Шандыбин, Проханов и многие секретари обкомов) не видели ничего некошерного в том, чтобы получать деньги от Березовского. «Идеалисты» (Селезнев, Губенко, Горячева, Маслюков, Ходырев) при поддержке ряда функционеров энергично протестовали – вполне справедливо указывая на то, что связь с подобным субъектом и жизнь на его деньги станет нешуточным ударом по репутации партии.

Первое открытое выступление «идеалистов» состоялось в 1997 году. Березовский тогда фактически выкупил за три миллиона долларов у греческих предпринимателей Янникосов популярную газету «Правда-5», но Селезнев, используя пост председателя Госдумы и связи, сделал все, чтобы сделка сорвалась. С «раскольником» Селезневым тогда ничего поделать не смогли, но отыгрались на другой «Правде» – первой, так сказать, изначальной, членом правления которой был Селезнев. До того «Правда» считалась собственностью журналистского коллектива, но главного редактора выперли в отставку, продвинув двух новых учредителей АО «Правда интернейшнл» с контрольным пакетом акций. Ими стали КПРФ и наш старый знакомый «Агропромстрой».

Весной 1998 года именно Березовский проплачивал думские инициативы КПРФ, направленные против только что назначенного премьер-министром Кириенко. Как уже говорилось, Кириенко все же предпринимал кое-какие шаги, чтобы отодвинуть олигархов от госказны – и олигархи в отместку «валили» его, не стесняясь в средствах, то обвиняя в некомпетентности, то выставляя замаскированным кришнаитом...

Тогда свалить Кириенко не удалось – президент пригрозил роспуском парламента, и пришлось успокоиться. Однако Зюганов и Березовский, опять-таки в тесном альянсе, отлично срежиссировали и провели «массовые вспышки народного возмущения», получившие название «рельсовой войны». Березовский обеспечивал деньги, зюгановцы – партийные структуры, административный ресурс и немалый опыт организаций «народных бунтов». Писали, что от имени Березовского с руководством профсоюзов договаривался (и, не исключено, передавал материальные презенты) А. Кравец, особа, к Зюганову весьма приближенная. Правда и от этой затеи ощутимых политических дивидендов не последовало – финансовых, по-моему, тоже.

В августе 1998 года Папа Зю и БАБ малость поссорились. После отставки Кириенко Березовский проталкивал на освободившийся пост Черномырдина, но Зюганов по неведомой до сих пор причине стал поддерживать Примакова (вообще-то, и за Примаковым стояли отнюдь не бедные финансовые круги...)

Но милые бранятся – только тешатся. Вскоре наши доны опять помирились – жизнь заставила. После прихода Путина Кремль как-то охладел к Зюганову и презентами особенно не одаривал, в Думе КПРФ утратила ведущие позиции – да вдобавок пошатнулось финансовое положение многолетнего спонсора КПРФ «Агропромбанка». Так что Березовский стал чуть ли не единственным серьезным источником денег для КПРФ. Тут уж было не до прежних разногласий.

Сердечное согласие дошло до того, что БАБ стал практически открыто финансировать газету «Завтра» Проханова. Вообще-то он украдкой делал это и раньше, но филантропию свою не афишировал. Могли не так понять: прохановская газетка под любой кроватью выискивала жидомасонов и агентов мирового сионизма, а тамошние карикатуры на «злокозненных жидов» были один к одному срисованы с геббельсовских листовок...

«Завтра» денежки отрабатывала честно. Когда БАБ уже скучал на своем острове в Англии, Проханов взял у него обширнейшее и невероятно подобострастное интервью, то самое, в котором он сравнивает БАБа с Наполеоном и которое приведено в приложении.

Люди Зюганова из КПРФ и деятели прохановского НПСР зачастили в Лондон. В тамошнем отеле «Дорчестер», где обосновался «московский оголец», и в его офисе на Риджент-стрит частенько бывали замечены Семигин, Шандыбин, Проханов, Видьманов, Алкснис и Глазьев. Что до последнего, то именно после визита в Лондон Глазьев откуда-то получил немаленькие средства на финансирование своей избирательной кампании в Красноярском крае. Подконтрольные БАБу издания (например, «Независимая газета» и «Коммерсант») охотно публиковали интервью с приближенными Зюганова, а то и прямо выступали в поддержку КПРФ.

А поскольку стесняться было уже нечего (не та ситуация), то Березовский прилюдно подтвердил свою нежную связь с КПРФ. Примерно то же самое, только гораздо более высоким штилем, утверждал и Проханов, договорившийся до вовсе уж пикантных вещей: мол, он прекрасно понимает, что Березовский украл деньги у народа, но КПРФ и лично он, Проханов, принимая деньги от БАБа и тратя их на нужды коммунистов и национал-патриотов, таким, понимаете ли, нехитрым способом... возвращают украденные деньги народу. Через лучших представителей народа в лице Зюганова и Проханова...

Папа Зю на публике мягко покритиковал товарища Проханова за неразборчивость в связях, но ограничился разговорами и никаких реальных карательных мер не принял. А заодно просветил слушателей: мол, Видьманов, ведя какие-то хитрые переговоры с

Березовским, выступал в качестве частного лица, и в этом, мол, нет «ничего особенного».

После того как в Англии Березовского ненадолго арестовали, в Москве у посольства Великобритании долго и дисциплинированно протестовали против этого «произвола» аж три тысячи членов КПРФ. Папа Зю с невинным видом объяснил это их частной инициативой.

В мае 2003 года деньги Березовского бурным потоком хлынули на счета КПРФ. Более того, в рядах партии внезапно появился личный телекиллер Березовского Сергей Доренко, до этого в симпатиях к коммунистам решительно не замеченный, но в одночасье вдруг ощутивший жгучую потребность встать под алые штандарты.

И никто уже не вспоминал ни об антисемитских изысканиях Проханова, ни о том, как БАБ, разозленный на «кинувшего» его Зюганова в истории с Кириенко – Примаковым, вслух вещал о необходимости срочного и окончательного запрета компартии. Мало ли какие скандальчики случаются в приличных домах...

Как уже мельком говорилось, с приходом Путина товарищу Зюганову и его «боевому авангарду трудящихся» отчего-то резко поплохело. Боже упаси, никто и не думал затевать против них какие-то репрессии, но новая власть, к ужасу Папы Зю, определенно не нуждалась в щедро оплачиваемой «оппозиции Его Величества». А политические оппоненты вполне цивилизованными парламентскими методами повели атаку на позиции коммунистов в Госдуме. КПРФ потеряла семь думских комитетов из девяти и контроль над мандатной комиссией. Зюганов попытался было воззвать к народным массам, но массы, очень похоже, начали кое в чем разбираться: на первомайские манифестации в столице Папа Зю обещал вывести сто пятьдесят тысяч человек, но едва-едва набрал двенадцать тысяч...

Ну а ослабление позиций зюгановцев в Госдуме, как легко догадаться, привело к тому, что иные спонсоры откровенно заскучали и переметнулись к другим «перспективным невестам», изменщики ветреные...

Да и в собственной партии творилось черт знает что. Устав от многолетней имитации «борьбы» и чисто словесных «акций», из КПРФ стали уходить довольно крупные фигуры. Отправился в самостоятельное плавание по бурному морю политики умнейший хозяйственник Аман Тулеев. Поссорился и хлопнул дверью руководитель движения «Духовное наследие» Подберезкин. Стало явственно отдаляться от Батьки Зюгача «Движение в защиту армии и оборонной промышленности» (генерал Рохлин и В. Илюхин).

Ну а параллельно по велению Зюганова из КПРФ изгоняли всех, кто пытался отстаивать собственное мнение либо в чем-то не подчинился пресловутой партийной дисциплине. За бортом оказались Селезнев, Горячева, Губенко, Бабурин... Оставшиеся обязаны были еще теснее сплотиться вокруг вождя.

Самое смешное, что Зюганов-Мымринский по-прежнему вел себя так, словно никаких изменений не произошло, и он со своей могучей партией по-прежнему гордо восседает на Олимпе политической жизни. В течение всего 2002 года лидеры других коммунистических партий и движений неоднократно обращались к КПРФ с призывом объединиться. Однако все призывы отвергались. Анпилов вспоминал потом: «Однажды мы распространяли газету "Молния" в стенах Государственной Думы. К нам подошел первый заместитель председателя ЦК КПРФ Валентин Купцов. "Валентин Александрович, – обратился я к нему. – Всем понятно, что без единства коммунистов оппозиция режиму обречена. Почему бы КПРФ, как самой крупной политической партии России, не возглавить процесс возрождения единой Коммунистической партии?"

Купцов не моргнув глазом ответил: "КПРФ не только не будет участвовать в этом процессе, но и будет всячески ему противодействовать!"»

По своему врожденному цинизму рискну предположить: Папа Зю и его ближайшие соратники просто-напросто не хотели делиться с этой гипотетической «единой» партией. Времена были не прежние, КПРФ сама девятый сухарик без соли доедала и перебивалась с хлеба на квас – нет, конечно, я чуточку сгустил краски, щеки у Папы Зю и ныне лоснятся от сытости, но все равно с прежними роскошными годочками не сравнить...

Да и скандалов поприбавилось. Еще несколько лет назад средства массовой информации опубликовали примечательный список депутатов Государственной Думы, обвинявшихся в «воровстве, уходе от налогов, отмывании денег, полученных преступным путем». 24 фамилии принадлежат людям из КПРФ.

А оглашу-ка я, пожалуй, весь список, коли уж мы подробно рассматриваем деятельность КПРФ. Страна должна знать своих героев:

1. Алтухов В. П. Глава администрации города Шебекино и Шебекинского района Белгородской области. Занимался цементным бизнесом. Подозревается в неуплате налогов, хищениях, коррупции.

2. Анненский А. И. Президент банка «Альба-альянс». Подозревается в финансовых махинациях, неуплате налогов, отмывании средств, махинациях с ценными бумагами и схемами возврата налогов, в незаконном финансировании КПРФ.

3. Глазьев С. Ю. Бывший министр внешнеэкономических связей. Подозревается в махинациях с государственными долгами, в выделении незаконных квот на продажу ресурсов.

4. Гришуков В. В. Подозревается в обороте неучтенных наличных средств, налоговых и таможенных нарушениях (портовый бизнес в Находке), наличии зарубежных счетов.

5. Дайхес Н. А. Бизнесмен (ООО «Квадро-сервис», Легпромбанк, фармацевтический бизнес). Подозревается в связях с преступными группировками, налоговых преступлениях, отмывании средств.

6. Иванов П. П. Заместитель главы администрации, затем – первый заместитель председателя Курской областной думы. Подозревается в махинациях с бюджетными средствами, наличии неучтенных наличных средств при проведении избирательной кампании.

7. Кныш В. Ф. Бизнесмен (страховая компания «Амур-Аско»). Подозревается в финансовых нарушениях, налоговых махинациях.

8. Коломейцев В. А. Глава администрации Батайска. Подозревается в неуплате налогов, хищениях, коррупции.

9. Корнеева Н. А. До избрания в Госдуму – председатель Рязанского горсовета. Подозревается в нарушениях при приватизации муниципальной собственности (дело о центральном рынке г. Рязани).

10. Купцов В. А. Подозревается в незаконном финансировании КПРФ.

11. Лабейкин А. А. Начальник управления соцзащиты Орловской области. Подозревается в хищении бюджетных средств, коррупции.

12. Маевский Л. С. Генеральный директор ОАО «Новые технологии – XX век». В прошлом «лоббист «Вымпелкома», сейчас – партнер «Связьинвеста». Подозревается в неуплате налогов, наличии неучтенных наличных средств.

13. Марченко Е. В. Бизнесмен, связанный с М. Гуцериевым, БИН, управляющий по финансам ингушского оффшора. Подозревается в уклонении от уплаты налогов, хищении средств, выводе активов за рубеж.

14. Маслюков Ю. Д. Бывший вице-премьер. Занимается лоббизмом в ПВПК. Подозревается в «октатах».

15. Никитин В. С. Совладелец фирмы «Псковское возрождение». Подозревается в неуплате налогов, выводе активов, финансовых махинациях.

16. Паутов В. Н. Руководитель представительства ГАЗа по Центру России, дилер ГАЗа. Подозревается в неучтенных продажах, наличии неучтенной наличности, неуплате налогов, связи с преступными группировками.

17. Рогонов П. П. Заместитель губернатора Брянской области по социальным вопросам. Подозревается в хищениях бюджетных средств, коррупции.

18. Родионов И. Н. Подозревается в невозврате средств за поставку газа Украине (дело Олейника), незаконном использовании армейского имущества.

19. Романов П. В. Бывший руководитель химкомбината «Енисей». Прокуратурой расследуется дело по нелегальному спирту.

20. Сайкин В. Т. Бывший председатель Мосгорисполкома и генеральный директор ЗИЛа. Подозревается в хищении бюджетных средств, незаконной аренде, неуплате налогов.

21. Селезнев Г. Н. Лоббирование (Академия национальной безопасности, другие лоббистские структуры). Подозревается в налоговых нарушениях, связях с Санкт-Петербургскими преступными группами.

22. Сокол С. М. Бизнесмен (земельный строительный бизнес в Санкт-Петербурге, АОЗТ «Кадастр-сервис»). Подозревается в неуплате налогов, махинациях с землеотводом.

23. Чертищев В. С. Заместитель начальника управления «Сибнефтепровод». Подозревается в неуплате налогов, наличии неучтенных денежных средств.

24. Юрчик В. Г. Первый секретарь Красноярского райкома КПРФ. Продавал места в избирательном списке КПРФ на выборах в Законодательное собрание Красноярска, занимался франчайзингом. Подозревается в наличии неучтенных наличных средств и неуплате налогов.

Что до автора этих строк, то лично я представления не имел что это за такой загадочный «франчайзинг». Но поскольку помянутый Юрчик в Красноярске известен как оборотистый торговец, то речь наверняка идет о чем-то чертовски прибыльном.

В начале 2003 года в КПРФ разыгрался очередной скандальчик, развязанный ближайшими соратниками Папы Зю. Проханов и Чикин (люди в партии не последние, приобщенные к тайнам и к доходам сразу в двух подконтрольных им газетах) атаковали порочную стратегию «приватизации партии». Критические стрелы они метали в «главного приватизатора» Семигина, вице-спикера Госдумы, председателя исполкома координационного совета Народно-патриотического союза России (НСПР). Ругали его не за то, что он брал деньги на поддержку КПРФ от Администрации президента (по некоторым данным, более 80 тысяч долларов в месяц), а за то, что эти деньги, интриган коварный, в партийную кассу не клал, с товарищами не делится. Наоборот, пытался подкупить региональных глав НПСР с тем, чтобы они, объединившись, проголосовали за снятие Зюганова с поста лидера НПСР, а там и замахнулись на большее – сместили из генсеков КПРФ.

Естественно, освободившееся место должен был наверняка занять сам Семигин – иначе зачем огород городить?

Разобиженные соратники Батьки Зюгача сгоряча выболтали немало интересного о прекрасно им известных закулисных делишках зюгановского политбюро. Впервые в открытую признали, что КПРФ, якобы светоч непримиримой оппозиции, втихую брала деньги у властей (что, согласитесь, имидж «непримиримых борцов» несколько обесценивает). А также протрепались в обличительном раже, что Семигин, бывший «удачливый бизнесмен, сделавший состояние в период хищнического первоначального накопления капитала», впоследствии «разочаровавшийся в губительных реформах», фактически купил себе место в Госдуме по списку КПРФ за два миллиона баксов (и, надо полагать, приплатил потом за пост вице-спикера). А вдобавок Зюганов продвинул Семигина на руководящую должность в НПСР, практически отдав в его ведение все финансовые ресурсы означенной организации.

Буквально через несколько дней Проханову и Чикину со столь же яростным запалом ответил Глазьев, назвавший происходящее охотой на ведьм и рецидивом 37-го года. Отчего он так оперативно ринулся на защиту Семигина, осталось неизвестным.

А уже на следующий день подключилась тяжелая артиллерия КПРФ – сам Зюганов обрушился на Семигина с теми же обвинениями, что и два его «золотых пера». Практически сразу КПРФ начала серьезную чистку и себя, любимой, и НПСР от сторонников Семигина...

Что же в партии произошло?

Для этого придется вернуться назад во времени – примерно за год до событий, когда КПРФ в очередной раз трясло. Тогда от руководства будущими избирательными кампаниями партии, думской и президентской (шел 2003 год), был отстранен второй человек в партии Купцов. У него отобрали финансы и кадры, а также пост «связника» с Кремлем и отправили курировать хозяйственно-производственные вопросы (что, согласитесь, было несомненным понижением). После прохановско-чикинского демарша в СМИ появилась информация, что именно Купцов собирался выступить сообщником Семигина в грядущих кадровых переменах, которые якобы собирались финансировать Абрамович, Дерипаска и Мамут.

Что это за Семигин такой, глава созданного в апреле 2001 года при КПРФ «теневого партправительства», куда вошли самые крупные спонсоры партии?

Выпускник Рижского военно-политического училища, служил в армии, стал экономистом, доктором наук, удачливым бизнесменом (торгово-посредническая деятельность). Был близок некогда к Руцкому и Хасбулатову, с 1994 г. спонсировал КПРФ (сын Зюганова, по сообщению газеты «Совершенно секретно», долго работал в одной из структур Семигина).

Другими словами, все это чертовски похоже на попытку зубастой «молодой поросли», молодых волчат, свалить старого матерого вожака (помните вопли «Акела промахнулся!»?).

Однако Батька Зюгач доказал, что списывать его в тираж рано, и клыки у него нисколько не затупились. Наскок удалось отбить – благо Семигин и не был членом КПРФ. В свое время это создало определенные трудности при включении его в предвыборные партийные списки, но это удалось преодолеть, организовав переход Семигина в «союзники» – Агропромышленную группу. А теперь пошло Папе Зю на пользу...

Семигин подал в суд на Проханова и Чикина за помянутую статью (но позже почему-то отказался от иска, скорее всего не надеялся выиграть). А процесс все шел. Теперь уже сам Зюганов в пылу схватки выплескивал в СМИ пикантнейшую информацию. Оказалось, Семигина послали в Питер улучшить работу тамошней организации КПРФ, но бывший замполит провалил дело. Вся его работа свелась к повышению благосостояния секретаря Санкт-Петербургского обкома КПРФ Корякина (новая трехкомнатная квартира, новый офис).

(Кстати, как вам сочетание – обком КПРФ Санкт-Петербурга? Сюрреализм...)

А заодно провалился и широко разрекламированный Семигиным проект создания могучего патриотического медиахолдинга – вместо обещанного множества роскошно изданных газет и журналов, несших бы в массы гениальные идеи Папы Зю, вышел один-единственный, да и тот крайне неказистый, малотиражный журнал «Искра», который массы проигнорировали...

Между прочим, иные СМИ открыто называли Семигина человеком Березовского, напоминая, что его политический взлет на ракете-носителе с надписью «КПРФ» начался вскоре после того, как БАБ стал вкладывать в Зюганова...

Нужно еще непременно вспомнить, что никакой такой «классической» идеологии, идущей от Маркса-Энгельса-Ленина в КПРФ практически не осталось. И Зюганов, и другие партийные бонзы не раз повторяли, что партия давно «не прежняя», и речь, боже упаси, не идет ни о пролетарской революции, ни о диктатуре пролетариата. Прежний фундаментализм, мол, ушел в прошлое.

Пожалуй, и сам Зюганов уже не сможет внятно объяснить, какую же, собственно, идеологию его партия проповедует.

Но при чем тут скучные вещи вроде идеологии, когда и без нее так хорошо и денежно? КПРФ – великолепный раскрученный бренд. Немалое число избирателей пожилого возраста (78% от общей численности КПРФ) всегда, что бы ни происходило, будут за Зюганова, который в их глазах остается светлым рыцарем, защитником обездоленных...

Бренд этот в силу своей раскрученности является лакомым кусочком для потенциальных покупателей, несмотря даже на то, что КПРФ уже не располагает прежним влиянием и возможностями.

И покупатели шелестят купюрами. Вслед за Березовским и Потанин, по сообщениям СМИ, собирается вложить в КПРФ 5–7 млн долларов в обмен на места в списках и лоббирование необходимых «Интероссу» законодательных проектов. В переговорах с Зюгановым и его людьми были замечены представители «Газпрома».

И, разумеется, не обошлось без «ЮКОСа». Каковой, как выяснилось, и прежде подкидывал коммунистам деньжишко на молочишко. Но потом собрался вкладывать гораздо больше. Планов было громадье. Согласно «Стратегическому соглашению» между «ЮКОСом» и КПРФ на 2003–2007 годы, «ЮКОС» должен был вложить 70 млн. долларов: в обычные годы по 10 млн., а в предвыборные (2003 и 2007) – по 20 млн.

Скорее всего, какие-то деньги от Ходорковского партия все же успела получить. Но плохо верится в связи с известными обстоятельствами, что они и дальше буду течь в карман Папы Зю...

Ходорковский и Невзлин, практически не скрывавшие, что намерены из кресел олигархов катапультироваться в средоточие верховной власти, выбыли из игры по, так сказать, техническим причинам. Но Зюганов по-прежнему на плаву – и отчаянно пытается сберечь от краха свое АОЗТ. С Семигиным и Глазьевым он решительно размежевался. Однако в региональные списки на выборах

2003 года внесли изгнанного некогда актера Губенко. Делались подходы и к Горячевой, но дама оказалась злопамятной, заявив репортерам: «Я не собака, чтобы меня пнули, а потом позвали обратно». Зато в тех же списках появился бывший прокурор и ценитель девочек, похожих на шлюх, Скуратов, а также Видьманов, надо полагать, дождавшийся депутатской неприкосновенности (ничего удивительного, если учесть, что у «Росагропромстроя» давно существуют самые разнообразные проблемы...)

Самое смешное, что в результате всех этих половецких плясок за бортом остался один-единственный персонаж, которого с грехом пополам можно было считать «представителем рабочего класса» – «Красный Фантомас» Василий Шандыбин. В свое время, когда Зюганов еще не раздружился с Семигиным, именно Семигин получил 18-е место в списке, много лет до того резервировавшееся за Шандыбиным. Обставлено это мероприятие было с присущим Папе Зю изяществом: неожиданно, когда обсуждались кандидатуры, вскочил камчатский губернатор Машковцев и заявил: «Шандыбин – не рабочий. Он уже десять лет бюрократ».

По причине «обюрокраченности» дядю Васю, утратившего право на гордое звание пролетария-гегемона, и не включили в список. Правда, Семигин, как ни старайся, в пролетарии тоже не годился, но он давал деньги, в то время как дядя Вася, наоборот, только брал.

«Суки вы, суки!» – с пролетарской прямотой рявкнул Шандыбин в лицо соратникам. А что ему еще оставалось?

В общем-то, удивительно точное определение. Иного, думается мне, эта публика и не заслуживает. Лично я к коммунистическим идеям отношусь без всякого сочувствия и будущего за ними не вижу, но мне по-человечески жаль тех бесхитростных стариков и старух, на которых столько лет успешно паразитирует «красный барон» Папа Зю. Эксплуатировать чужие идеалы – откровенная мерзость...

Последние известия о Зюганове – это достоверная информация о том, как он выступал в защиту представших перед судом функционеров «ЮКОСа», назвав действия властей «варварскими». И в подтверждение собственной респектабельности долго рассказывал, как он дружески беседовал с главой германского «Дойче-банка» и фотографировался с акулой капитализма Рокфеллером.

Что Папа Зю придумает завтра, кого будет защищать, кого хвалить, какими еще творческими извращениями марксизма-ленинизма порадует, сказать трудно. Но одно можно с уверенностью сказать: ради денег освоит любые фокусы и войдет в альянс хоть с самим чертом...

4. Эх, полным-полна коробушка...

В общем, наши олигархи, как люди расчетливые, всегда старались обеспечить «электорат» политиками на любой вкус, вкладывая денежки во всех, к кому мало-мальски прислушивалась политически активная публика. Даже достойную сожаления Новодворскую частенько выталкивали на арену исполнять разнообразнейшие номера – в те времена, когда еще попадались люди, относившиеся к ней серьезно.

В последние годы в некоторых СМИ появились утверждения, что Березовский потаенно финансировал и Русское национальное единство Баркашова. Вообще-то это не такое уж безумное предположение, как может показаться. В конце концов, БАБ втихомолку подкидывал деньги и прохановской газете, закрывая глаза на ее жидоедство, а потом практически в открытую проплатил издание антипутинского романа Проханова «Господин Гексоген» и едва ли не лобызался с автором.

Мне по этому поводу сразу вспомнилась великолепная кинокомедия Г. Полоки «Интервенция». Помните? В занятой белогвардейцами Одессе солидные господа из Антанты изучают состояние дел с плюрализмом и демократией. Ну, местные, жаждущие финансирования деятели оказались на высоте. Продемонстрировали заезжим спонсорам совершеннейший расцвет что демократии, что плюрализма. Желаете евреев? Вот вам «господа сионисты» – плечом к плечу, все в одинаковых лапсердаках и пейсах, у каждого скрипчонка наготове (какой же сионист без скрипочки?). Желаете чего-нибудь поправее? Вот вам, бок о бок с сионистами «господа черносотенцы» – все в одинаковых жилетках, бороды явно клеил один гример, мясницкие топоры из одной скобяной лавки (какой же черносотенец без топора на плече?).

Примерно тот же дурной кукольный театр нам много лет и демонстрировали...

Я в свое время знал всех «вождей» и «лидеров» красноярского отделения РНЕ. Это были поголовно классические домашние мальчики с маминой полусотней в кармане, самостоятельно не способные не то что создать грозную черносотенную партию, но даже открыть крохотный ларек с пивом и чипсами. Каждый по отдельности они смотрелись смешными сопляками.

Но, стоило им собраться вместе, они отчего-то выглядели совершенно иначе. Откуда-то брались деньги на партийную литературу, недешевую форму с сапогами и портупеями, сработанную отнюдь не дома на коленке, наконец на отличные значки (металл, разноцветная эмаль).

И явственно прослеживалась любопытная закономерность: они то были, то не было их. Полное впечатление, что когда где-то в некотором отдалении нажимали невидимый миру выключатель, начинались шествия со знаменами, сиянием сапог из неплохой кожи и грозными телеинтервью. Потом кто-то снова поворачивал выключатель – и «тигры» вновь превращались в кучку домашних мальчиков, вряд ли способных и гвоздь забить...

А потому никаких сомнений в том, что и эту гоп-компанию кто-то старательно проплачивал. В конце концов, отчего бы и не Береза? В иные моменты полезно выглядеть защитником демократии и рынка от злобных черносотенцев. Если их нет, их нужно создать, благо мальчики глуповаты и много не запросят, это вам не любитель крупного хабара Папа Зю...

Известно ведь, что БАБ флиртовал и с анпиловцами, и с лимоновцами, и с прочими леваками. Так что тема остается открытой, и возможны в будущем самые сенсационные разоблачения...

И до чего же прилично смотрится на этом фоне традиционно признанный «отмороженным» г-н Жириновский! Читатель, кстати, может вопросить, отчего я не уделил ему особого места?

Во-первых (и в-десятых, и в-главных) Владимир Вольфович, можно сказать, живет с душой нараспашку. Он гораздо меньше прикрывается красивыми словесами, особенно и не скрывает, что возглавляет сугубо коммерческое предприятие – АО «ЛДПР». Достаточно, думается мне, привести свидетельство одного-единственного журналиста. Пишет испанец де Фелиу, автор книги об истории перемен в России: «Однажды я (Жириновский. – *А. Б.*) сказал, что нужно бомбить президента США, и глава одного азиатского государства сразу дал мне четыре миллиона долларов. Дал мне лично, только за публичное заявление на десять секунд! То же происходит и в России. Я говорю: "Давайте бить коммунистов» – и гоп! – противники коммунистов дают мне деньги. Я об евреях – мне дают деньги, я иду к коммунистам – мне опять дают деньги.. Все дают мне деньги! Когда в 1991 г. я атаковал "демократов", деньги мне давали коммунисты...»

Безусловно, Жириновский по своему обыкновению несколько подзавернул насчет конкретики, преувеличил суммы и упростил ситуацию, но, согласитесь, общие принципы функционирования партийного бизнеса изложил верно...

В общем, давайте представим, что в глухих лесах Энского захолустного уезда, у деревни... ну, скажем, Мымрино обитают и промышляют своим малопочтенным ремеслом два разбойника. Они действуют схожими методами: перехватывают на дороге купцов и вытрясают мошну, грабят заезжих путешественников, лошадей сводят со двора, церковными кружками для пожертвования не брезгуют, вообще всем, что плохо лежит... словом, одинаковые, как горошины из одного стручка.

Вот только образ жизни у них разный. Небо и земля. Один обитает в чащобе, в землянке у подножия великанской сосны, добычу спускает в кабаке, куда прокрадывается под покровом ночи – в общем, ведет неприкрыто маргинальное существование.

У другого жизнь двойная. Когда он не ходит на грабежи, конокрадство и прочие лиходейства, обитает совершенно открыто, по фальшивому паспорту в соседнем городе, в облике непьющего, положительного, степенного отставного чиновника Припрыжкина. На храм Божий жертвует, его даже церковным старостой выбрали, любит вести с соседями долгие душеспасительные беседы о вреде пороков и излишеств (не говоря уж об уголовно-наказуемых деяниях), гимназистам читает возвышенные лекции о пользе честности и благонравия. Все городское общество его уважает, в благотворительные комитеты выбирает, в пример ставит подрастающему поколению. Но едва настанет безлунная ночь, наш образец добродетели, наклеив тщательно бороду, надвинув картуз на глаза и прихватив ножище, выскальзывает через заднюю дверь и отправляется на большую дорогу грабить и душегубствовать. А утречком вновь – символ благочестия,

Оба, конечно, самые что ни на есть уголовные элементы, обоих надлежит отловить, забить в кандалы и отправить пешим ходом в каторгу на Сахалин... Но все же, положа руку на сердце, вам не кажется, что второй вызывает не в пример большее отвращение? Первый, по крайней мере, не прикидывается долгие годы честным человеком, не читает проповедей о высокой морали и не представляет себя образцом добродетели.

Фальшивый «церковный староста» – это, конечно же, Зюганов, если кто не понял. Человек, нашедший себе дойную корову в лице простодушных наших земляков старшего поколения, не посвященных в закулисные тонкости и свято верящих своему «защитнику». Самое печальное, что этот торговец раскрученным брендом рассчитал все точно: на его век стариков хватит...

Глава шестая

ДЕТАЛИ И ЧАСТНОСТИ

Есть такой пакостный анекдотец. Выползают два червяка, старый и молодой, на верхушку навозной кучи. И молодой спрашивает: «Папа, а мы могли бы жить в яблоке?» – «Могли бы, сынок...» – «А в ананасе?» – «Могли бы...» – «Отчего же мы живем в дерьме?» – «Понимаешь, сынок, есть такое слово: родина...»

Судя по особо мерзкому запаху, анекдот этот родился на прокуренных кухнях российской интеллигенции. Но речь не об этом...

Отчего-то у нас принято говорить пакости про свою страну и свой народ. Иные объясняют это дефектами российского патриотизма, другие, наоборот, исконно русским христианским смирением и величием души. Российская лень, отсталость, холопская душа русского народа и пр. уже стали настолько общеизвестной истиной, что усомниться в этом – значит подвергнуть сомнению ту истину, что Земля вращается вокруг Солнца... или Солнце вертится вокруг Земли... (в зависимости от века и эпохи).

Те механизмы, те подлые аферы, о которых я сейчас буду говорить, показывают: роковые наши беды были результатом не «исконно российской лености», «отсталости от мировой цивилизации» или «наследия коммунистического режима», а следствием сговора кучки негодяев, решивших набить карман и плевавших на то, что их действия противоречат государственным интересам.

1. Миллионы...

И снова слово Артему Тарасову и его приятелю Илюше, тому самому, который вывозил в чемоданчике редкоземельные элементы, наживая на этом миллионы...

«Как-то Илюша приезжает ко мне и спрашивает:

– Артем Михайлович, вы можете класть наличную валюту в банк? (Дело происходило за границей. – *А.Б.*). Только мне нужно очень много, например сто миллионов долларов в день наличными! Буду их на самолете привозить, я тут недавно самолет специальный прикупил...

– Илюша, – отвечаю ему, – такой объем наличности можно сдавать, ну, может быть, в Монако, и не каждый день! В нормальной западной стране тебя немедленно арестуют. Но откуда у тебя столько денег?

– Понимаете, Артем Михайлович, сейчас происходит очень большая афера... но вы не подумайте плохого, я в ней лично не замешан! Просто государство фактически ограбило половину населения вместе со всеми иностранцами в России. А мне на этом предложили делать свой маленький бизнес. За то, что я перевезу сто миллионов и положу их в иностранный банк, мне платят процент. Ну и почему мне за это не взяться, когда груз официальный, отправляемый Госбанком России? Я уже много перевез в Прибалтику, Польшу, Венгрию. Но люди хотят понадежнее, в западные страны...

Я не верил своим ушам, хотя поводов сомневаться в его словах у меня никогда не было.

– Вы наверняка слышали, что несколько месяцев назад Внешэкономбанк объявил себя банкротом, – продолжал Илюша. – А на самом деле там на счету оставалось восемь миллиардов долларов. Так вот, клиентам банка предлагается – неофициально, разумеется! – заплатить, чтобы вытащить оттуда часть своих денег, иначе они исчезнут совсем. Вы бы заплатили небольшой процент, чтобы спасти свой вклад?

– Заплатил бы, – согласился я.

– Ну вот видите! Сначала это стоило десять процентов, потом двадцать, а сейчас уже доходит и до тридцати. Деятели из Внешэкономбанка наняли множество курьеров, таких, как я, с самолетами. Вот мы и возим наличность за границу, кладем ее в банк и получаем свои проценты.

...За несколько месяцев этой грандиозной аферы наличность из Внешэкономбанка была вывезена полностью...

В январе 1993 года, когда денег во Внешэкономбанке-«банкроте» действительно не осталось, а на заграничных счетах аферистов осело около двух с половиной миллиардов долларов, была проведена новая комбинация. Вдруг ни с того ни с сего доллар стал бешено падать в цене по отношению к рублю! Сначала за него давали 200 рублей, потом 150, потом 100, 90, 80... Люди бросились в обменные пункты и банки сдавать наличность, стояли ночами в очередях, чтобы спасти свои сбережения и обменять доллары на рубли.

А Центробанк продолжал играть на понижение – ведь никакой валютной торговли еще не было, и он просто устанавливал государственный обменный курс. Эти доллары пополняли кассу несуществующего Внешэкономбанка – единственного, кто имел тогда право на операции с валютой. После чего курьеры грузили мешки в свои самолеты и увозили доллары за границу...

Тогда противостояние Ельцина с Хасбулатовым и Руцким входило в решающую фазу. Центробанк вместе с Внешэкономбанком находился в подчинении Верховного Совета. Поэтому, скорее всего, эти деньги так и уплывали мимо Ельцина и его окружения – вплоть до осеннего расстрела Верховного Совета и ареста Хасбулатова с Руцким. Возможно, все это было не так уж просто, и я ошибаюсь в отдельных деталях. Но это мое личное видение того процесса...»

Во время самого пика борьбы властей летом 1993 года имела хождение циничная карикатура: два огромных сцепившихся насмерть паука. И подпись: «Ты с кем, русский народ?»

...Прошло немногим больше года, и произошло событие, осевшее в нашей памяти как «черный вторник» – внезапное резкое падение курса рубля по отношению к доллару. Не такое, как в 1998 году, не в разы, всего на 25%, но все же весьма и весьма ощутимое. Кризис довольно быстро погасили, вбросив на рынок около 200 млн долларов. Считается, что причина этого в том, что осенью 1994 года произошло небольшое падение курса рубля, и люди принялись сбрасывать находившуюся на руках российскую валюту, срочно покупая доллары. Но это лишь то, что лежит на поверхности.

Для того чтобы заглянуть глубже, предоставим слово человеку весьма осведомленному – А. В. Коржакову.

«Резкое снижение курса рубля явилось результатом, по существу, согласованной акции ряда коммерческих банков, финансово-промышленных групп и отдельных должностных лиц правительства и Центрального банка России. Фактически группой политических деятелей на переломном для России этапе предпринята попытка вызвать правительственный кризис, подорвать позиции президента и продемонстрировать обоснованность претензий на власть.

В числе основных лиц, способствовавших этому, вице-премьер правительства А. Шохин, первый заместитель министра финансов А. Вавилов, заместитель председателя Центробанка Д. Тулин, начальник Департамента иностранных операций Центробанка А. Потемкин и руководители коммерческих банков: "Мост-банк", "Альфа-банк", "Менатеп", "Инкомбанк", "Мосбизнесбанк", "Росместбанк", "Империал" и некоторые другие.

В числе фигур, стоящих за акцией и осуществляющих ее активное пропагандистское обеспечение в средствах массовой информации, были Б. Федоров, Е. Гайдар, Г. Попов.

Реализация идеи взорвать финансовый рынок указанными лицами была начата в конце августа с. г., когда сложились объективные предпосылки падения курса рубля. В этот период Федоров и Кагаловский (в то время исполнительный директор МВФ от России, близкая связь Федорова, Вавилова и Авена, президента "Альфа-банка") развернули в российских и зарубежных средствах массовой информации пропагандистскую кампанию по дискредитации финансово-экономической деятельности правительства, спровоцировав руководство Международного валютного фонда к отказу от предоставления запрашиваемых Россией кредитов. Активную роль в этом играли Шохин и Вавилов, чье личное поведение и позиция фактически привели к неудачному для России исходу переговоров на ежегодной встрече МВФ в Мадриде.

В сложившейся ситуации ряд крупных банков, связанных с Шохиным, Вавиловым, Федоровым (через Авена и Гусинского – председателя правления "Мост-банка"), по существу, согласованно (имеется оперативная информация о создании ими своеобразного "устного пула"*) перешли к активной игре на повышение курса доллара. Оперативные данные свидетельствуют, что при этом они в полном объеме владели информацией о планах правительства и Центробанка о минимизации валютных интервенций и возможном введении фиксированного курса рубля.

Пробный шар "финансовой диверсии" ее главные участники запустили 4 октября с. г., когда курс рубля упал более чем на сто пунктов. При этом ими внимательно отслеживалась реакция на данное событие руководства страны. 9 октября в Сочи на совещании у председателя правительства наряду с обсуждением бюджета рассматривалось предложение о введении фиксированного курса рубля с 1 ноября 1994 г.

Все участники совещания (Шохин, Чубайс, Заверюха, Шахрай, Геращенко, Парамонова, Уринсон, Дубинин, Петров, Вавилов, Алексашенко, Ясин, Тринога) имели на руках записку Минфина по данному вопросу.

Как следует из объяснений должностных лиц, а также по оперативным данным, эта информация сразу же стала известна представителям финансовых и промышленных кругов, задействованных в акции.

В ходе торгов 11 октября Центральный банк и Министерство финансов заняли пассивную позицию, несмотря на то что развитие событий на ММВБ давало возможность руководству ЦБ (Геращенко, Тулин, Потемкин) и Минфина (Вавилов) оценить складывающуюся ситуацию и принять необходимые меры.

Имеются данные о том, что участниками акции предпринимались и предпринимаются до сих пор активные усилия по расста-

---

* В данном случае термин «пул» имеет смысл переводить на русский как «кодла».

новке нужных им людей на руководящие посты в правительстве и Центробанке.

В настоящее время, опасаясь резкой реакции президента, он не планирует скачкообразного повышения курса доллара.

Оперативные данные свидетельствуют, что Гайдар и Вавилов находятся на "содержании" концерна "Олби". Посредником в установлении ими тесных контактов с руководством концерна является Потемкин. При содействии Потемкина и Вавилова Гайдару в "Мост-банке" была выдана "золотая кредитная карточка" (после создания Государственной комиссии срочно закрыта).

Вавилов за время работы "оброс" множеством коррумпированных связей из числа бизнесменов и банкиров, в пользу которых стремится решать большинство финансовых вопросов. Наибольшая поддержка оказывается им "Империалу", "Инкомбанку", "Российскому кредиту", в деятельности которых у него есть личный интерес. Имеются и другие сведения о злоупотреблениях Вавиловым своим служебным положением и участием в коммерческой деятельности в целях личного обогащения.

По оперативным данным, ряд ответственных и наиболее профессионально подготовленных сотрудников Минфина высказывают намерение уйти с работы в случае утверждения Вавилова на пост министра.

Основные участники акции сильно обеспокоены ведущимся разбирательством и, опасаясь последствий, пытаются свалить вину друг на друга. В частности, известно, что Гусинский готов "сдать Гайдара и показать его истинное лицо".

В ходе расследования установлена фактическая "корпоративная безответственность" должностных лиц в ситуации, связанной с резким падением курса рубля. Несмотря на наличие правовых активов об их деятельности в сфере валютного контроля (законы Российской Федерации, указы президента), необходимые оперативные меры приняты не были. Правительством не создан механизм, обеспечивающий проведение скоординированной политики Минфина, Центробанка и коммерческих банков в сфере валютно-денежного обращения, что может привести уже в ближайшее время к очередному "обвалу рубля"».

Эта история одиннадцатилетней давности своей актуальности отнюдь не потеряла. Во-первых, она наглядно показывает механизм, с помощью которого компания мерзавцев обворовывала страну. Во-вторых, уже тогда они стремились к власти – и страшно подумать, что бы было сейчас с нами, если б Гусинский, Ходорковский и иже с ними не *покупали* власть, а *стали* бы ею. В-третьих, подобные комбинации повторялись и в будущем – история с дефолтом самая известная среди них, но далеко не единственная...

Кстати, о дефолте...

Юлия Латынина в газете «Совершенно секретно» рассказывает весьма пикантную историю:

«Весной (1994 г. – *А.Б.*) один мой знакомый, у которого в "Менатепе" пропало эдак с десяток миллионов долларов, пошел в банк за объяснениями. Знакомый – не сопляк, деньги тоже не сопливые, принимал его не кассир, а партнер. "Понимаешь, – доверительно объяснили моему приятелю, – деньги, конечно, есть. Но ведь их давно уже слили в оффшор и поделили между своими. Я, конечно, могу вернуть их тебе, но ведь я, получается, пойду против коллектива. Это непорядочно. Нечестно"».

На самом деле к тому времени давно уже существовали «чистенькие» банки, куда перевели перспективных клиентов (вспомним про менатеповский «клан»), а ненужных слили, как воду в унитазе.

Мораль «русского бизнеса»: умри ты сегодня, а я завтра...

Пикантно поступили с западными кредиторами. Снова пример из неисчерпаемой сокровищницы «ЮКОСа» (мы еще не раз будем оттуда черпать, там такие перлы!). К тому времени банк «Менатеп» был уже отделен от «ЮКОСа», но дело в том, что и фирма имела кредиторов. И вот что с ними учудили. Слово той же Юлии Латыниной:

«После 17 августа на "ЮКОС" находится целая куча охотников. Во-первых, это западные банки, которые давали "ЮКОСу" кредиты. Во-вторых, губернаторы и старые директора, которые, приняв эпидемию преднамеренных банкротств за закат олигархической системы, бросились... в надежде оттяпать кусок от заболевшего льва. В-третьих, на "ЮКОС" набрасывается зверь безусловно редкий и для российской экологической ниши вряд ли подходящий – американский эксцентричный миллионер Кеннет Дарт. Специализирующийся на том, что в Америке называется "greenmail" или "зеленый шантаж". Гринмейл – это когда инвестор покупает небольшой пакет акций компании и противится любым планам менеджмента до тех пор, пока менеджмент не выкупит у него пакет за сумму, втрое большую...

Надобно отметить, что все три категории наглецов, примерявшихся к юганской и томской нефти, были "ЮКОСом" решительно поставлены на место. Но не скопом, а сообразно степени приличия каждого.

Респектабельные западные банки – Daiwa, Westdeutchelandesbank и Standard Bank of London, ссудившие "ЮКОСу" 236 миллионов долларов, честно получили 30 процентов акций НК "ЮКОС". Правда, в это же время нефтедобывающие подразделения компании – "Самаранефтегаз", "Юганскнефтегаз" и "Томскнефтегаз" – увеличили свой уставный капитал втрое. В результате чего доля "ЮКОСа" в этих компаниях упала до 17 процентов. То есть "Дайва" получила шкурку от банана. А сам банан оказался в оффшорах. Кстати, чтобы не гонять деньги туда-обратно, оффшорки заплатили за акции... векселями самих "дочек".

Операция эта – прекрасное противоядие против "Дайвы" – не могла, однако, помочь против Кеннета Дарта, владеющего 10–12 процентами акций именно самих "дочек". Поэтому имущество нефтедобывающих "дочек", в свою очередь, передается на баланс новоорганизованным ЗАО. Поэтому мы, собственно, и сказали, что Дарт полез не в свою экологическую нишу. Западные стервятники перед российскими орлами – все равно, что кукурузник перед СУ-37...

Когда наши надувают иностранцев, это всегда приятно, вне зависимости от того, *что* разбавляли водой – бензин на американской бензоколонке или уставный капитал во второй по величине нефтяной компании. Проблема в том, что третья категория акционеров – те самые "красные директора" – похоже, не заслуживают у "ЮКОСа" даже дополнительной эмиссии. А заслуживают пулю в затылок.

Пятого марта неизвестные субъекты обстреляли автомобиль управляющего компанией "Ист петролеум" Евгения Рыбина. Охранник и водитель погибли, г-н Рыбин уцелел. Это было бы одним из многих совершенных в Москве убийств, если бы не маленькая подробность: чудом спасшийся Рыбин обвинил в покушении именно "ЮКОС"».

Трудно сказать, так это было или нет, дело о покушении так и заглохло в недрах правоохранительных органов. Но стиль узнаваемый. Именно так и решались вопросы между своими. Тех, кто нужен, перевели в другие банки, тех, кто не нужен, слили, а будешь рыпаться – пуля.

Мораль «русского бизнеса»? Правильно: ты все-таки умри сегодня, а я завтра...

2. ...и грошики

Еще один анекдот из жанра «черного юмора». Судья задает вопрос: «Подсудимый, почему вы убили старушку, ведь у нее было всего пять копеек?» – «Ну, как же, ваша честь, – отвечает тот. – Прикиньте сами: одна старушка – пять копеек, две старушки – десять копеек, а двадцать старушек – рубль!»

Эта мрачная байка поневоле вспоминается, когда смотришь на поведение наших олигархов. Прихватизировав за гроши, даром, миллионы и миллиарды долларов, они выгадывают на всем: на налогах, на оборудовании, «ЮКОС» даже на зарплате своих нефтяников экономил. А чего стесняться, куда они денутся? В случае чего можно и вправду китайцев нанять.

Двадцать старушек – рубль...

В этой главе речь пойдет о том, как и какими способами олигархи, еще раз повторяю, нажившие миллиарды, стараются экономить. На какие хитрости при этом пускаются, как виляют и выкручиваются, чтобы еще и еще раз обобрать уже обобранное ими до нитки государство. И тех, кто имеет несчастье жить здесь, а не на собственном острове с дворцом.

Нас с вами, между прочим.

Если кто сочувствует «несчастным» Березовскому с Ходорковским, имейте это в виду...

Начнем, пожалуй, с природной ренты...

Кое-кто, наверное, о ней слышал, но далеко не все, как я убедился, представляют суть проблемы.

Что же такое природная рента?

Часть прибыли, разработчики месторождений (неважно чего) обязаны отчислять в государственную казну как плату за то, что государство им позволяет заниматься добычей полезных ископаемых. Только-то и всего.

Дело в том, что всякая, скажем, нефтедобывающая компания, стопроцентно принадлежавшая частным лицам, приватизировала только то, что на поверхности. Только то, что создано человеческими руками: буровые установки, вышки, трубопроводы, здания, грузовики и так далее, вплоть до подсобки, в которой сторож дядя Петя хранит ружьишко и лопаты.

Все, кроме самой нефти. По российской конституции все, что находится в недрах земли, является общенациональным достоянием. Вульгарно растолковывая, абсолютно все, что ниже уровня земли (клады не в счет, они охвачены отдельной статьей законодательства) и создано самой природой, принадлежит не Ходорковскому или Алекперову, а всему населению страны, от самого старого до новорожденного. Приватизировав нефтепромыслы, их хозяин покупает не нефть, а разрешение ее добывать, транспортировать и продавать. За что, помимо причитающихся налогов, должен платить еще и природную ренту – ту самую помянутую долю прибыли. Потому что нефть – не его.

Даже в Чили, где после прихода Пиночета приватизировано было все, что только возможно, государство не пошло на финансовое самоубийство и недра оставило за собой. В Чили – знаменитые на весь мир месторождения медной руды. Разрабатывают их главным образом иностранцы, но они получили в собственность все, что выше уровня земли, а все, что в недрах, осталось собственностью государства и народа. И потому природная рента в чилийскую казну поступает регулярно.

Наши олигархи этого делать категорически не хотят. В обиход запущена смело сформулированная кем-то, несомненно, хорошо проплаченным, «убедительная» версия: мол, если заставлять платить эту ренту наших несчастных, полунищих нефтяных королей, то особой пользы для народа от этого все равно не получится. Потому что, если разделить эти деньги на всех, получится сущая безделица «на нос».

В этом есть своя правда. Но не вся. Далеко не вся.

Действительно, население у нас гораздо больше, нежели в Саудовской Аравии, где из природной ренты финансируются масса программ повышения благосостояния народа. На российский «нос» и в самом деле может причитаться несерьезная сумма...

Но кто сказал, что природную ренту следует непременно распределять меж российскими гражданами?!

Есть более толковые способы ее применения. В Норвегии природная рента не делится меж гражданами, а направляется на поддержку новых технологий, что в итоге приносит населению, пусть и не прямым путем, нешуточную пользу. Точно так же и в Саудовской Аравии местному населению в виде прямых выплат перепадает лишь часть ренты, а остальное опять-таки расходуется на высокие технологии, на развитие экономики. Малайзия свои доходы от ренты пускает на инвестиции в перспективные промышленные предприятия – и опять-таки высокие технологии. Вроде «города будущего» Киберджайи (Кибергорода). Сфера применения природной ренты в хозяйстве обширна: здесь и технологические проекты, и поддержка выгодных сделок своих промышленников, работающих на экспорт (промышленников, а не финансовых спекулянтов!). Даже процент по кредитам, которые берут успешно работающие предприятия (производящие!), опять-таки платит за них государство.

В любом случае налог такой существует. И посмотрите, что придумал Ходорковский и его команда.

Корпорация – это не одна фирма, а много. И все они ведут между собой расчеты. Так, например, «ЮКОС» у своих добывающих предприятий нефть не берет, а покупает, чтобы потом перепродать. То есть первая накрутка идет еще внутри корпорации.

Зачем это делается? А все очень просто.

С добываемой нефти взимается сырьевой налог. Берут его лишь с добывающего предприятия, один раз, и больше он нигде и никогда не появляется. И вот что удумали в «ЮКОСе»: корпорация покупала у добывающих предприятий не нефть, а некую «жидкость в устье скважины». То есть жидкость-то по составу ничем не отличалась от сырой нефти, но называлась она иначе.

Зачем? Все опять же очень просто.

На нефть существуют определенные рыночные цены. Например, в 1999 году, когда об этом фокусе впервые заговорили, тонна нефти на внутреннем российском рынке стоила около 800 рублей, а на международном – 73 доллара. А «скважинную жидкость» «ЮКОС» покупал по 250 рублей за тонну, снижая тем самым сырьевой налог примерно в три раза. При этом с самой «жидкостью» никаких превращений не происходило, все метаморфозы существовали только на бумаге. Зато экономия выходила существенная.

...Как раз в это время учителям, врачам, военным не платили зарплату по полгода. А «ЮКОС», в дополнение к своим миллиардам, переводил за границу «сэкономленные» таким образом миллионы.

Есть и другие способы. Вот еще одна фишка из арсенала того же «ЮКОСа». Ее совершенно случайно обнаружила прокуратура Волгоградской области, пытавшаяся понять, куда делись предназначенные для области госбюджетные деньги.

Когда к середине 90-х государство окончательно запуталось во взаимных долгах, президент Ельцин подписал указ под названием «Об установлении порядка расчетов при исполнении отдельных статей расходов федерального бюджета на 1997 год». Этим документом вводилась систем взаимозачетов между предприятиями, организациями и федеральным бюджетом.

Через два месяца после подписания Указа в Волгоград приехал представитель «ЮКОСа» и предложил областному руководству сделку. В области имелись недофинансированные федеральные программы: строительство моста через Волгу, жилье для военнослужащих. Всего на сумму 76 миллиардов тогдашних рублей.

И вот «ЮКОС» брался по своим каналам эти деньги в Москве выбить. Но не просто так. Полученные деньги область должна была отдать «ЮКОСу», получив взамен векселя на ту же сумму со сроком погашения в августе 2000 года.

Областное руководство согласилось, а что ему еще оставалось? Для того чтобы требования были убедительнее, руководство областной администрации составило липовый отчет в Минфин о том, что на федеральные программы истрачено 93 миллиарда рублей (на самом деле было освоено всего 28 миллиардов).

«ЮКОС» – не какой-то там губернатор, деньги были выделены мгновенно. Они пришли в область. Теперь надо было обменять деньги на векселя. Схема уже имелась, тоже простая, как три копейки. Волгоградская область якобы приобрела у некоей фирмы «Эмитент» нефтепродуктов на 76 млрд рублей. Затем поручила той же фирме обменять их на векселя. Та добросовестно принялась за дело. Для начала она продала эти нефтепродукты (естественно, никаких составов по области не гоняли, бензин и дизтопливо существовали исключительно на бумаге) некоей столь же малоизвестной фирме «Вымпел», а уж та расплатилась векселями: на 53,2 млрд долговых бумажек ОАО «Самаранефтегаз» и на 22,8 млрд ТОО «Аваль». Вскоре «ЮКОС» заменил вексель «Самаранефтегаза» на бумажку совершенно уж никому не известной фирмы «Юниэл».

При детальном расследовании этой истории оказалось, что никакой фирмы «Юниэл» в природе не существует, а фирма «Вымпел» зарегистрирована на имена несуществующих людей. Все! Вопрос о векселях закрыт.

А полученные от областной администрации 76 миллиардов «ЮКОС» честно передал в федеральный бюджет в счет погашения налогов, расплатившись с государством государственными же деньгами.

Остап Бендер отдыхает!

Волгоградская прокуратура завела уголовное дело. Руководителей двух фирм – «Аваль» и «Эмитент» – удалось отыскать. Их арестовали. Привезли в Волгоград. Впрочем, недолго маялись в СИЗО болезные – вскоре их уже выпустили под залог. В 1999 году уголовное дело было закрыто, а еще через год Генеральная прокуратура изъяла все 27 томов уголовного дела.

Кстати, когда волгоградские начальники выкручивались перед прокурорами, кто-то из них обмолвился, что «ЮКОС» использовал ту же схему во многих регионах. И действительно, когда правоохранительные органы добрались наконец до этих фирм (точнее, до некоторых из них – «Аваля» и «Эмитента»), то в ходе обысков в их московских офисах нашли документы, свидетельствующие, что подобные аферы «ЮКОС» провернул в тридцати областях и субъектах федерации.

В Челябинске область получила бумажки вместо денег на строительство жилья, объектов здравоохранения и метрополитена. В Омске – на строительство метро. В Воронеже – на строительство жилья для чернобыльцев. В Архангельской области – на северный завоз. Проще говоря, топливо на зиму. Вы не пробовали пожить северной зимой в нетопленых домах?

Впрочем, какая разница? Если российский народишко передохнет, то у г-на Ходорковского есть отличный рецепт – завезти китайцев.

Всего было проведено взаимозачетов на сумму 1 триллион 869 миллиардов 51 миллион рублей, в ценах 1997 года.

Мразь!

И, чем дальше, тем менее уверенно чувствовали себя олигархи. Дадим еще раз слово Латыниной.

«Чем меньше налогов платили бюджету, тем условней становилось право собственности, которая в любой момент могла быть отнята за долги. Чем условней становилось право собственности – тем необходимей была близость к власти. Чем ближе был предприниматель к власти – тем чаще он делал деньги не на свободном рынке, а на обворованной казне...»

...И, продолжая ту же мысль: чем чаще он воровал из казны, тем более неустойчивым становилось его положение. Чем более неустойчивым становилось его положение, тем больше он зависел от власти. И, чем больше он зависел от власти, тем более насущной необходимостью для него было этой властью стать. Чтобы никто, никогда и ни за что с него уже не спросил...

3. История и современность

Подобное поведение аферистов высокого полета и продажных государственных чиновников отнюдь не является чем-то новым.

Не главной, но одной из весомых причин краха монархии в феврале 1917 года стал еще и патологический эгоизм наших тогдашних «олигархов», как финансовых, так и промышленных. Жажда наживы затмевала все остальное...

С началом Первой мировой войны российские «патриотично настроенные» промышленники моментально взвинтили цены на свою продукцию, прекрасно понимая, что покупать у них боеприпасы казна будет по-прежнему, никуда не денется. На казенном заводе (которых было мало) один шрапнельный заряд стоил 15 рублей, а частный заводчик требовал за него 35 рубликов. И ему платили. Еще и потому, что власть имущие, как легко догадаться, были в доле.

Ведавший снабжением начальник Главного артиллерийского управления генерал Маниковский пытался бороться с жаждавшими сверхприбылей вымогателями, но хорошо проплаченные «доброжелатели», окружавшие слабого, безвольного и недалекого императора, быстренько повернули события в нужную им сторону.

Точная запись беседы Маниковского с царем сохранилась.

«Николай II: На вас жалуются, что вы стесняете самодеятельность общества при снабжении армии.

Маниковский: Ваше Величество, они и без того наживаются на поставке на 300%, а бывали случаи, что получали даже более 1000% барыша.

Николай II: Ну и пусть наживаются, лишь бы не воровали.

Маниковский: Ваше Величество, но это хуже воровства, это открытый грабеж.

Николай II: Все-таки не нужно раздражать общественное мнение».

Оцените должным образом умственную ущербность последнего российского самодержца: он попросту не понимает, что «тысяча процентов барыша» – это и есть самое неприкрытое воровство казенных денег! Как видим, уже тогда иные в той самой простоте, что хуже воровства, полагали, что препятствовать казнокрадам не следует исключительно потому, что это, видите ли, взбудоражит «общественное мнение». В новейшие времена эти технологии были отточены до блеска – и из проворовавшихся олигархов в два счета мастерили свеженьких, с пылу, с жару «диссидентов», «узников совести» и «жертв поворота к тоталитаризму».

В общем, Маниковский так тогда ничего от царя и не добился. Заводчики увлеченно выкачивали из казны сверхприбыли, в тылу взлетела до немыслимых высот спекуляция, составлялись фантастические состояния, ювелиры, торговцы предметами роскоши и хозяева лучших ресторанов процветали...

А на фронте армия помаленьку переставала понимать, за что она, собственно говоря, дерется? За то, чтобы кучка сволочей набивала карманы?

В конце концов миллионы людей в серых шинелях повернулись спиной к окопам «проклятых тевтонов» и направили штыки в противоположную сторону. Последствия общеизвестны.

Описанное никак нельзя считать чисто российским недугом. Классический пример эгоизма олигархов, озабоченных лишь собственным карманом, в тех же США в свое время блестяще продемонстрировала история автомобильного конструктора Такера.

Дело в том, что после Второй мировой крупнейшие производители автомобилей делали большие деньги исключительно на том, что впаривали потребителю «вчерашний день»: машины, в которых не было ничего нового. Разве что узлы и агрегаты десятилетней давности были прикрыты, чисто косметически, «современным» кузовом. Начинка оставалась прежней, устаревшей.

Роберт Такер, наоборот, предлагал рынку качественно новый автомобиль «Торпедо». Не буду вдаваться в скучные технические подробности, но все до единого историки техники, и наши, и зарубежные, писавшие об этой истории, в один голос твердили, что машина Такера была революцией в автомобилестроении, содержала массу прогрессивных технических новинок.

Однако автомобильные магнаты исходили из своей, насквозь шкурной логики. Их нисколечко не тянуло способствовать развитию технического прогресса. Им и так было хорошо. Они и без всякого прогресса стригли неплохую денежку на производстве безнадежно устаревших моделей. К чему им было выбрасывать огромные суммы на реконструкцию производства?

Короче говоря, абсолютно нерыночными методами, откровенно грязными, Такера вышибли с рынка, обанкротили созданную им компанию, и производство «Торпедо» пришлось свернуть. Между прочим, в США до сих пор преспокойно разъезжают, по данным тамошней печати, восемнадцать машин, построенных Такером более полувека назад...

Эгоизм, как видим, понятие интернациональное.

Как и олигархия. Казалось бы, между нами и японцами масса различий – в национальной психологии, традициях и укладе, во многом, чуть ли не во всем...

А меж тем история становления японской олигархии напоминает наше недавнее прошлое настолько, что жутковато становится и ощущаешь некий мистический холодок...

Сначала – немного истории. Вплоть до 1867 года реальная власть в Японии принадлежала, на протяжении сотен лет, правителям-сегунам, а император был фигурой чисто декоративной. Страна находилась практически в средневековье – луки и стрелы, самоизоляция державы, закрытой для иностранцев...

Потом произошла так называемая «революция Мэйдзи». Полновластным владыкой провозгласили императора, институт сегунов отменили, да вдобавок последнего сегуна форменным образом «раскулачили», конфисковав у его рода несметные финансовые средства. Было торжественно провозглашено, что с вековой отсталостью следует решительно покончить, и Япония должна приобщиться к мировой цивилизации – в точности как Россия в 1991 году.

Ах, как звонко, весело и широко Япония приобщалась!

Сначала конфискованные у сегуна денежки пошли на благие цели: на них построили немало заводов и фабрик, железных дорог, создали изрядное число коммерческих предприятий... Чтобы вся эта благодать работала на процветание нации.

А потом как-то так незаметно получилось, что чуть ли не все это оказалось приватизировано. Но, разумеется, не кем попало. Образовались четыре олигархических концерна, по-японски, «дзайбацу», которые и распилили прибыльную общенациональную собственность. Дзайбацу – это своего рода средневековое поместье на новый лад, замкнутая коммерческая империя с шахтами и заводами, банками и страховыми компаниями, океанскими лайнерами и внешнеторговыми организациями (природные ресурсы не прихватизировали исключительно по причине их полного отсутствия в Японии).

Американские историки пишут об этом периоде так: «Влиятельные люди из Токио, руководители дзайбацу, бюрократы всех мастей зачастую строили отношения друг с другом по проверенным временем принципам общего родства, выгодных браков, памяти о «совместной учебе», мздоимстве, махинаторской приватизации, липовых аукционов на благо личного обогащения».

Вычеркнуть экзотические термины и упоминание о Токио – и получится практически точное описание наших реформ...

Как в зеркале!

Парламент существовал исключительно для декорации. Кое-какая независимая пресса все же имелась – и временами страну сотрясали скандалы (после особенно неприглядных олигархических выходок). Но рецепт против этого был давно разработан: в подобных случаях устраивали самые настоящие театральные представления для публики, руководители корпораций и министры публично каялись в излишней доверчивости, непродуманности решений, объясняли все роковыми случайностями (экономика на европейский лад – дело новое и незнакомое, ошибки неизбежны), и даже проливали самые настоящие слезы. После чего все продолжалось в том же духе.

Ну а чтобы отдельные строптивые элементы особо не увлекались разоблачениями, был принят специальный закон, по которому любая «критика государственной политики» (крайне расплывчатая формулировка, допускавшая широчайшее толкование) каралась смертной казнью либо пожизненным заключением. И назывался этот закон, вы грустно улыбнетесь... «Закон о сохранении мира»! Исконно японский высокопарный стиль...

«Разносчиков опасных идей», как именовали имевших несчастье под этот закон попасть, судили без присяжных. Министр образования Хатаяма разработал изящную концепцию до предела урезанных гражданских прав и свобод: «Делать то, что должно, и не делать того, чего не должно». (Естественно, что должно, а что не должно, решали власти.)

Впрочем, очень быстро этот теоретик вынужден был подать в отставку – против него завели дело «О даче и получении взяток, торговле почетными учеными степенями, уклонении от уплаты налогов и фальсификации сведений о доходах по акциям акционерных обществ». (Впрочем, в 1954 году этот безгрешный господин еще станет премьер-министром.)

В общем, воровали дружно, воровали хорошо. Однако в 1927 году разразился тяжелейший банковский кризис, произошедший главным образом оттого, что банкиры ссужали колоссальные средства «национальным заемщикам», а те их весело крутили в различных прибыльных негоциях. Естественно, как легко догадаться, «национальные заемщики» поголовно были из той же шайки-лейки «старых камрадов» и получали огромные суммы под пустые, ничем не обеспеченные обязательства. Как положено, пирамида в конце концов обрушилась.

А там и подоспел вдогонку американский биржевой кризис 1929 г. Нашлись деятели, которые на полном серьезе утверждали, что никакого кризиса, собственно, в Америке и нет, что его устроили «белые расисты» исключительно для того, чтобы напакостить Великой Японии с ее святыми идеалами и высокой духовностью (ничего не напоминает?).

Как бы там ни было, времена настали тяжелые. Хуже, чем у нас после гайдаровских упражнений. Крестьяне вымирали целыми деревнями, в городах лютовала безработица. По официальным данным из архивов японского МВД, за год отчаявшиеся родители продавали в бордели 200 тысяч девушек – голод не тетка...

Выход из кризиса отыскали довольно быстро. Инициаторами выступали в первую очередь те же дзайбацу. Следовало захватить Юго-Восточную Азию, Китай, Сибирь, острова Южных морей – ради сырья и ресурсов. «Ястребы» в военном министерстве этот план с удовольствием подхватили. И японские солдаты появились в Китае.

Таким образом, главной причиной японской агрессии была все же не «реакционная военщина» и не «самурайский дух». Мотивы оказались гораздо более прозаическими и шкурными: олигархи, ради своего спокойствия пестовавшие в стране авторитарный режим, трезво прикинули, что собственная страна уже ободрана, как липка, и больше из нее не выжмешь особенных доходов. Так что пора грабить соседей. В одной связке оказались владельцы олигархических концернов, военные, коррумпированная элита чиновничества, купленные политики – и, разумеется, заправилы подпольного бизнеса.

Большинство олигархов активнейшим образом участвовали не только в разграблении захваченных стран, но и в нелегальном обороте наркотиков на территории Азии. Дело было поставлено на широкую ногу: маковые плантации в Маньчжурии старательно охраняли армейские части, опиумом в Китае и Юго-Восточной Азии торговали дзайбацу, наварившие на этом предприятии три миллиарда долларов США.

Ну а «общее руководство» осуществлял один из японских «крестных отцов» Кадама Ёсио. Для пущего удобства военный министр (был в доле) официально присвоил Ёсио звание контр-адмирала, и тот трудился «смотрящим» олигархом в Маньчжурии и Юго-Восточной Азии, перевозя наркотики и награбленные ценности на кораблях военно-морского императорского флота...

Справедливости ради обязательно стоит упомянуть, что еще в 1936 году была предпринята попытка покончить с засильем олигархов и провести настоящие реформы. Программа была толковая: национализация крупных концернов, земельная реформа, равные возможности для всех, политические и экономические свободы.

В этом участвовали и гражданские политики, но основную ударную силу составили молодые офицеры из подпольной организации «Путь императора». Около половины из них происходили из бедных крестьянских семей, так что о тяжелой ситуации знали не понаслышке. Судя по сохранившимся свидетельствам, реформы они планировали всерьез, выступая как против зажравшейся элиты, так и против военных планов.

К сожалению, заговорщики не просто потерпели поражение – ими просто-напросто манипулировали генералы, долго и многословно толковавшие о реформах, а на деле давным-давно вросшие в систему. Это была чистейшей воды провокация: толкнуть молодых идеалистов на выступление, а потом под шумок разделаться со всеми мало-мальски видными оппонентами олигархическому режиму, как военными, так и гражданскими.

Так и случилось. Заговорщики (к которым был близок даже второй сын императора принц Титибу) выступили, захватили несколько правительственных зданий, убили нескольких непопулярных сановников, но обещанной поддержки не получили и в конце концов капитулировали.

Принца, разумеется, не тронули, но остальных расстреляли. Ободренные олигархи и генералы начали агрессию – закончившуюся, как мы помним, атомными взрывами, миллионами жертв и оккупацией страны...

Вину за все это, повторяю, в первую очередь несут господа олигархи – в любой точке земного шара преследующие в первую очередь свои шкурные интересы.

По большому счету, им не нужно сильное государство – ради хорошего куша всегда можно продать и Родину.

Как это случилось со скромным доктором Мануэлем Амадором, служившим поначалу на Панамской железной дороге и норовившим резко выбиться в олигархи.

Означенный субъект, вступив в интимную политическую связь с американцами и получив у них «на революцию» приличную сумму, взялся оторвать кусок от республики Колумбии и создать из него суверенное государство Панама. И договоренности выполнил: сколотив невеликую «революционную толпу», в два счета поднял бунт, с помощью зеленых аргументов привлек на свою сторону командира крохотного гарнизона захолустной провинции Панама, захватил власть и стал президентом. Единовременно он получил от благодарных нанимателей несколько миллионов долларов, а дальнейшее благосостояние строил уже сам, благо получил немаленькие возможности...

Нечто похожее творилось во многих уголках мира: люди из «региональных элит», под прикрытием высоких слов о независимости, срочно кроили пестрый «национальный флаг» и провозглашали свои губернии и провинции суверенными. По странному совпадению все эти территории обычно бывали богаты природными ископаемыми. Иногда «революционеров» удавалось остановить, а иногда и нет. Общим было одно: судьба всей страны эту публику заботила мало. Им для процветания как раз и требовалась чисто декоративная «держава», которую гораздо проще подчинить и использовать в качестве дойной коровы.

Кто-то, возможно, уже забыл, но в свое время на Урале всерьез говорили о создании «Уральской республики» – с собственными деньгами и флагом. Закончиться это могло совсем скверно и послужить детонатором к тому самому процессу, что в 1991 г. разодрал по частям СССР – чем воспользовались в первую очередь опять-таки тамошние олигархи, сразу после обретения «незалежности» принявшиеся увлеченно прихватизировать все, что можно.

Впрочем, и без формальной независимости можно стать форменным сувереном...

Как это имеет место, например, в Волгоградской области, где подлинным хозяином стала олигархическая империя под названием «Лукойл».

Губернатором там в свое время был избран член КПРФ (еще один!) Николай Максюта. По какому-то странному стечению обстоятельств (эту формулу приходится повторять вновь и вновь применительно к самым разным ситуациям, и ничего тут не поделаешь), едва оказавшись на высоком посту, новоиспеченный губернатор предоставил «Лукойлу» немалые налоговые льготы. А на работу в «Лукойл» были приняты сын, дочь и зять Максюты.

В 2000 году Максюта переизбирался на второй срок – при финансировании и активной поддержке «Лукойла». Главным соперникам Максюты предлагали много хорошего за отказ от драки. Максюта вновь победил. После чего двумя замами при нем стали люди «Лукойла», а область фактически превратилась в лукойловскую вотчину. Компания практически полностью монополизировала рынок нефтепродуктов в регионе (можно представить, как поступили бы в США, попытайся тамошний нефтяной гигант проделать то же самое в каком-нибудь штате).

Тут, как всегда, появились наши добрые знакомые – вездесущие циники – и заговорили о любопытных вещах: что, держа под контролем область и губернатора, «Лукойл» экономит на налогах миллиарды рублей в год; что действуют практически идентичные с «юкосовскими» схемы уклонения от уплаты налогов. Тут и лжеэкспорт нефти, и занижение налогооблагаемой базы через манипуляции с ценами, и создание многочисленных подставных фирм, через которые перекачиваются, пока не исчезнут с глаз вовсе, колоссальные суммы...

В ближайшее время вроде бы готовится вхождение «Лукойла» в американскую компанию «КонокоФилипс», а это может сулить не радости, а неприятности. Вполне может оказаться, что практичные американцы, купив изрядный пакет акций, начнут интересоваться, что за странные фокусы происходят с финансами и куда девается прибыль. У них дела, знаете ли, принято вести иначе...

4. Всемирная прачечная и российские постирочные

Термин «всемирная прачечная» ввел в обиход Джеффи Робинсон, назвав так свою интереснейшую книгу, которую я настоятельно рекомендую читателю, желающему больше узнать о приключениях денег за рубежом (в том числе и российских).

«Всемирной прачечной» называют оффшоры. Многие это слово наверняка слышали не раз, но не все знают, что это, собственно, такое, почему об этой штуке порой говорят с крайним неодобрением и плохо скрытой неприязнью...

Итак, что же такое оффшор? В точном переводе это слово значит «вне берега», или «вне прибрежных вод». Иными словами – в нейтральных водах.

Объясняя совсем просто – это некое местечко, где установлены совершенно особые правила игры, по которым ведутся финансовые операции.

Идею запатентовала Швейцария перед началом Второй мировой войны, когда приняла налог о банковской тайне. Швейцарские банки спасли это крохотное беззащитное государство от превратностей войны: в нем пересекались интересы коммерсантов воюющих стран, в нем правительства и вельможи держали деньги на случай поражения.

За прошедшие полвека идея получила развитие. Теперь, как правило, оффшоры учреждают у себя крохотные государства-островки, где с источниками пополнения казны совсем уж скверно (или британские территории, опять-таки островки вроде Мэна, где доходы местных властей невелики).

Там практически любой визитер с улицы может зарегистрировать банк по крайне упрощенным правилам. Достаточно снять комнатушку, прибить на стену табличку, поставить стол, рядом с ним стул, а на него посадить секретаршу в мини-юбке. За крайне смешную плату в местной валюте – от 50 до 1000 долларов в год. И, что еще более важно, такие же крохотные там и налоги. Микроскопическим государствам на жизнь хватает и этих крох. А колоссальные кампании, таким образом, уводят на другом краю земли от налогов миллионы и миллиарды долларов.

Получив от местных властей так называемую «оффшорную лицензию», вы, новоиспеченный владелец банка с каким-нибудь красивым названием вроде «Халява Индастриз» или «Вова и братаны», можете получать и отправлять любые суммы, хоть миллиарды. И никто, ни одна собака, ни один въедливый прокурор, ни один сыщик-правдолюбец, классический голливудский типаж, не посмеет вам задать ни единого вопроса.

Не имеет права. В «оффшорном» мире не действуют ни западные законы, ни западные правоохранительные органы. А местные власти будут стоять за вас горой – потому что от всех ваших операций им будет капать устойчивый процент.

Насчет комнатушки с одинокой секретаршей я, конечно, преувеличил. Разумеется, существуют самые разнообразные специалисты, без которых деньги профессионально не перевести, не получить, не укрыть, не отстоять – всевозможные банкиры, аудиторы, брокеры, агенты по созданию компаний, финансовые консультанты и юристы. Но все они существуют где-то в других местах. Для штаб-квартиры, повторяю, вполне достаточно комнатки и секретарши. Комнатушка и, главное, лицензия...

На Каймановых островах сейчас зарегистрировано без малого двадцать тысяч фирм – едва ли не по фирме на душу населения. По оценкам западных исследователей, в оффшорах на сегодняшний день крутится около семи триллионов долларов. Триллион выглядит так: 1 000 000 000 000. Прониклись?

Кроме налогового убежища, в оффшорах еще и отмываются деньги. Отмывка грязных денег состоит в том, что они (точнее, их электронный эквивалент), пропутешествовав по длинной цепочке подобных «банков», на определенном этапе становятся как бы вполне респектабельными, и ими можно открыто пользоваться, не рискуя услышать за спиной позвякивание наручников, а перед глазами лицезреть сверкание полицейского жетона со всякими жуткими надписями. Впрочем, частенько цепочка начинается с того, что некто привозит полнехонький чемодан налички – тем, кто часто смотрит голливудские боевики, ситуация знакома (даже голливудские боевики, знаете ли, иногда отражают реальную жизнь).

Легко догадаться, что приличных денег там нет, и оффшоры используются для всевозможных грязных комбинаций: например, ухода от налогов, легализации доходов от торговли наркотиками и оружием, пересылки террористических денег и тому подобного.

Нужно непременно добавить, что из оффшоров можно столь же легко и удобно рулить предприятиями, расположенными за тысячи верст от этих райских мест. Тем же «ЮКОСом». Вы регистрируете штаб-квартиру «ЮКОСа» не в Москве, а где-нибудь на Кипре или островке Антигуа в Карибском море – и ваши немаленькие налоги моментально падают до смешных копеечек...

Именно в эти игры наши олигархи и играют с давних пор. Как раз через британские Нормандские острова, где обитали некогда благородные моряки, герои Виктора Гюго, прошли в «Бэнк оф Нью-Йорк» семь миллиардов уведенных из России долларов.

По самым последним сообщениям, через оффшоры из России улетучилось триста миллиардов долларов, так необходимых нашей экономике. По иным подсчетам, после 1998 года около 80% крупных российских собственников перевели свои активы на баланс оффшорных компаний.

Еще одна обширная, но необходимая цитата (Рой Медведев): «В России сегодня имеется несколько корпораций, крупных компаний, предприятий, которые юридически являются собственностью никому не известных фирм, зарегистрированных в оффшорной зоне на одном из крошечных островков Тихого океана. Поиски реального собственника некоторых крупных предприятий или крупных объектов недвижимости обрывались у дверей адвокатских контор в Голландии или на Кипре. Но обнаружились и такие заводы, шахты, посреднические конторы, юридические адреса которых вообще неизвестны».

Проблема серьезнее, чем можно предположить. Один только пример: более четверти акций РАО «ЕЭС России» уже принадлежит оффшорным структурам. Надо ли объяснять, что это значит, когда энергетика страны зависит от компании жуликов, прописавшихся на Крокодиловых островах. А всего, по разным оценкам, сейчас существует от 80 до 100 тысяч российских оффшорных фирм. Они контролируют российские финансы и добывающий комплекс.

Главное преступление наших олигархов в том и заключается, что они уводят деньги из России. Многое можно было бы простить, останься эти миллионы и миллиарды здесь, работай они на возрождение страны после нелегких лет. Но в том-то и трагедия, что огромные суммы оседают в неизвестных экзотических уголках, обогащая кого угодно, но не Россию и ее граждан.

Впрочем, до недавнего времени были у нас и свои внутренние оффшоры. Соотносились они с мировыми, как механическая прачечная с постирочной в студенческом общежитии, но для нашей страны хватало. Через эти дыры утекало столько денег, что подумать страшно.«Внутренние» оффшоры были официальными и неофициальными. Официально статусы особых экономических зон имели Калмыкия, Мордовия и закрытые административно-территориальные образования (ЗАТО), то есть секретные города, научные центры.

Первые десять лет «экономической реформы» наука вроде бы была и не нужна. По крайней мере увлеченные обслуживанием Великого Хапка власти ее попросту не замечали.

Чтобы отвязаться от постоянных просьб о помощи, правительство передало собираемые на территории ЗАТО налоги в местный бюджет. Надо ли объяснять, что было дальше? В ЗАТО ломанулись компании, ворочавшие миллионами. Крох с их стола вполне хватало закрытым городам для безбедного существования, а фирмы экономили колоссальные деньги. Для примера: в Краснознаменске, небольшом подмосковном городке, за год появилось 136 предприятий с юридическим адресом в одном и том же общежитии. Другой пример: знаменитый «Арзамас-16» предоставил налоговых льгот более чем на 30 миллиардов рублей.

Еще более интересны целые оффшорные территории: Калмыкия, Алтай, Чукотка, Мордовия. Эти зоны приняли законы, освобождавшие зарегистрированные в них компании, частично или полностью, от местной доли налога на прибыль. Распределение налогов было следующим: 11% шло в федеральный бюджет, 35% – в местный, из которого финансировались всевозможные региональные программы.

Вот как это происходило в Мордовии, где хозяйничал «ЮКОС». За 2001–2002 гг. нефтяной гигант сэкономил на мордовских налогах 37,3 миллиарда рублей, «подарив» республике – надо понимать, в виде «безвозмездной благотворительной помощи» – 621 миллион. При этом мордовские власти так кричали в Кремле о нищете своей республики, что сумели получить из федерального бюджета 5 миллиардов рублей. «Выбить» их постарался представитель Мордовии в Совете Федерации – один из хозяев «ЮКОСа» Невзлин. Насколько эти деньги обогатили республику – пусть судят жители Мордовии. А также пусть подумают, лучше или хуже они стали бы жить, если бы эти миллиарды пошли в региональный бюджет.

Добрый губернатор Чукотки Абрамович также предоставил очень весомые налоговые льготы фирмам одного нефтяного магната. Очень интересный человек этот магнат – невзирая на свои еврейские корни, вдруг воспылал страстью к оленеводам севера до такой степени, что даже стал на Чукотке губернатором. Совместными усилиями губернатору и нефтепромышленнику удалось добиться своеобразного рекорда – вместо 35% налога государству доставалось лишь 5,5%. Чукотке тоже перепало неплохо – правление Абрамовича до сих пор вспоминают со вздохом сожаления. Много ли надо нищему северному региону...

За 2002–2003 годы шесть крупнейших нефтяных компаний страны недоплатили в бюджет 160–180 миллиардов рублей, которые благополучно уплыли во «всемирную прачечную». 99,2 миллиарда из них принадлежат «ЮКОСу». (Это как раз то время, когда Ходорковский потребовал, чтобы государство за свой счет обновило ему производственную базу.)

Между прочим, западные страны в период упадка, нестабильности, кризиса ни за что не позволяли своим гражданам вывозить деньги из страны. Многим, наверное, помнится французская комедия с Пьером Ришаром – та, где он играет незадачливого адвоката, чей клиент при удобном случае улизнул из тюрьмы. Есть там парочка любопытных персонажей, с которыми герои ненароком пересекаются, – богатая супружеская чета, пытающаяся выехать за границу на роскошном «роллс-ройсе», набитом мастерски укрытыми золотыми слитками и купюрами.

Это не фантазия комедиографа, а реалии из французской жизни. Практически до середины семидесятых французские граждане попросту не имели права вывозить из страны ни золота, ни крупных сумм денег – пусть даже заработанных в поте лица честнейшим трудом. Никакой «рыночной свободы». Мотив – забота об экономическом положении Франции. Схожие порядки действовали и в других странах «большой семерки» – не только нельзя было вывозить, но и ввозить в ту или иную страну большие суммы возбранялось. Та же забота об экономике и финансовой стабильности.

В сравнительно недавние времена ни один предприниматель в Англии, Франции или иной стране попросту не имел бы возможности, подобно нашему «главному чукче» с исконно чукотской фамилией Абрамович, прикупить иностранную футбольную команду или нечто столь же дорогостоящее. Потому что деньги обязаны были оставаться в стране – если положение в ее экономике или финансах не блестяще.

Существуют и иные соображения. Одно из них возобладало в США, которые до совсем недавнего времени всеми силами защищали оффшоры. До недавнего времени – значит, до 11 сентября 2002 года. Сообразив, что через оффшоры идет и финансирование терроризма, американцы на 180 градусов поменяли отношение к «всемирной прачечной». Налоговое управление США – «четвертая власть» Америки – недавно объявило амнистию тем американцам, которые добровольно сообщили о своих оффшорных делишках. Нет, не ту амнистию, что у нас, отнюдь... Их обязали выплатить до последнего цента все налоги и штрафы за уклонение от их уплаты. Амнистия заключалась в том, что их милостиво не посадили в тюрьму.

Американские налоговики утверждают, что у них есть информация по двум миллионам оффшорных счетов. И, зная привычки штатовских налоговых служб, можно быть уверенным: тем, кто не сдастся, мало не покажется.

Евросоюз тоже не отстает. Ведущие европейские страны намерены отменить у себя закон о банковской тайне и, возможно, вообще запретить на своей территории деятельность оффшорных компаний. Пусть, если им так хочется играть в финансы, гоняют деньги с Кипра на Каймановы острова и обратно...

На самом деле, при минимальном желании, власти и налоговики любого государства могут до такой степени затруднить жизнь оффшорным компаниям, что пользоваться ими станет попросту невыгодно.

Кстати, любопытная подробность: в той самой помянутой крохотной стране Антигуа, охотно распахнувшей двери оффшорным банкам, действует железное правило: эти банки имеют право действовать где угодно, в любой точке земного шара... за исключением Антигуа. Прекрасно понимая, что представляет собой эта публика, власти хотят уберечь от облапошивания своих подданных – с тем самым здоровым цинизмом...

Но перейдем к теме, которую я уже затронул: к тем примерам, что подавали нам страны Запада. Пухлощекий господинчик по фамилии Гайдар в свое время долго и нудно распространялся о «невидимой руке рынка», которая-де только и способна расставить все на свои места, привести страну к процветанию, экономику и финансы – к совершеннейшему благоденствию. По его уверениям, исключительно с помощью этой «незримой руки» Запад и добивался успехов, выходил из кризисов, справлялся с нешуточными проблемами.

Ну что же, давайте подробно рассмотрим, как на самом деле обстояли дела на Западе, когда над темечком экономики той или иной страны начинал с многозначительным видом кружиться жареный петух...

Глава седьмая

ХРОНИКИ ПОЖАРНОЙ КОМАНДЫ

1. Дела давно минувших дней

Кроме закона, должна быть еще и справедливость...

А потому, когда в начале XVII столетия после нескольких неурожаев подряд разразился страшный голод, царь Борис Годунов поступал отнюдь не по-рыночному: распорядился продавать зерно и хлеб по низкой, фиксированной цене, мало того – значительные запасы раздавал даром. Чему, необходимо отметить, всячески противились тогдашние олигархи: бояре и высшие государственные чиновники (сплошь и рядом это были одни и те же персоны), получавшие высокие доходы как раз от спекуляции зерном. Хлеб прятали, украдкой продавали по «задранным» ценам, и до того доходила алчность, что (исторический факт, отмеченный современниками событий!) иные тогдашние «представители элиты», напялив рваный зипунишко, собственной персоной маячили с мешком под мышкой в очереди за бесплатным государевым хлебом...

Принятые Годуновым меры никак не стоит списывать на «российскую патриархальность». Европа давным-давно шла тем же путем. Там еще с XVI века городские власти жестко контролировали цены на хлеб, зорко следили за вывозом зерна, порой взимая в качестве экспортной пошлины 50% стоимости партии. Часто вывоз запрещался полностью – даже из одной провинции государства в другую, как это было, например, в Испании в 1557 году.

В то же время в каждом крупном городе появилась так называемая «хлебная палата», строго контролировавшая оборот зерна и муки. В Венецианской республике дожу (высшему должностному лицу) на стол ежедневно, говоря современным языком, ложилась сводка о запасах зерна. Если их оставалось «всего» на 8 месяцев, в ход моментально вводились «антикризисные» программы. Зерно либо закупали у соседей за любую цену, либо, при крайней необходимости, венецианские боевые корабли выходили в море и перехватывали все проплывающие суда. Если на каком-то корабле находили груз зерна, его немедленно конфисковывали (правда, с выплатой средней рыночной цены). Историк пишет: «Как только возникает малейшая угроза снабжению Венеции, ни один корабль, груженный зерном, не может чувствовать себя в безопасности в Адриатическом море».

Если нехватка зерна становилась вовсе уж угрожающей, то и меры следовали еще более жесткие: на главной площади под звуки труб объявляли полный запрет на вывоз хлеба, в домах горожан проводили повальные обыски, учитывая каждую горсточку зерна, за ворота довольно невежливо выпроваживали всех, кто не имел «местной прописки» – чужеземных торговцев, иногородних студентов, паломников (лишние рты!). Из городской казны выделялись огромные средства...

Другими словами, классическое государственное регулирование цен и социальная помощь. Историк Ф. Бродель: «Все это было чрезвычайно обременительно, но ни один город не мог избежать подобных расходов. В Венеции огромные потери списывались со счетов хлебной палаты, которая должна была, с одной стороны, поощрять крупными выплатами купцов, а с другой – продавать приобретенные таким образом хлеб и муку ниже себестоимости».

Добавим, не всегда продавать. В особо угрожающей ситуации вводились своеобразные «хлебные карточки», по которым каждый горожанин получал два каравая в день.

Власти, безусловно, на все это шли не из филантропии или христианской любви к ближнему. Просто-напросто они прекрасно отдавали себе отчет, что с голодным «электоратом» нужно уметь уживаться, не доводя дело до социального взрыва. Это была цена, которую приходилось платить за спокойствие.

Тем более что печальных примеров хватало. В Неаполе в 1585 году возникла нехватка хлеба исключительно оттого, что зерноторговцы, подмазав кого следует, ради классической сверхприбыли вывезли запасы зерна в Испанию, где случился неурожай и цены стояли высокие.

К дому главного экспортера Джованни Стоарчи подошла возбужденная толпа. Возможно, все и обошлось бы матерной бранью и разбитыми окнами, но «олигарх», очевидно, чересчур уж возомнил о себе: вышел к согражданам и цинично заявил: «Нету хлеба – ешьте камни!»

Его пристукнули там же, на ступеньках собственного дома, труп долго таскали по городу и в конце концов разрубили на части. За это тридцать семь человек получили «высшую меру», а сотня отправилась на галеры, но урок был дан наглядный. Есть сильные подозрения, что прочие любители «свободного рынка» поумерили аппетиты и «внешнеэкономическую деятельность».

Времена тогда были не в пример более патриархальные – история Европы прямо-таки пестрит подобными примерами, когда зарвавшихся торговцев, финансовых спекулянтов и прочих дельцов, не дожидаясь официального правосудия, втаптывали в землю «всем миром». В России, впрочем, тоже не особенно церемонились, бунтов было предостаточно...

2. Игрок в покер

И снова обратимся к истории Соединенных Штатов, где находятся поучительные примеры на все случаи жизни. Она, эта история, снабдила нас и описанием того, что может произойти, когда к верховной власти в стране приходит марионетка олигархов. Даже в такой стране, где всевластие Первого Лица в достаточной мере ограничено.

Летом 1919 года, когда две основных партии США выдвигали своих кандидатов на президентские выборы, имя Уоррена Гардинга из штата Огайо даже не значилось в списках потенциальных претендентов.

Алиса Лонгуорт, известная журналистка, дочь экс-президента Теодора Рузвельта (дама информированная), впоследствии писала о нем: «Гардинг не был плохим человеком. Он просто был слюнтяем».

А еще он был сердечным другом нефтедобытчиков из компании «Стандарт Ойл», обосновавшейся в том самом штате Огайо, где Гардинг был сенатором. Понятие «сердечный друг» в данном случае означало полностью управляемого человека, на которого вполне можно положиться в разных деликатных делах, сулящих большую выгоду.

Была проведена не особенно сложная комбинация. Появились две крайне примечательные фигуры, лопавшиеся от денег: нефтяной делец Догерти, связанный с компаниями Рокфеллеров и Меллонов, и сам глава меллоновского клана, престарелый миллиардер Эндрю Меллон. И предложили руководству республиканской партии простейшую сделку: стулья (то бишь Гардинг) против денег. Для того чтобы покрыть расходы на будущую кампанию, партийные боссы по уши влезли в долги и теперь не представляли, откуда взять деньги, чтобы их заплатить: ровным счетом два миллиона долларов...

Меллон им благородным жестом эти два миллиона тут же выложил. А взамен попросил включить Гардинга в список под номером первым – и проталкивать его в президенты по-настоящему, не жалея усилий.

И Гардинг президентом стал. После чего по столице поползли слухи, что Белый дом превратился в настоящий притон, где новый президент от заката и до рассвета пьянствовал с дружками, решая государственные дела за покерным столом (за Гардингом числилось одно достоинство: умение мастерски играть в покер).

Та самая Алиса Лонгуорт, использовав свои связи, ухитрилась проникнуть в личные апартаменты главы государства:

«До меня доходили слухи, и мне хотелось самой убедиться, насколько они соответствуют истине. Действительность превзошла все эти слухи: комната была набита закадычными друзьями, в числе которых были Догерти, Алекс Мур, Джесс Смит и др., повсюду стояли подносы с бутылками, содержащими все марки виски, какие только можно себе представить (продажа спиртных напитков была запрещена федеральным законом), в руках – карты и мелки для покера; расстегнутые жилеты, задранные на стол ноги и плевательницы на каждом шагу».

Строго говоря, будь дело только в этом – ничего страшного, я думаю. В конце концов есть пословица: «Пей, да дело разумей». Однако все обстояло гораздо печальнее...

Подлинным президентом современники открыто называли Джорджа Харви – человека, не занимавшего никаких официальных или выборных постов, но тем не менее могущественного «серого кардинала». Сохранились достоверные свидетельства, что Гардинг, формируя свой кабинет министров, созванивался с Харви, чтобы получить его одобрение.

Министром финансов стал помянутый Эндрю Меллон. И уж тут-то бодрый старичок, олигарх из олигархов, развернулся! По выражению Артура Шлезингера, началась «веселая грабительская игра»...

Внимание нефтяных компаний США давно привлекали богатые нефтеносные участки на побережье, но по американским законам они считались федеральной собственностью (принадлежали военно-морскому ведомству) и не должны были передаваться в руки частных компаний. Даже аренда не позволялась.

В обход всех и всяческих писаных законов Гардинг в мае 1921 г. подписал распоряжение о передаче участков в штатах Вайоминг и Калифорния в руки частных владельцев. Иначе говоря, – приватизировал.

Но у старины Меллона глаза были определенно больше желудка. Едва став министром финансов, он тут же отменил «Закон о налоге на сверхприбыль», в результате чего господа олигархи, вместе взятые, получили ежегодный выигрыш в полтора миллиарда долларов.

Далее Меллон за четыре года ухитрился вернуть «Меллоновскому банку» (то есть самому себе) 404 тысячи долларов, ранее внесенных в государственную казну в виде налогов. И с помощью виртуозных махинаций (наши олигархи по сравнению с ним кутята) перекачал из казны на счета своих компаний умопомрачительные суммы. Американские историки экономики до сих пор спорят об их точном размере. Оптимисты пишут, что Меллон хапнул «всего 20 миллионов долларов, пессимисты называют другую цифру – от 200 до 300 миллионов.

(Через несколько лет именно Меллон в период кризиса провернул целую систему махинаций, после которых обанкротилось и разорилось множество мелких и средних дельцов, но вот олигархи ничего не потеряли, наоборот, приумножили денежки.)

Забегая вперед, скажу, что в конце концов Эндрю Меллон все же погорел. Его деятельность на посту министра финансов была настолько скандальной, а казну он грабил настолько беззастенчиво, что американские конгрессмены добились его привлечения к суду. Однако богатый дедушка отвертелся. Ему лишь пришлось покинуть пост министра финансов и от греха подальше отправиться послом в Англию. Вернуть деньги так и не удалось...

Не зря острый на язык сенатор Норрис, когда при подобных же обстоятельствах избежал судебного наказания финансовый махинатор Дохини, горько шутил: «Мы должны были бы провести закон, запрещающий привлекать к сроку за преступление тех, кто имеет в кармане 100 млн. долларов».

Уже упоминавшийся приятель Гардинга Догерти оказался замешан в скандале касаемо афер в авиационной промышленности. Сенатор Уикс, которого Гардинг назначил военным министром, в свое время произнес немало речей с осуждением всевозможных аферистов. Однако, когда Догерти попросил его замять дело компании «Райт-Мартин эйркрафт», Уикс, приложив немало трудов, компанию из-под суда вывел. Хотя имелись неопровержимые доказательства, что она, выполняя один из госзаказов, приписала к счету ни много ни мало пять с половиной миллионов долларов – и получила их до последнего цента. Догерти (министр юстиции у Гардинга) владел двумя тысячами акций означенной компании. Подозреваю, заполучил их, не заплатив ни гроша...

Министр юстиции, как тогда же выяснилось, был замешан в массе махинаций: незаконная продажа лицензий на получение алкоголя, сомнительные связи с биржевыми воротилами, многочисленные отказы привлекать к суду за незаконную коммерцию концерны-монополисты...

Министр внутренних дел Фолл получил взяток в общей сложности на кругленькую сумму в полмиллиона долларов (напоминаю, тогдашний доллар был раз в двадцать «тяжелее» нынешнего). Уже позже, в 1931 г., его все же привлекли к суду и – вот чудо! – отправили за решетку. Но это был чуть ли не единственный высокопоставленный сотрудник администрации Гартинга, угодивший на нары. Остальным везло гораздо больше.

Между прочим, основы грандиозного кризиса 1929 года были заложены как раз при Гартинге. Рассказывать подробно о механизмах и махинациях было бы слишком долго (и скучно), поэтому изложу основное кратко.

Прежняя федеральная резервная система, ведавшая в США выпуском денег, продолжай она существовать, не допустила бы многих из крупномасштабных махинаций. Однако Гардинг уволил ее начальника, своего однофамильца У. П. Гардинга, опытного финансиста, державшегося в стороне от Уолл-стрита. И назначил на его место своего приятеля, мелкого дельца Криссингера, ничего не понимавшего в крупных финансовых операциях государственного масштаба. Тот моментально попал под влияние уолл-стритских финансовых олигархов – и понеслось! Взметнулись до небес «пирамиды». Акции одного из банков шли на бирже по 579 долларов, хотя их реальная цена не превышала семидесяти. Тот же банк, «Нэйшнл сити компани», провернул аферу с «перуанским займом». Перуанское правительство выпустило облигации государственного займа на сумму свыше миллиарда долларов – и начало их продавать в США. Эксперты тогда же предупреждали, что эта история откровенно попахивает, и отнюдь не розами: экономическое положение Перу таково, что эти облигации не более чем пустые бумажки, и никаких выплат по ним не дождаться. Однако помянутый банк активнейшим образом распродал облигации (от чего получил приличные комиссионные). Вскоре облигации обесценились до нуля...

И так далее, и тому подобное. Действительно, шла «веселая грабительская игра», не только породившая жуткую коррупцию и многочисленные «пирамиды», но и вызвавшая кризис двадцать девятого года.

Лично для Гардинга все кончилось очень печально...

Газеты подняли шум. Правда, мотивы у них при этом были самые разные – например, денверская газета «Пост», шумно разоблачавшая ту самую аферу с нефтяными участками, моментально заткнулась, когда двум ее владельцам заплатили за молчание 250 тыс. долларов. Собственно, это и был их главный бизнес, ради которого они газету и завели...

Но были и другие, они не молчали, подключались и сенаторы, требовавшие расследования. Скандалов было слишком много, и они получали все большую огласку (истины ради необходимо добавить, что частенько инициаторами тут выступали не «правдолюбцы», а обойденные конкуренты, не имевшие таких связей в Белом доме).

И тут президент Гардинг совершенно внезапно, ни с того ни с сего, умирает. Еще вчера личный врач считал его совершенно здоровым...

Эта смерть вызывает в США подозрения по сей день. Очень уж внезапная кончина, очень странные похороны – скромные, без полагающейся в таких случаях торжественности. Не было ни вскрытия, ни детального медицинского освидетельствования покойного. Официальных версий о причинах смерти президента за краткий период появилось несколько: тут и простуда, и сердечный приступ, и отравление крабами (которых в меню президента не было). Доходило иногда до того, что спорили не о том, была ли смерть президента естественной или насильственной, а о том, было ли это убийство или самоубийство. Отравили или попросту заставили самого покончить с собой, угрожая в противном случае разоблачением, импичментом, судом?

Однозначного ответа нет до сих пор. История крайне темная. После смерти Гардинга всех, кто «засветился», убрали без шума с постов. Под суд угодил один Фолл – и тот гораздо позже. Златолюбивый старец Эндрю Меллон продержался на посту министра финансов до 1933 года, и его выпихнули уже при Рузвельте, хотя посадить так и не удалось.

В общем, вот наглядный пример того, что получается, когда в Самом Высоком Кресле оказывается откровенная марионетка олигархов. Я изложил все лишь вкратце – и напоследок приведу парочку цифр. Общий ущерб для жертв кризиса 1929 года составил, по американским данным, 25 миллиардов тогдашних долларов (следовательно, примерно столько и положили в свой карман олигархи, творцы этого кризиса). А отчет о деятельности Уолл-стрит, расследование всех финансовых афер и махинаций тогдашних американских олигархов, которое проводилось сенатской комиссией по делам банков и валюты, изложен в 8 томах мелким шрифтом, и эти тома насчитывают свыше 10 тысяч страниц...

Не могу удержаться все же, чтобы не привести парочку отрывков из этого отчета.

«33 ведущих коммерческих банка принимали участие в 454 биржевых крупномасштабных сделках, цель которых состояла в том, чтобы по искусственно вздутым ценам сбывать акции широкой публике.

Именно крупнейшие банки и крупнейшие корпорации выбросили на денежный рынок тот искусственно созданный избыток наличных, который сыграл роль "горючего в спекулятивном пожаре".

Лица, контролировавшие эти банки и корпорации, – директор, администраторы и акционеры – внесли больше всего пожертвований в фонды избирательных кампаний обеих ведущих политических партий. Продолжение этой политики гарантировалось контролем господствующей верхушки крупного капитала над федеральной резервной системой».

Повторю еще раз: вот наглядный пример того, что получается, когда олигархи сажают в самое главное кресло своего человека, свою шестерку. И теперь я не могу отделаться от впечатления, что в свое время кто-то у нас все же вдумчиво изучал западный опыт – как раз тот, о котором я рассказываю...

Чтобы разгрести последствия правления Гардинга, понадобились годы, жертвы, усилия... И понадобился человек поистине незаурядный, без которого все могло сложиться хуже. Еще намного хуже, чем было в действительности в одной из богатейших стран мира, заведенной в трясину безудержной алчностью финансистов.

Не одна Россия усилиями богатых мародеров стояла у края пропасти. Там же оказались в 30-е годы и Соединенные Штаты...

3. Коммунист в Белом доме?

Давайте для начала освежим в памяти страницы русской классики – в частности, рассказ «Хорь и Калиныч» из «Записок охотника» Тургенева.

Заезжий городской барин-охотник встречается с двумя крестьянами, чьими именами и назван рассказ. Узнав, что барин и заграницей бывал, «любопытство их разгорелось».

«Калиныч от него не отставал. Но Калиныча более трогали описания природы, гор, водопадов, необыкновенных зданий, больших городов; Хоря занимали вопросы административные и государственные. Он перебирал все по порядку: "Что, у них это там есть так же, как у нас, аль иначе? Ну, говори, батюшка – как же"... Хорь молчал, хмурил густые брови и лишь изредка замечал, что, "дескать, это у нас не шло бы. А вот это хорошо – это порядок"».

Речь идет, если кто запамятовал, о самых что ни на есть простых мужиках из захолустной деревушки, крепостных (Хорь к тому же не умел читать, хотя менее серьезный Калиныч – умел). Тургенев после подобных разговоров составил себе следующее представление о русском человеке: «Что хорошо – то ему и нравится, что разумно – то ему и подавай, а откуда оно идет – ему все равно. Его здравый смысл охотно подтрунит над сухопарым немецким рассудком; но немцы, по словам Хоря, любопытный народец, и поучиться у них он готов».

К чему я клоню? К очень простой вещи: сдается мне, что собеседник Тургенева, неграмотный крепостной мужик, был гораздо толковее Егора Гайдара, экономиста по диплому, умевшего читать не только по-русски, но и по-аглицки...

Возможно, это кому-то покажется странным, но, чтобы доказать свое утверждение, я не стану приводить собственных аргументов, а подробно рассмотрю, как «лечил» американский кризис президент Франклин Делано Рузвельт.

Итак... Начало тридцатых годов Соединенные Штаты Америки встретили, пребывая в тисках жесточайшего кризиса. Началось все с биржи, когда рухнула гигантская пирамида неисчислимого множества акций, чья стоимость (искусственно задранная или столь же искусственно опущенная) не имела ничего общего с реальной стоимостью предприятий и компаний. Банкиры и финансисты, еще недавно превозносившиеся прессой как гении, ситуацию не удержали. Хотя самомнения было – хоть отбавляй. Сам Рузвельт вспоминал впоследствии, как вскоре после начала Первой мировой войны добрые приятели из банкирских и брокерских кругов убеждали его, что война не продлится и шести месяцев, «поскольку банкиры ее остановят».

Получилось несколько по-другому: война шла четыре года, и никакие банкиры ее не смогли остановить, как не сумели и справиться с кризисом...

Обесценились акции, а значит, превеликое множество людей не смогло вернуть банкам кредиты, бравшиеся как раз для биржевой игры. Зашатались банки, лишенные оборотных средств, – рикошетом ударило по промышленности, торговле, всей экономике.

Это были по-настоящему жуткие времена... По всей стране стояли заводы и фабрики. Безработных насчитывалось 17 миллионов – почти половина от общего числа тех, кого можно считать классическим пролетариатом. Ширились демонстрации. Национальный совет безработных, созданный в 1930 году, выводил на улицы огромные демонстрации, порой достигавшие полумиллиона человек. Их без малейшей политкорректности (изобретения самого позднейшего времени) разгоняли полиция и войска. В стычках в 1932–1933 гг. были убиты 23 безработных. 7 марта 1932 г. в городе Дирборне трехтысячную демонстрацию, не раздумывая, расстреляли из пулеметов. Американская компартия, тогда (как и теперь, впрочем) особым влиянием не пользовавшаяся, насчитывала в те годы 10 тыс. человек, но левые настроения были сильны: над гробами убитых висел огромный флаг с портретом Ленина, а оркестр играл русские революционные марши. Глупо считать это результатом «происков ГПУ». Даже серьезнейшая «Нью-Йорк таймс» писала в тревоге: «Вызывающие беспокойство экономические явления не только превосходят эпизоды подобного рода, но и угрожают гибелью капиталистической системы».

Летом 1932 года в Вашингтоне со всей страны собрались 25 тыс. ветеранов Первой мировой, требуя выплаты пособий. Это были отнюдь не леваки, наоборот: двое участников марша, заподозренные в «коммунизме», были убиты, а всем, кого подозревали в «левой агитации», без церемоний назначали 215 ударов солдатским ремнем по хребту.

Тем не менее полиция стреляла в разбивших в предместье столицы палаточный городок ветеранов. Двое убитых, несколько раненых. Потом в атаку пошла армия – регулярные части, которые вели генерал Д. МакАртур и его адъютант майор Д. Эйзенхауэр (те самые будущие знаменитости). В дело пустили не только пехоту, но армейскую кавалерию и даже легкие танки. В суматохе, когда власти громили лагерь, семилетний мальчик получил штыковую рану, а два младенца (ветераны вели с собой жен и детей) умерли от слезоточивого газа.

В сельскохозяйственных регионах массово развернулись фермерские волнения. Фермеры требовали повысить закупочные цены на сельхозпродукцию, урезать баснословные прибыли наживавшихся на их труде посреднических фирм, выдать пособия нуждающимся, прекратить продажу имущества разорившихся. Они блокировали поставку продовольствия в города, останавливая машины и даже поезда. Звучали даже предложения «устроить революцию, как в России». Сохранилось «типичное», как замечают историки, письмо одного из фермеров в Белый дом: «Отныне я навеки проклинаю финансовых баронов и сделаю все, что смогу, чтобы установился коммунизм».

Рузвельт в то время был губернатором штата Нью-Йорк. И, как достоверно известно, был совершенно согласен со словами известного публициста Уильяма Уайта: «Я боюсь одного: если корабль не выпрямится, экипаж выскочит и выбросит за борт всю офицерскую толпу в расшитых мундирах – демократов, республиканцев, решительно всех».

Примерно в то же самое время к Рузвельту явился некий «экономист», определенно предшественник Гайдара, и дал совет, который сам считал весьма ценным: единственная надежда побудить страну к изменениям и провести реформы – подождать, когда государственный корабль окончательно сядет на мель. Совершенно гайдаровская позиция: разрушить все до основания, а уж затем...

Рузвельт холодно ответил: «Люди не скоты, вы должны это знать». А вскоре в одном из частных писем в двух фразах высказал то, что можно смело считать сутью его программы и идеологии: «У меня нет никаких сомнений в том, что для страны пришло время на целое поколение стать радикальной. История показывает, что там, где это случается, нации избавлены от революции».

Более подробно он развил эти мысли в выступлении в законодательном собрании штата Нью-Йорк: «Что представляет собой государство? Это должным образом учрежденный орган, представляющий организованное общество человеческих существ, созданное ими для взаимной защиты и благосостояния. "Государство" или "правительство" – это только аппарат, посредством которого достигается такая взаимная помощь и защита. Пещерный человек боролся за существование в таких условиях, когда другие люди не только не помогали ему, но даже выступали против него. Однако теперь самый скромный гражданин нашего государства находится под защитой всей мощи и силы своего правительства. Долг государства по отношению к гражданам является долгом слуги по отношению к своему хозяину...

Одна из обязанностей государства заключается в заботе о гражданах, оказавшихся жертвами неблагоприятных обстоятельств, лишившихся возможности получить даже самое необходимое для существования без помощи других. Эта обязанность признается в каждой цивилизованной стране...

Помощь этим несчастным гражданам должна быть предоставлена правительством не в форме милостыни, а в порядке выполнения общественного долга».

Рузвельт предложил создать в штате Нью-Йорк «Временную чрезвычайную администрацию помощи» и выделить ей 20 млн долларов, которые предполагалось получить путем 50-процентного повышения налогов штата.

Так и поступили. Эта абсолютно нерыночная, не укладывающаяся в рамки «дикого капитализма» организация проработала шесть лет, истратив на помощь 5 млн. нуждающимся жителям штата (примерно 10% населения) 1 млрд 155 млн. долларов.

Не в последней степени благодаря ВЧАП Рузвельт и прошел в Белый дом – распорядительный и толковый губернатор великолепно смотрелся на фоне откровенно растерявшихся и бездействовавших федеральных властей...

В одной из его речей во время предвыборной кампании были такие слова: «Даже при беглом взгляде видно, что равенства возможностей, как мы знали его, больше не существует... Наш народ живет теперь плохо... Независимый предприниматель исчезает... Если этот процесс будет идти в таком же темпе, к концу столетия дюжина корпораций будет контролировать американскую экономику, а пожалуй, сейчас всего сотня людей руководит ею. Просто-напросто мы неуклонно идем к экономической олигархии, если она не существует уже сегодня».

А впрочем, еще в 1910 году другой президент, Теодор Рузвельт, говорил: «Собственность каждого человека подчинена общему праву коллектива регулировать ее использование в той степени, в какой этого может потребовать общее благо». (Сравните это с хлюпаньем наших либералов, упрекающих власти в «отъеме собственности» г-на Ходорковского. И согласитесь: если завтра будет принято решение конфисковать утаенные в оффшорах капиталы, то это вовсе не «рецидив 37-го», а всего-навсего претворение в жизнь идей и Т. Рузвельта, и Ф. Д. Рузвельта – не коммуниста, не левого, попросту умного реформатора системы...)

В 1933 году, когда Рузвельт был уже президентом, к началу марта все действующие в стране банки просто-напросто закрылись – поскольку опустели их деньгохранилища. Видный публицист У. Липпман писал: «В минувшие пять лет промышленные и финансовые лидеры Америки были низвергнуты с высочайших позиций влияния и власти в глубокую пропасть». Ему вторил Дж. Кеннеди-старший: «Вера в то, что контролирующие корпорации в Америке руководствуются честными мотивами и высокими идеалами, потрясена до основания».

(Въедливо заметим в скобках: вообще-то, в отличие от Липпмана, Кеннеди как раз и сколотил громадное состояние на биржевых спекуляциях, но успел *соскочить* вовремя...)

Рузвельт пробил в конгрессе «чрезвычайный закон о банках». Свыше 2 тысяч банков, чье состояние дел признано «нездоровым», были закрыты – раз и навсегда. Банки разделили на инвестиционные и коммерческие – теперь запрещалось вкладывать деньги «физических лиц» в какие-то проекты «на стороне». Была создана федеральная комиссия, страховавшая вклады граждан размером до 5 тыс. долларов.

Затем президент подписал распоряжение, запрещавшее хождение золотой валюты. Всем владельцам золотых монет было предложено незамедлительно обменять золото в банках на бумажные деньги – под страхом тюремного заключения на 10 лет и штрафа в 100 тыс. долларов. Экспорт золота запрещался под угрозой еще более суровых наказаний.

Как видим, меры абсолютно нерыночные и в чем-то неприкрыто противоречащие «священному принципу частной собственности», но страну следовало выводить из кризиса, и все средства были хороши...

Далее был создан «Гражданский корпус сохранения ресурсов». Организовали трудовые лагеря на 250 тыс. молодых людей в возрасте от 18 до 25 лет из семей, живущих на пособия, а также безработных ветеранов войны. Их обеспечили бесплатным питанием, кровом, формой и долларом в день. Через два года в лагерях ГКСР насчитывалось уже полмиллиона человек. С началом Второй мировой корпус был распущен, через него прошло около 3 млн. человек.

Чем они занимались? Мелиорация, рытье прудов, прокладка дорог, уход за лесами и парками. Главное достижение корпуса – лесозащитная полоса, протянувшаяся по сотому меридиану через всю страну, от канадской границы до города Абилена в штате Техас. Было высажено двести миллионов деревьев.

Опять-таки совершенно нерыночное учреждение, но немало пользы принесшее стране.

В 1933 году с подачи Рузвельта конгресс принял закон о регулировании сельского хозяйства. Созданная при министерстве сельского хозяйства «фермерская кредитная ассоциация» выделила к концу года кредитов фермерам на сумму около 100 млн. долларов. Продажи ферм с аукциона за долга практически прекратились, срок закладных продлевался. Правительство, кроме того, приняло специальное решение, по которому банкиры могли теперь предоставлять фермерам кредиты не больше, чем под 5% (а не под 16%, как прежде).

Совершенно нерыночные меры! Но это означало ту самую поддержку отечественного производителя, от которой «реформаторы» типа Гайдара открещивались как могли...

16 июня 1933 г. вступил в силу «Закон о восстановлении национальной промышленности», по которому предлагалось ввести не только «кодексы честной конкуренции», но и минимальную заработную плату, максимальную рабочую неделю. Была усилена техника безопасности и запрещен детский труд.

Чтобы повысить занятость и оживить экономику, правительством была ассигнована невероятная по тем временам сумма в 3 млрд 300 млн долларов на «государственные работы»: от постройки новых военных кораблей до расчистки трущоб и ремонта дорог. Иными словами, тот самый госзаказ, против которого опять-таки с пеной у рта возражали наши доморощенные «экономисты».

Вскоре стало осуществляться грандиозное государственное предприятие – было создано «Управление долины реки Теннесси».

Бассейн Теннесси охватывает семь южных штатов страны. В первой половине XIX столетия это были процветающие районы хлопководства, но после Гражданской войны началась хищническая вырубка лесов, которая усилила эрозию, а бездумная эксплуатация земли истощили почву. Со временем помянутые семь штатов стали едва ли не самыми бедными в США.

Меж тем гидроресурсы Теннесси были огромными. Тут же зашевелились монополии, намереваясь приватизировать недостроенные в этих местах еще в Первую мировую войну пять государственных плотин и несколько заводов. Электроэнергия получалась бы дешевой, а прибыли, соответственно – громадными.

Группа «либералов», сплотившаяся вокруг сенатора Норриса, еще до Рузвельта провела через конгресс закон, по которому ресурсы Теннесси могли использовать только федеральные власти. Президенты Кулидж и Гувер последовательно накладывали на него вето, но не Рузвельт.

Была создана государственная корпорация, то самое Управление, которое, по мысли Рузвельта, должно было «наладить производство электроэнергии, бороться против эрозии, контролировать получающую электроэнергию промышленность, помогать бедствующим фермерам».

Это решение президента было встречено протестующими воплями, причем, по странному совпадению, громче всех орал У. Уилки, президент частной компании, контролировавшей энергетику Юга. «Забрать наш рынок – значит лишить нас собственности», – разорялся Уилки. И предлагал альтернативный вариант: так и быть, правительство, если ему хочется, может за свой счет строить сколько угодно ГЭС, но передачу электроэнергии и ее продажу должны осуществлять частные компании.

Его поддерживал конгрессмен Дж. Мартин, заявивший, что Управление «точно строится по образу и подобию советских планов. Его коллега Ч. Итон вторил: «Этот закон и аналогичные ему являются попыткой внедрить в американскую систему русские идеи».

Самое забавное – что оба в общем были совершенно правы! В идее Управления реки Теннесси было кое-что от советской практики государственных планов, пятилеток и госзаказов – и ничегошеньки от «свободного рынка».

В общем, оппоненты Рузвельта проиграли. Управление реки Теннесси без малейшего участия частного капитала развернуло работы на территории в 640 тыс. квадратных миль (миля, напоминаю, равна 1,6 км). Были достроены пять плотин и с нуля возведены еще двадцать. Река стала судоходной, улучшилось земледелие, высажены леса, остановлена эрозия. Доходы населения тех самых семи штатов резко повысились. Чуть позже в США признали, что без создания этого экономического района невозможны были бы и работы над атомной бомбой.

Рузвельта часто упрекали в том, что Управление – это «социализм». Он отвечал: «Называйте его хоть рыбой, хоть мясом, но оно удивительно вкусно для жителей долины Теннесси».

Абсолютно нерыночным учреждением была и «Администрация по электрификации сельских районов», чье предназначение ясно из самого ее названия. Результат? В одной фразе: в 1930 году менее 10% ферм имели электричество, а в 1945 году трудами данной «Администрации» было электрифицировано более половины ферм.

И, наконец, система социального обеспечения.

Сегодня в это верится с трудом, но до Рузвельта социального обеспечения рабочих не существовало вообще. Ни пенсий по старости, ни выплат по больничным листам (и самих больничных листов не было), ни пенсий по инвалидности, не говоря уже о пособиях для безработных... Прежние американские стандарты выражались циничной поговоркой: «Каждый сам заботится о себе, а об остальных пусть дьявол думает». Рузвельт предложил другой принцип: забота государства о своих гражданах, пусть и ограниченная.

Забавная деталь: во время обсуждения в конгрессе закона о социальном обеспечении с мест для публики выскочила какая-то дамочка и завопила:

– Закон слово в слово списан с восемнадцатой страницы «Коммунистического манифеста», который я держу в руке!

Аргументация не подействовала – закон был принят подавляющим большинством голосов...

Можно еще бегло упомянуть и о повышении налогов для богатых (прогрессивная шкала), и о мерах по государственному регулированию частного бизнеса. Рузвельт так и не покончил ни с монополиями, ни с олигархами, но создал сильную и эффективную систему, серьезно ограничившую их стремления драть три шкуры с большинства и распоряжаться в стране как в собственной вотчине...

Он не был, строго говоря, ни правым, ни левым – просто-напросто энергичным и смелым реформатором. Хотя его и называли публично коммунистом...

Знаете, за что? Хотя бы за комиссию конгресса, расследовавшую методы ведения дел на бирже. Именно эта комиссия вскрыла потрясающие по цинизму и наглости проделки финансовых королей страны. Выяснилось, например, что в двадцатые годы банк Моргана, «финансового флибустьера с Уолл-стрит», оптом и в розницу скупал влиятельных, занимавших видное положение лиц. В этом малопочтенном списке, как узнала страна, числились и президент Кулидж, и многие министры, и национальный герой генерал Першинг, и знаменитый летчик Линдберг, и даже министр финансов в правительстве Рузвельта У. Вудин.

Именно тогда один из крупных банкиров заявил касаемо Рузвельта: «Он коммунист наихудшего сорта... Кто, за исключением коммунистов, сможет осмелиться подвергнуть расследованию дела господ Моргана и Меллона?»

Логика железная: кто дерзнет расследовать махинации финансовых олигархов, тот и коммунист. Мы это уже проходили у себя на родине: всякий, кто дерзнул сомневаться в деловых качествах и порядочности «молодых реформаторов», автоматически зачислялся в «сталинистов», «врагов реформ» и «красно-коричневых».

О светлом облике помянутого г-на Меллона мы подробно поговорим в следующей главе, а пока что следует непременно внести важные дополнения...

Соль в том, что Рузвельт начал свои реформы отнюдь не на пустом месте, не с чистого листа! Серьезнейшей ошибкой было бы полагать, что он явился этаким первопроходцем, что именно он первым создал теорию и практику.

На самом деле Франклин Делано Рузвельт просто-напросто продолжал, творчески развивая, те мощные тенденции и проработанные идеи, что появились на свет практически сразу после провозглашения независимости Соединенных Штатов.

Слово одному из крупнейших американских историков Артуру Шлезингеру:

«Миф о том, что своим развитием Америка обязана неограниченной свободе частного предпринимательства, оказался на редкость живучим».

И далее: «Американцы свято верят в миф о том, что экономическое процветание США является результатом ничем не ограниченного частного предпринимательства – можно подумать, что мощнейшая экономика XX в. – плод непорочного зачатия, при котором роль Богородицы выпала на долю Адама Смита».

Вот так сюрприз! По мнению столь авторитетной и крупной фигуры, как Шлезингер, все было совершенно иначе! Давайте читать его работы вдумчиво...

Так вот, из книги Шлезингера узнаешь прелюбопытнейшие вещи. Оказывается, практически сразу после провозглашения независимости появились две концепции развития государства, которые разработали Гамильтон и Джефферсон, фигуры в американской истории, как говорится, знаковые, «отцы-основатели». Первый был министром финансов, второй – президентом.

Гамильтон не имел ничего против капитализма, технического прогресса и частных корпораций. Однако считал, что сильное федеральное правительство прямо-таки обязано играть роль внимательного надсмотрщика (эта теория была названа «федерализмом»). Утверждение о том, что экономика способна к саморегулированию (та самая «невидимая рука рынка», о которой распинался Гайдар) Гамильтон называл «бредовым парадоксом». И писал: «Ничем не ограниченный дух предпринимательства ведет к нарушению законов и произволу, а в итоге – к насилию и войне». В «Докладе о промышленности» он подытожил свои взгляды следующим образом: «Беспокойная натура американцев, присущая им живость, ум и деловая предприимчивость, будучи направлены в нужное русло, пойдут им на пользу. Но, развиваясь бесконтрольно, те же свойства приведут к пагубным последствиям». В своей так называемой «Великой программе», написанной в 90-х годах XVIII в., Гамильтон призывал государство предоставлять средства «лишь тем, кто готов использовать их под контролем общества на развитие национального производства».

Противоположной точки зрения придерживался Джефферсон, оспаривавший руководящую роль государства в экономике. Правда, он до конца жизни считал, что США совершенно не нужны ни биржа, ни частные банки, поскольку главная угроза исходит как раз «от всевластия банкиров» (пожалуй, именно у него заимствовал впоследствии свою «антибанковскую» теорию Генри Форд). Но в своих взглядах на роль правительства был непреклонен: «Самое хорошее правительство – то, которое менее всего управляет».

А впрочем, Джефферсон – в отличие от Гайдара – никогда не был упертым догматиком. Когда он стал президентом и его единомышленники сменили у руля «федералистов» Гамильтона, Джефферсон не стал ломать унаследованную от предшественников систему. Наоборот, он соглашался, что «правительству надлежит оказывать помощь сельскому хозяйству, торговле и промышленности в период временных затруднений». А во время своего второго президентского срока неоднократно предлагал конгрессу «использовать имеющиеся полномочия или внести соответствующие приемлемые для Штатов поправки в Конституцию для финансирования за счет растущих федеральных доходов строительства дорог, каналов, водных путей, а также народного образования и прочих основных компонентов нашего благосостояния и единства».

Вмешательство правительства в экономику Штатов было привычным делом. Идея государственного регулирования имела широкую национальную поддержку. Цитирую Шлезингера: «Отцы-основатели отнюдь не были рьяными приверженцами нерегулируемого рынка, точно так же, как и неограниченной свободы предпринимательства. От них мы, скорее, унаследовали сочетание частной инициативы и государственного регулирования, именуемое в наши дни смешанной экономикой».

Идеи «федералистов» претворял в жизнь в 20-х годах XIX в. и президент Д. К. Адамс: «Главная цель гражданского правительства как института заключается в улучшении условий жизни тех, кто является участником общественного договора. Общепризнанная цель деятельности правительства в любой его мыслимой форме достигается им лишь в той мере, в какой ему удается улучшить положение граждан, которыми оно призвано управлять». По Адамсу, правительство обязано было взять на себя контроль над «путями сообщения, общественными работами и общим развитием промышленности... способствовать прогрессу сельского хозяйства, торговли и промышленности, содействовать развитию фабричной техники и поощрять изящные искусства, словесность и науки».

В полном соответствии с этими идеями действовали как федеральное правительство, так и правительство Штатов. В отличие от Великобритании, где железными дорогами и каналами занимался исключительно частный капитал, в США правительство, не дожидаясь «невидимой руки рынка», за счет бюджетных средств обеспечило 70% расходов по строительству каналов и 30% – при прокладке дорог. В южных штатах строительство железных дорог на 75% финансировалось правительством.

Тогда же, в первой трети XIX в., когда раздались предложения передать канал Эри в частное владение, члены созданной для изучения вопроса комиссии опять-таки проигнорировали концепцию ничем не ограниченного частного предпринимательства: «На карту поставлена судьба общенационального проекта огромного значения. Проект такого масштаба гораздо рентабельней осуществлять под контролем государства, нежели предоставить его попечению какой-либо компании». Точно так же члены комиссии по сооружению каналов в штате Огайо считали, что «контроль над системой каналов в штате, осуществляемый группой частных лиц, наших соотечественников и уж тем более иностранцев, что не исключено, несовместимо с достоинством, интересами и благоденствием нашего штата. Каналы, будучи общественными сооружениями, должны приносить максимальную пользу обществу. Частная же компания будет заинтересована лишь в получении наибольшей прибыли». Губернатор штата Массачусетс Леви Линкольн был не менее категоричен: «Лишь система государственного предпринимательства способна защитить жизненно важные интересы людей и укрепить авторитет и благосостояние государства».

Там, где государство все же создавало смешанные компании с участием частного капитала, опять-таки действовало неприкрытое государственное регулирование экономики. Шлезингер: «В этих случаях частные корпорации играли роль инструментов, при помощи которых государство направляло, стимулировало и контролировало экономическое развитие страны».

Правительства штатов, не допускавшие никаких «экономических вольностей», регулировали деятельность банков и корпораций – вплоть до размера дивидендов, процентных ставок на кредит и даже курса акций. Законодательные собрания штатов имели право вносить поправки в уставы частных корпораций и даже аннулировать их. Штат определял и порядок выдачи лицензий частным предпринимателям, и нормы контроля за качеством продукции, и условия труда, и продолжительность рабочего дня.

Положение изменилось во второй половине XIX в., когда частный капитал набрал силы, встал на ноги и уже не нуждался в государственных кредитах и правительственной поддержке. Шлезингер прямо пишет, что именно в те времена победила «джефферсоновщина чистейшей воды». Маятник, фигурально выражаясь, качнулся в другую сторону, и вмешательство властей в частный бизнес резко ослабло. Тогда, по Шлезингеру, и стал создаваться миф о том, что в США «всегда» развивалось свободное, ничем не стесненное частное предпринимательство...

Самое интересное, что «джефферсоновцам» пришлась как нельзя более по вкусу теория Дарвина. Именно ею и обосновывали развитие «дикого» рынка: мол, гарантия прогресса цивилизации якобы в том и состоит, что выживают наиболее приспособленные к процессу свободной конкуренции человеческие особи. А о тех, кто выжить не смог, и жалеть нечего. У нас эти взгляды привыкли именовать «протестантской этикой» Там и в самом деле есть кое-что от протестантизма, но гораздо больше – от Чарльза Дарвина (в чьи теории сегодня многие крупные ученые Запада считают просто-таки неприличным верить...)

В общем, несколько десятилетий экономика страны развивалась уже в полном противоречии с теориями «федералистов» и прежней практикой правительственного регулирования. Однако к концу XIX столетия многие начали понимать, что страна, качнувшись в другую крайность, делала не лучший выбор. Очень уж пышным цветом расцвели «угнетение, несправедливость и бедность». В 1894 году сенатор Генри Кэбот Лодж, выступая перед коллегами, говорил: «Всепроникающая власть единоличного монарха, тирания, конечно, зло, но это вовсе не означает, что ограниченное и разумное вмешательство власти в экономику при любой форме правления следует считать таким же злом».

И маятник сделал еще один взмах... Началось медленное, «ползучее» возвращение к практике «федералистов». Правительства штатов начали понемногу принимать законы, регулирующие деятельность корпораций, и подбираться к социальному законодательству. В начале XX в. Теодор Рузвельт доказывал, что могущество корпораций представляет угрозу для демократии. «Только национальное правительство может навести должный порядок в промышленности, что отнюдь не равнозначно централизации. Это лишь признание того очевидного факта, что процесс централизации уже охватил и наш бизнес. Контроль за этой безответственной и антиобщественной силой может осуществляться в интересах всего народа лишь одним способом – предоставлением надлежащих полномочий единственному институту, способному ими воспользоваться, – федеральному правительству».

Кроме теоретических построений, Рузвельт предпринимал и практические шаги. Сменивший его Вудро Вильсон шел той же дорогой, заявляя: «Без постоянного и решительного вмешательства правительства нам не добиться справедливости во взаимоотношениях между гражданами и столь могущественными институтами, как тресты».

Накануне Первой мировой войны была детально разработана концепция государственного вмешательства в экономику как инструмента расширения демократии (Герберт Кроули и др.).

Однако вскоре после окончания войны тогдашним американским олигархам удалось протащить в Белый дом свою марионетку – Уолтера Гардинга (о том, что тогда творилось, – в следующей главе). «Джефферсоновщина» правила бал с таким размахом, какой наверняка ужаснул бы и самого Джефферсона.

Но потом пришел Рузвельт. Он, как мы убедились, всего-навсего продолжал, творчески развивал, углублял и совершенствовал взгляды, родившиеся одновременно с молодой американской республикой.

Однако нам-то с вами, соотечественники, «Гайдар и его команда» не один год рассказывали совсем другие сказки! Те самые мифы о свободном, ничем не стесненном частном предпринимательстве, якобы только и сделавшем Америку богатой и счастливой. О «невидимой руке рынка», которая якобы только и способна неким мистическим образом все наладить! Короче говоря, Гайдар и ему подобные долго и старательно брехали. Америки, какой они нам ее рисовали, никогда не существовало...

А теперь приглашаю читателя подумать вместе со мной. Чтобы написать эту главу, я не погружался в засекреченные архивы и не пользовался научными библиотеками. Достаточно было вдумчиво прочитать буквально четыре-пять книг (отечественных авторов и переведенных на русский язык американцев), чтобы дать, смею думать, более-менее подробную картину реформ Рузвельта и историю борьбы в США двух основных экономических теорий – сторонников государственного регулирования экономики и их противников.

Но ведь люди, именующие себя «экономистами» и похваляющиеся знанием английского, просто обязаны были читать те же книги – и немалое количество других, гораздо более научных и обстоятельных!

Отчего же они этого не сделали? Отчего «молодые реформаторы» старательно вбивали в сознание россиян картину какой-то иной Америки, никогда не существовавшей в природе? Почему верили, будто спасение как раз и заключается исключительно в полнейшем устранении государства от руководства экономикой, в «невидимой руке рынка», которая якобы, будучи введена в действие, принесет процветание? Хотя в самой Америке «разгул экономических вольностей» продолжался как раз очень недолго, три-четыре десятилетия в конце XIX в. – и вскоре положение кардинальным образом изменилось...

Почему?

Плюрализма, как я уже говорил, тут быть не может. Вариантов только два. Либо наши «реформаторы» – невежественные недоучки, за все годы учебы в институтах и аспирантурах так и не изучившие подлинную историю экономики США, ее основные теории, антикризисные меры. Либо они все прекрасно знали заранее, но лгали умышленно, изо всех сил проводя в жизнь как раз тот самый вариант дикого, олигархического капитализма, против которого в самих США долгие десятилетия выступали и политики, и экономисты, и крупные промышленники...

Еще несколько примеров из жизни США.

О частной собственности на землю. В Америке она сохраняется, но только на те земли, что стали частными «естественным образом», во времена становления государства. Вот уже сто лет обширные федеральные земли (которых в США изрядно) не продаются частным лицам, а сдаются исключительно в аренду. В том числе и нефтеносные поля, которые буквально в последние годы решено «распечатать» после многолетней «консервации». И та самая природная рента пойдет опять-таки в федеральную казну, а не станет обогащать новоявленных олигархов.

О государственном регулировании. Оно осуществляется достаточно тонкими методами. Вот как было, например, с транзисторами – я имею в виду не радиоприемники, а транзисторы как таковые.

Кто-то, возможно, и не помнит, но в сороковые – и даже в пятидесятые – вся радиоэлектронная техника работала исключительно на лампах. Рации, компьютеры, телевизоры, портативные приемники, локаторы – что ни возьми, везде стояли лампы, немалых габаритов стеклянные баллоны с металлической начинкой. Громоздкая была техника.

Потом изобрели транзисторы – крохотные кусочки пластика с металлической опять-таки начинкой, но микроскопических размеров. Однако частные концерны США решительно не хотели перестраивать свои огромные заводы. Им и так было хорошо: продукция пользовалась устойчивым спросом, а реконструкция производства обошлась бы в приличные деньги и на какое-то время снизила бы доход...

Федеральное правительство не имело такой власти – приказать частному производителю перейти на новую, более прогрессивную технологию. Зашли с другой стороны...

Совершенно законным, демократическим образом в налоговое законодательство внесли ма-ахонькие изменения. Теперь налоги на производство радиоламп стали выше. Самую чуточку, какие-то доли цента на партию в тысячу ламп. Но поскольку лампы производились многими миллионами, налоги выросли весьма даже значительно. И одновременно были введены налоговые льготы для производителей транзисторов: опять-таки выражавшиеся в долях цента на партию в тысячи единиц продукции, но, если производить новинку многими миллионами... Уловили?

В общем, не прошло и полугода, как частные концерны оперативнейшим образом обновили технологии, реконструировали заводы, и, забросив радиолампы, погнали транзисторы в огромных количествах...

Методика понятна? Вот такие подходы и нужно перенимать – не пресловутый «экономический диктат», а мягкие, ненавязчивые окольные пути, как нельзя лучше отвечающие понятию «государственное регулирование»...

4. «Немецкое чудо»

И, разумеется, никак нельзя обойти вниманием немецкое «экономическое чудо» – молниеносное по историческим меркам восстановление экономики Западной Германии, приведшее к нешуточному процветанию.

Как и в США, в немецких событиях не было никакой «невидимой руки рынка», уместной скорее в фильмах о привидениях, где эти самые «невидимые руки» немало досаждают героям. Министр экономики Людвиг Эрхард считался «экономическим либералом» и неоднократно отмежевывался публично от «планового хозяйства на советский манер». Однако он же был вынужден признать: «Современное и осознающее свою ответственность государство просто не может себе позволить еще развернуться к роли "ночного сторожа"».

Вот как проходила денежная реформа, объявленная 20 июня 1948 г. во всех трех западных оккупационных зонах (еще не ФРГ!). Каждый немец получил на руки 40 «новых» марок, а через два месяца еще 20. Оставшуюся на руках наличность в виде свободно обращавшихся до этого дня старых рейхсмарок можно было поменять, но обмен по сути получился конфискационным.

Фирмы получили по 60 марок на каждого работника для выплаты первых заработков, а органы государственного управления – эквивалент их обычных месячных доходов в новой валюте.

Все вклады в банках были уменьшены в десять раз. Мало того, половина сумм, находившихся на банковских счетах, стала доступной для владельцев только после того, как соответствующие службы проверили эти деньги на предмет уклонения от налогов – и «грязные» конфисковали.

Оставшаяся половина была на какое-то время блокирована. Только через три месяца ее «разморозили», но следующим образом: 10% выдается на руки, 5% принудительным образом инвестируется в экономику, а оставшиеся 35% ликвидируются вообще...

В общем, ничего либерального. Но эти меры практически ликвидировали «черный рынок», предотвратили инфляцию и максимально усложнили жизнь любителям уклоняться от налогов...

Стратегические отрасли промышленности (например, угольная и сталелитейная) попали под «особое управление» – власти управляли инвестициями, регулировали цены, устанавливали квоты. А также распределяли некоторые дефицитные товары в других отраслях экономики. Цены на основные продукты питания жестко контролировались государством вплоть до 1958 года – как и транспортные и почтовые тарифы.

На протяжении примерно года после начала реформы германский Центробанк практически полностью прекратил выдавать кредиты – чем ликвидировал почву для всевозможных финансовых злоупотреблений вроде «прокрутки» денег частными банкирами и получения через коррумпированных чиновников льготных ссуд. А когда через год производителя все же стали кредитовать, учетные ставки были самыми щадящими.

И наконец, государство расходовало значительные средства на поддержку экономики (опять-таки производящих отраслей). В сфере жилищного строительства около 30% необходимых для постройки домов средств предоставлялось федеральным и земельными правительствами, органами местного самоуправления.

Иностранные кредиты ФРГ, кстати, тоже получала по так называемому «плану Маршалла». Но их не пускали на нужды олигархов (как это происходило в России совсем недавно), а вкладывали в экономику: закупки танков и прочего оборудования, приобретение сырья, полуфабрикатов, сельскохозяйственной продукции.

В общем, и в Германии не наблюдалось никакой такой «невидимой руки рынка». Совсем наоборот: государственное регулирование, строжайший контроль, предотвративший мало-мальски крупные экономическо-финансовые аферы и появление паразитической прослойки «олигархов»...

Сам Эрхард крайне отрицательно относился к тому, что его реформы называли чудом: «То, что произошло в Германии за последние девять лет, было чем угодно, только не чудом. Это было всего лишь результатом честного усилия всего народа, которому были предоставлены основанные на принципах свободы возможности снова прилагать и применять инициативу и энергию человека».

Короче говоря, из истории преодоления американского и германского кризисов можно сделать простой, лежащий на поверхности вывод: реформы удаются только там, где идет честная игра, где благосостояние повышается у всего общества, а не у кучки ловкачей-прихватизаторов. Там, где государство вмешивается в экономику достаточно энергично и массированно.

Там, где государство сильное, а правительство ничуть не похоже на «наемных работников крупных предпринимателей» – любимая формула Березовского, которую он, вопреки мировому опыту, яростно отстаивал до нынешних пор...

А если государство слабое...

Приведу отрывок из интервью С. Караганова, видного государственного чиновника и ученого:

«Что же надо делать, чтобы не завалиться? Укреплять государство. Главная причина, почему провалилась концепция реформ либеральных монетаристов, включая финансовую стабилизацию, – ни один идиот в экономику нестабильного государства без крепкой власти ничего вкладывать не будет.

Но многие убеждены, что сильное государство – признак тоталитарного общества, которое и утащило нас в прошлое.

В России и вообще в любой стране сильное государство всегда может быть опасным. Но это является единственным условием, особенно у нас, экономического роста. Что касается критики попыток усиления государства – например, нынешних нападок на ФСБ, то надо помнить об очевидном: сильное государство, особенно с развитой системой демократических свобод, мешает воровать. Всем. Слабое государство всех устраивало, когда речь шла о дележе собственности».

То же самое говорит и нынешний российский президент: «Наша позиция предельно ясна: только сильное и эффективное демократическое государство в состоянии защитить гражданские, политические, экономические свободы, способно создать условия для благополучной жизни людей и для процветания нашей Родины».

В общем, нам не нужно изобретать велосипед и искать какой-то мифический «особый путь России». Нет никакого особого пути.

Чтобы выйти из нынешнего состояния и уверенно повернуть к процветанию, нужно всего-навсего заимствовать западный опыт. Настоящий западный опыт, а не те сказочки, которыми доверчивых россиян долго кормили «реформаторы».

Вообще, экономикой должны заниматься профессионалы, а не многочисленные горластые любители. Их у нас развелось несметное количество. Далеко не все из нашумевших и модных «экономических гуру» потаенно работают на олигархов, озабоченных сохранением прежней слабости государства. Многие стараются из самых благородных побуждений. Но все равно – лучше бы приложили свою энергию в других областях...

Я не говорю о тех, чьи проблемы – чисто медицинского плана, как у Новодворской. Таких вообще не стоит поминать.

Есть другие – искренние, честные, но вносящие лишь сумятицу во взбаламученное и без того общественное сознание...

Взять, например, модного ныне А. Паршева, автора книги «Почему Россия не Америка».

Хороший человек, сразу чувствуется – умный, неглупый, душа болит за Россию. И верного в его книге немало. Но если в общем и целом...

Паршев, насколько мне известно, – из служивых. То ли отставной пограничник, то ли нечто похожее. С уважением отношусь к служилым людям, но их жизненный опыт все же несколько специфичен: с экономикой они, строго говоря, не знакомы вовсе, поскольку сталкивались с таковой лишь в дни получения жалованья, фиксированной оплаты за труд (нужный, нелегкий, кто бы спорил!).

В чем сильная сторона Паршева? В том, что он и в самом деле обстоятельно исследовал немаловажный фактор экономики – ее зависимость от климатических условий (о котором частенько не вспоминают вовсе те самые «тоже экономисты»).

В чем слабая сторона Паршева? В том, что он, подобно многим претендентам на создание «Общей Теории Всего», с некоторого момента зациклился на своем главном тезисе и стал полагать именно его мерилом всех вещей. А это сугубо неправильно, поскольку истине все же не соответствует.

Вот, скажем, сам же Паршев пишет о подмосковном Зеленограде: «До перестройки некоторые серии микросхем, производимых в Зеленограде, расходились по всему миру, и не потому, что японцы не могли их скопировать – развертывать свое производство оказалось дороже, чем покупать».

Но ведь сам Паршев на протяжении предыдущих трехсот страниц старательно доказывал, что вся российская экономика из-за «пр-роклятого климата» решительно неконкурентоспособна! Что любое производство в России дороже, чем в более теплых местах. Воля ваша, что-то тут решительно не складывается...

«И даже сейчас Зеленоград держит в мире первенство по чипам для наручных часов, и не просто держит, а захватил подавляющую долю рынка – конкурентам невыгодно заново развертывать производство по устаревшей, 5-микронной технологии».

Почему же «невыгодно», г-н Паршев? Вы сами уверяли, что и затраты на строительство у конкурентов заведомо ниже, и персонал обходится не в пример дешевле российского – валенки ему не надо покупать, цеха и квартиры нет нужды отапливать... Откуда такой поворот, категорически не укладывающийся в Общую Теорию Всего?

И вовсе уж юмористически, подрывая доверие к остальному, смотрятся те места, когда Паршев попросту не знает предмета, о котором пишет...

«В настоящее время нельзя говорить, что технологически мы можем вырваться вперед по сравнению с кем-то – за десять лет "открытости" все сколько-нибудь ценное стало всем известно. Технологии – это первое, что у нас купили в начале "открытости"».

Это уже – откровенная залепуха из цикла «распродали Расею, ироды!» Конечно, немало перспективных технологий уплыло за рубеж, но и осталось немало. Ни о какой «глобальной распродаже» и речь не идет: приехал бы г-н Паршев в город Железногорск, что совсем неподалеку от Красноярска, там его (разумеется, в рамках режима секретности) познакомили бы с массой технологических новинок, вовсе даже не проданных иноземному супостату. Иные уникальны – и доход исправно приносят России, а не зарубежному дяде.

«А чего стоит разгрузить вагон мерзлого угля?»

Очень мало стоит, к сведению Паршева. Давным-давно существуют промышленно производимые установки – то ли на ультразвуке работающие, то ли на ином эффекте. Но, главное, эта машина быстро и дешево посредством каких-то инженерных вибраций превращает тот самый «мерзлый уголь» в сыпучую субстанцию, которая выгружается легко...

Паршев о зауральских ГЭС: «А сибирские реки-гиганты удалены от основных потребителей электроэнергии».

Как говаривал герой Булгакова, это вас, любезный, кто-то обманул. Мощнейшие сибирские гидроэлектростанции Красноярская и Братская, как раз максимально приближены к основному потребителю – алюминиевым заводам. Для того в свое время и строились. А сейчас строятся новые – опять-таки для близкого потребителя – Богучанская, например...

«Открытие Сибири происходило по рекам».

Поверьте сибиряку – далеко не всегда! Большей частью все ж по суше...

И наконец, нет на свете придуманного Паршевым сплава под названием «алюминиевая бронза». Ну нету! Я консультировался у хороших инженеров...

В общем, каждый должен заниматься своим делом и знать предмет, о котором пишет...

Ответ же на вопрос: «Почему Россия не Америка?» едва ли следует искать исключительно в области науки климатологии. Мнится ли все же, что основные причины – несколько иные...

Давайте, в рамках ответа на этот вопрос, вернемся к нашим олигархам. Точнее, к тем временам, когда президент Ельцин откровенно стал сдавать, и нужно было позаботиться о будущем – чтобы оно оставалось таким же приятным, чтобы можно было по-старому выкачивать огромные деньги как из государственной казны, так и из карманов сограждан...

Позарез нужен был преемник!

Глава восьмая

ИСТОРИЯ И ЛИЧНОСТЬ

Еще в школе мы проходили отдельной темой роль личности в истории. Еще в школе нам объясняли, что историки так и не могут выработать хоть сколько-нибудь единое мнение по этому вопросу. То ли приходят цари и герои и своей волей поворачивают ход истории, то ли в переломные моменты носится в воздухе нечто, порождающее царей и героев...

Вопрос этот историками так и не решен. Зато решен народом, который выбирает человека, чтобы возложить на него и лавры, и проклятия за все, что происходит в стране.

Хотя это далеко не всегда справедливо...

1. Судьбоносная харизма

Ельцин, Борис Николаевич Ельцин...

Уже сейчас понемногу становится ясно, что относительно этой фигуры споры еще долго будут идти, ожесточенные и непримиримые – как это было с тем же Сталиным.

Признаюсь в том, чего никогда не скрывал, разве что не кричал публично: всегда, когда требовалось голосовать, голосовал «против» – а свое отношение высказывал устно и печатно, порой не особенно стесняясь в словах. Но со временем, когда чисто эмоциональные оценки стали, пожалуй что, неуместны, потому что наше недавнее прошлое на глазах становилось Историей с большой буквы (наша история тороплива, это вам не восемнадцатый медлительный век), понемногу стал приходить к выводу, что от эмоций следует отрешиться полностью. И рассмотреть эту фигуру, как выражались древние латиняне, без гнева и беспристрастно.

Спокойный, рассудочный анализ привел к заключениям, которые меня самого поначалу удивили – но постепенно я с ними свыкся...

Именно по отношению к Ельцину в нашем лексиконе появилось новое, и, по правде сказать, по-русски не совсем прилично звучащее словечко «харизма». «Харизматический лидер». Проще говоря, человек, в котором в какой-то момент сосредоточиваются народные чаяния. Насколько он их оправдывает – это уже другой вопрос.

Ельцин был как раз таким лидером. Он не «захватывал» власти, не пробирался украдкой, под покровом ночной тьмы, к «красной кнопке» (которой попросту не существовало). Что бы ни говорили потом – но некая могучая волна, поднявшаяся в России за пару лет до провозглашения независимости, подхватила именно Ельцина. В точности как это было с Лениным в семнадцатом году: он почуял эту волну – и сумел ее оседлать. Каким наитием он шел, какая сила вела его – можно много спорить, и ни к чему не прийти. Но факт, что подавляющее большинство народа (вот именно, не будем лукавить!) поставило на Ельцина. Все прочие оказались мельче. Россия так устроена, что в ней все, что можно, персонифицировано. И она в очередной раз подняла и вознесла на гребне волны одного человека, и этим одним оказался Ельцин. То, что ожидания многих не оправдались – это уже их личное дело, как ни цинично это может кому-то показаться. Как выражаются украинцы, «бачили очи, що куповалы»...

Что же касается качеств личных и не очень личных... Что ж, «какое время на дворе, таков и мессия».

С другой стороны – давайте задумаемся: а могло ли быть иначе? Слишком большие силы режиссировали и осуществляли Великий Хапок. Кто бы ни попытался им противиться, его бы попросту смели. Вспомним: даже Сталин долгое время плыл по течению, прежде чем стал осторожно разворачивать государственный корабль. А Ельцин все-таки не Сталин... И я глубоко убежден, что могло быть хуже. И много хуже...

Короче говоря, если рассмотреть ситуацию без эмоций, то становится ясно, что, во-первых, другой фигуры, способной в то время устоять у штурвала, попросту не было. А во-вторых, Ельцин, как теперь представляется, стал меньшим злом из всех возможных. В точности как Сталин на фоне еще более жутких и кровавых соперников, вроде Троцкого и прочих бухариных.

Можете со мной не соглашаться. Дело хозяйское. Только, я вас умоляю, проделайте нехитрый и не занимающий много времени мысленный эксперимент: старательно переберите в памяти все мало-мальски крупные персонажи нашего последнего пятнадцатилетия и ответьте предельно честно: найдется среди них некто, способный на месте Ельцина проявить себя лучше?

Я такого просто-напросто не нашел. Оттого и отношение к Ельцину качественно изменилось, от бездумного отрицания до спокойного, рассудочного анализа.

В начале 90-х, когда схлестнулись две волны приватизаторов, Ельцин во главе разношерстного, авантюрного сброда выступил против тех, кому, по замыслу режиссеров «перестройки», должна была достаться колоссальная общенародная собственность. Он не только победил, но и сумел удержать штурвал.

Ельцину досталась страна в тяжелейший период ее истории – и он, двигаясь вслепую, шарахаясь и пятясь, в условиях, когда не годились никакие теории (потому что их и не существовало), все же удержал Россию в стороне от пропасти. Он подписал не только Беловежское соглашение, но и союзный договор с Белоруссией. Он, признаем честно, удержал Россию от распада – а ведь вероятность развала существовала... Обеспечил ее целостность, обеспечил нарождение зачатков демократии. Не привел в рай – но и в пекло не обрушил. А вдобавок первым из отечественных лидеров двадцатого столетия ушел с поста вполне цивилизованно, добровольно и досрочно – а для бурной истории России это, согласитесь, достижение...

В конце концов, Ельцин не был ни диктатором, ни тираном. Он слишком долго терпел не только критику, но и откровенные поношения от газет, журналов и телевидения – и ни одной газеты не закрыл, ни одного журналиста не «запрессовал». Никакой «декоммунизации», которой с пеной у рта требовали правые радикалы, не провел. Ни одной оппозиционной политической партии не запретил. А что до печальных событий октября 93-го – то, не забывайте, 99,9% населения страны к ним отнеслись, назовем вещи своими именами, с полнейшим равнодушием. А это позволяет думать, что участники столкновений в столице представляли исключительно самих себя...

И наконец, кто бы что ни говорил, он никогда не был «марионеткой» в руках олигархов – слишком много свидетельств противоположного. Безусловно, близость к нему можно было использовать – но вот слово «манипулировать» применительно к Ельцину решительно не годится. Прежде всего потому, что партийный руководитель, поднявшийся до первого секретаря обкома одной из самых могучих и важных областей страны, – это человек определенного склада и определенного менталитета, которым просто не могли «манипулировать» даже удачливые фавориты на час вроде Березовского. Он был *хозяин*...

При нем многое делалось неправильно, неладно – но у меня есть сильнейшие подозрения, что при любом другом (снова переберите в памяти всю вереницу политиков) все обстояло бы еще хуже.

Я не собираюсь ни «оправдывать», ни «реабилитировать» Ельцина – как и в случае со Сталиным, все гораздо сложнее. Простонапросто наступило такое время и такое состояние общественного сознания, что при оценке исторических фигур примитивные эмоции неуместны.

Я не рассчитываю никого переубедить – просто говорю то, что думаю...

А потом настало время, когда потребовался преемник. Говорили потом, что вездесущий Березовский выдвигал на эту роль генерала Лебедя. Степашин вспоминал слова Бориса Абрамовича: «Быдлу нужен Лебедь».

Вряд ли разговоры о замыслах Березовского – чистейшей воды сплетня. Скорее всего, так и намечалось.

Здесь мне придает уверенности уже личный опыт. Как-никак активнейшим образом участвовал в кампании по выборам губернатора в Красноярске, общался с Лебедем, четыре года был своим человеком в той части команды, что не бизнесом занималась, а выполняла функции «агитпропа».

Никаких жгучих тайн я выдавать не собираюсь (прежде всего потому, что самые крутые тайны мне неизвестны), и никаких «разоблачений» делать не буду. Не люблю тех, кто пускает в обиход дешевые сенсации (неважно, основанные на истине или искусной лжи).

Я просто-напросто вспоминаю то, что видел и слышал, наблюдая изнутри.

С весны 1998-го, когда Лебедь стал губернатором, и до последнего дня 1999-го в команде царило чемоданное настроение. Никто практически не сомневался, что шеф в самом скором времени окажется в столице, за красной кирпичной стеной, украшенной башнями и зубцами. Убеждение в этом было общее и повсеместное. И кружившая среди своих информация на эту версию работала. Ясно было, что Александр Иванович собирается попасть в Кремль, не на пузе ползя темной ночью мимо бдительных часовых. Ясно было, что его двигают, что на него ставят. И ясно было, кто.

Он и сам не сомневался в своем высоком предназначении. Порой возникало впечатление, что он уже откровенно репетирует монарха. Помню одну примечательную сцену: сидели и беседовали втроем, Лебедь, я и третий человек, член команды. В ходе разговора, коснувшегося этого присутствующего здесь же третьего, Лебедь захотел убедиться, что речь идет действительно о нем. Он не попросил уточнений вслух, даже не кивнул в сторону нашего третьего собеседника – он повел бровью в его сторону. Это надо было видеть. Как Лебедь повел бровью. Величественный жест даже не царя – восточного падишаха... Именно после этого мановения бровью я окончательно уверился, что генерал твердо и окончательно видит себя на троне.

А потом случилось тридцать первое декабря девяносто девятого года. О своем уходе Ельцин объявил как раз в аккурат, когда я собирался на новогодний прием в губернаторский клуб.

Приехал, еще под впечатлением (висело в том клубе незабвенное объявление: «Господа! Убедительно просим сдавать в гардероб мобильники и пистолеты». Когда прошло минут сорок уже нового года, я пересекся с Лебедем в курительной. Там было пусто, и генерал никуда не спешил.

Естественно, я сразу же спросил, как он относится к этакой новости.

– Ну, этого следовало ожидать... – ответил генерал вроде бы бесстрастно.

Но это был уже другой Лебедь! Вызывавший в памяти скорее унылую фигуру японского лейтенанта Ясмагато, незадачливого героя пикулевского романа «Богатство». Кто читал, помнит – как русские дружинники лихим налетом вмиг искрошили подчиненный ему батальон, и лейтенант сидел, обратившись в каменную статую, ничего не видя и не слыша вокруг – слишком внезапно все произошло, слишком неожиданно поменялась жизнь...

Еще вчера утром перед ним строился батальон, послушно кричащий: «Банзай!»... И эта отрешенность, это горе имело свое японское название – это был дзен...

Вот этого в одночасье разбитого японского лейтенанта мне тогда и напомнил Лебедь. Это был дзен...

Но самое печальное имело место даже не тогда, а еще раньше.

У генерала с губернаторством откровенно не получалось. Не выходило. Как картинки в калейдоскопе, менялись заместители, экономические советники и приближенные чиновники – а дела все не улучшались. Что-то там по инерции творилось, открывались кадетские корпуса и звучали бодрые интервью – но очень и очень многие с горечью соглашались с простой истиной: «Генерал не тянет». И очень многие, копаясь в душе, с ужасом обнаружили, что при всем уважении к Лебедю с ним уже не пойдут, если он решится выдвигаться на второй срок. Он был хорошим генералом – но с губернаторством откровенно не вытанцовывалось.

Лебедем не манипулировали, конечно – не та персона. Но его откровенно использовали – почище, чем Ельцина. Потому что у десантного генерала не было того опыта гражданских интриг, что имелся у первого секретаря обкома. Ельцин прошел отличную школу – а Лебедь к ней даже не приближался за всю свою жизнь, потому что его жизненный опыт был совершенно иным.

А потому опытные интриганы его крупно подставляли – как в истории с назначением главой Совета Безопасности и Хасавюрта еще до губернаторства. Да и в Красноярске... Эти вившиеся вокруг мутные мальчики, которых хваткий бизнесмен не посадил бы в свой ларек пивом торговать... А были и циники постарше, прекрасно устраивавшие свои дела...

Но хватит об этом. Я никогда не смогу писать о генерале Лебеде беспристрастно и спокойно, потому что речь идет о куске и моей жизни – а «осуждать» и «разоблачать» никогда не стану. Скажу одно: лично я не верю, что от Лебедя, протолкни его все же в президенты извечные фигуры, получился бы толк. Слишком крепкая уверенность, что и в Кремле началось бы то же самое: мельтешение вокруг мутных фигур, устраивавших собственные делишки, но уже с размахом, превосходящим красноярский на несколько порядков, речь как-никак шла бы о целой стране. Хорошие генералы сплошь и рядом еще не становятся автоматически хорошими президентами...

Подводя некоторые итоги: любой, проведенный в Кремль олигархами, вовсе не обязательно Лебедь, не исключено – заставил бы даже самых ярых критиков Ельцина глубоко сожалеть о Борисе Николаевиче, в чем-то оставшемся сугубо советским человеком.

Но пришел другой человек, о котором еще за полгода до того никто всерьез и не думал, которого никто не ждал. Причем пришел настолько неожиданно и виртуозно, что до сих пор не утихают разговоры: а кто же за ним стоит...

2. Человек ниоткуда

Путин не пришел к власти – он в этой власти *возник*. Явление его произошло столь неожиданно, что не только рядовой человек, но и политики с аналитиками ничего толком не успели понять. Вот только что была водная гладь с играющими на поверхности хорошо знакомыми разноцветными рыбками, потом что-то поднялось из глубины... О-па! Кит!!!

Впрочем, история «перестройки» знала карьеры не менее стремительные. Но все это было раньше, и эти карьеры всегда были связаны с умением *подать себя*. Эти люди приходили с митинговых трибун, на волне откровенной дешевой демагогии. Между тем Путин не имел никакого словесного обеспечения. Не он двигался – его двигали. Поэтому до сих пор те же аналитики усиленно говорят о нем как о марионетке. Вот только никак не могут договориться, кто дергает за ниточки. До сих пор было ясно: такой-то деятель берет деньги там-то и там-то и проводит такие-то законы. Все легко просчитывалось.

А в случае с Путиным – ну никак!

Березовский, например, утверждает, что автором «проекта Путина» был он. Уверенно так говорит. Правда, сидя на английском острове, и не то еще скажешь, чтобы не забыли, чтобы в очередной раз заметили...

Тем не менее кто-то Путина явно двигал. И, если не разбирать мучительно нити кремлевских интриг, а просто посмотреть – а что за человек стал за несколько часов до конца тысячелетия Первым Лицом России – то становится абсолютно ясно, кто за ним стоит. И гадать не надо, все ясно и понятно, как... как слон в зоопарке.

У наших, с позволения сказать, политологов, есть одно еще Крыловым осмеянное свойство: они не приучены замечать слонов...

Владимир Путин родился 7 октября 1952 года в Ленинграде, в самой что ни на есть простой семье. Отец – рабочий, инвалид войны, мать работала где и кем придется, семья жила в коммуналке, в самом сердце питерских трущоб... Никаких полезных связей у парня и близко не просматривалось, школу он закончил самую обычную, занимался дзюдо. Вспоминают, что был человеком серьезным и целеустремленным. А еще не трусливым – не боялся пойти один против компании шпаны. Нормальный, в общем, мужской характер.

Как и многие другие, с детства мечтал стать разведчиком. Время тогда было такое, тянуло мальчишек на романтику, менеджеры с брокерами были не в моде. Классе в девятом сунулся со своей мечтой в приемную КГБ. Вышел кто-то из сотрудников, поговорил с мальчишкой, объяснил, что для того, чтобы работать в «органах», надо закончить серьезный вуз. Лучше всего юридический.

Это ж надо понимать, что такое юридический факультет. Место престижное из престижных и невероятно блатное. Сыну рабочего там просто нечего делать. Тем не менее после школы он подал заявление именно на юридический факультет Ленинградского университета. И поступил, преодолев невероятный конкурс, – для школьников он был человек сорок на место...

Характер, однако!

Попал он и в КГБ, более того, туда, куда и мечтал – в ПГУ, внешнюю разведку. Служил в Германии. На деле романтичная профессия оказалась скрупулезной, скучной, монотонной возней с информацией. Никаким суперагентом он не был, просто работал, и все... Когда, с началом «перестройки», СССР потерял Германию, Путин вернулся в Ленинград.

КГБ разваливался на глазах, великолепные, штучной выделки кадры разведки были никому не нужны, люди уходили, сплошь и рядом «в никуда», чтобы не видеть агонии Комитета. Путин оказался в Ленинградском университете, помощником проректора по международным вопросам. Начал писать диссертацию. (Кстати, не только начал, но и закончил, защитив в 1996 году диссертацию на тему «Стратегическое планирование воспроизводства минерально-сырьевой базы региона в условиях формирования рыночных отношений». Ректор Горного института потом сказал: «Я считаю, что Путин профессиональный экономист, несмотря на юридическое образование и работу в разведке».)

И тут ему повезло, примерно так же, как повезло в то время другому ленинградцу, Чубайсу.

Старый институтский приятель попросил Путина помочь одному из профессоров юрфака, ставшему на волне «перестройки» депутатом. Тому приходилось трудно, и он остро нуждался в исполнительном и дисциплинированном помощнике, ибо со способными к работе кадрами в депутатском ведомстве было весьма туго.

Профессора звали Анатолий Собчак. Будущий мэр Петербурга, второго по значению города страны.

Некоторым «аналитикам» этот альянс кажется загадочным и странным: в те времена всеобщей паранойи стандартного «демократа» от слова КГБ попросту трясло. А Собчак был демократ из демократов... Однако от людей, которые в то время работали в депутатском корпусе, начинало трясти уже начальников – любых.

Сам Путин рассказывал о начале работы так. «Я сказал Собчаку: "Есть одно обстоятельство, которое, видимо, будет препятствием". Тот спрашивает: "Какое?" Я отвечаю: "Я вам должен сказать, что я не просто помощник ректора, я – кадровый офицер КГБ". Он задумался – для него это действительно было неожиданностью. Подумал-подумал и выдал: "Ну и .... с ним!"»

И не прогадал.

Новый помощник оказался человеком скромным, надежным, исполнительным, невероятно работоспособным, с превосходной выучкой, полученной в родном ведомстве. На фоне публики, собравшейся в то время в Ленсовете, он был как скала в бурном море.

Впрочем, генерал Степашин рассказывал в интервью НТВ 31 декабря 1999 года: «Владимир Владимирович с его незаметной внешностью и тихим спокойным голосом проявил с первых дней работы столько энергии, жесткости, нахрапа, что заслужил в финансовых кругах Петербурга уважительное теплое дружеское прозвище – ШТАЗИ». (Для тех, кто не знает: ШТАЗИ – эта контрразведка ГДР, самая, пожалуй, «отмороженная» из мировых спецслужб).

С тех пор Путин так и сопровождал Собчака на посту сначала председателя Ленсовета, потом мэра Петербурга. Он был председателем комитета по внешним связям и, кроме того, ведал комиссией мэрии по оперативным вопросам, а за этим словосочетанием стоит вся повседневная жизнь города-миллионера. Вскоре он стал в мэрии правой рукой Собчака, специалистом «за все», точнее, «за все важное». Шло время, менялись по много раз руководители комитетов – Путин казался «вечным».

Собчак ему даже не доверял, а верил. Как-то, уезжая в командировку, мэр не успел подписать какой-то важный документ. Тогда он три раза расписался на трех чистых листах бумаги, отдал их Путину, сказал: «Доделайте», – и уехал.

Как можно использовать чистый лист с подписью – объяснять надо?

Владимир Путин проработал в питерской мэрии пять лет, причем два года – первым зампредом правительства города. И все время оставался в тени. Он никогда не выходил на первый план, им не интересовались журналисты и обыватели. Он был как бы не человеком, а строчкой в колонке официальных сообщений. «Путин присутствовал на пресс-конференции...», «Путин провел переговоры с иностранной делегацией». Ну провел и провел, было бы о чем говорить! Он имел устойчивую репутацию «человека без амбиций».

Что показательно – на него, далеко не последнего чиновника, удивительно мало компромата. По своей должности он лично курировал создание в Петербурге валютной биржи. Он привел в Петербург многие известные немецкие фирмы. Под его опекой находились игорный и гостиничный бизнесы, крупные инвестиционные западные проекты, импорт и экспорт Санкт-Петербурга. И, несмотря на то, что за ним пристально следило множество недоброжелательных глаз, компромата ну просто на удивление мало.

Я не собираюсь клясться в том, что Путин безупречен. Ибо в полностью безупречных чиновников в насквозь коррумпированном государстве попросту не верю. Сегодня рубеж, думаю, идет несколько по иной линии. А именно: способен человек продать за взятку Родину, или не способен.

Но компромата все же очень мало, и почти весь он, тщательно собранный, идет из тех, петербургских времен. И, уж коль скоро он есть, давайте с ним разберемся.

...Основным врагом петербургской мэрии в то время был Ленсовет. Он инициировал несколько крупных скандалов, касавшихся и Путина – правда, только отчасти касавшихся, но все равно, и это пошло в ход... Самый крупный из них произошел в начале девяностых годов: питерская таможня признала недействительными несколько выданных мэрией лицензий на вывоз за границу сырья и цветных металлов. Два депутата Петросовета по этому поводу обвинили чиновников мэрии в должностных преступлениях. Среди списка чиновников значился и Путин, возглавлявший Комитет по внешним связям.

История, в общем-то, полный ноль – в большом городе, даже при честных чиновниках, такие происходят постоянно, именно потому, что это большое хозяйство. Другое дело, что шла серьезная разборка между ветвями власти, в которой годилось все. Пушка так пушка, рогатка так рогатка...

В 1992 году депутаты же инициировали расследование деятельности Комитета по внешним связям и обнаружили, что по некоторым видам импорта и экспорта сделки производились по ценам, не соответствующим мировым. Другого компромата депутаты, как ни старались, не обнаружили. Были проведены публичные слушания, на которых Путин признал свои ошибки. Мог, кстати, и на самом деле ошибиться, если в помощниках у него ходили какие-нибудь «экономисты» типа Гайдара – очень даже запросто...

Еще одно обвинение связано с «бартером». Осенью 1991 года Петербург оказался в тяжелом положении – в городе почти не оставалось продовольствия. Пришлось ввести нормированную выдачу – говоря по-простому, карточки (или, как тогда их называли, талоны, но суть от этого не меняется).

На помощь из центра рассчитывать не приходилось, и тогда городские власти решили самостоятельно закупать продовольствие за границей. А поскольку денег тоже не было, то расплачиваться за поставки предполагалось натурой, по бартеру. Мэрия предоставила право частным компаниям вывозить за рубеж цветные металлы, нефть, лес, а компании должны были взамен поставлять продовольствие.

Далеко не все посредники оказались честными. Когда все подсчитали, выяснилось, что продовольствия было поставлено на сумму гораздо меньшую, чем экспортировано сырья. Некоторые компании продовольствия не ввозили совсем, а некоторые ввозили меньшее количество, чем обещали. Кое-кто просто растворился вместе с деньгами.

И опять-таки, никакой это не компромат, а суровая экономическая правда тех сказочных лет, когда все кидали всех. Тот же Артем

Тарасов очень смачно описывает: как его, битого и тертого «коммерсанта», время от времени обжуливали товарищи по бизнесу. Для того чтобы это стало компроматом, надо или доказать факт получения взятки, или хотя бы выстроить *систему*. Но доказательств нет, да и система тоже не выстраивается.

В центре еще одного скандала стоял широко известный в городе бывший председатель Петросовета Александр Беляев, фигура в Питере скандально известная, чтоб не сказать более. Весной 1996-го, перед выборами губернатора Санкт-Петербурга, Беляев обвинил комитет по внешним связям в том, что тот занимается сбором информации об отечественных фирмах, а потом продает ее иностранцам. Он же заявил, что Путин и Собчак имеют недвижимость на Атлантическом побережье Франции, и грозился предоставить документы. На этот раз Путин, против своего обыкновения, обиделся и подал в суд.

Своих громких обещаний Беляев не исполнил, никаких документов так и не показал. Судиться тоже не стал, попросил у Путина прощения, на том все и закончилось. А в качестве штриха ко всей истории можно заметить, что председатель Петросовета сам баллотировался на пост мэра и был соперником Собчака. Так что трудно сказать, чего было в этой истории больше – экономики или политики, борьбы с коррупцией или предвыборной рекламы.

Дальше идут уже обвинения посерьезнее. Например, так называемая «торговля детьми». Суть тут в следующем. В России процесс усыновления очень сложен. Собчак его упростил до предела, но... не для российских граждан, а для иностранных. За период правления Собчака было усыновлено иностранцами около 200 детей-сирот. Под решением об усыновлении обязательно должна была стоять либо подпись мэра, либо кого-то из его первых замов. Подписывал такие решения и Владимир Путин. Правда, вопросы усыновления он не курировал, да и подпись его была под бумагами об усыновлении человек десяти, не более...

Уже в 1999 году на страницах газеты «Версия» был опубликован один документ. Это так называемая «Справка в отношении Путина В.В». Эта бумажка в свое время наделала в Петербурге немало шуму. Она была неизвестно кем составлена, неизвестно кем принесена в Смольный, ей никто не верил, но тем не менее она гуляла по коридорам Смольного, а затем и по городу, ее широко комментировали и обсуждали. В нем содержалась бездна компромата. В чем только не обвиняли его героя! И в сборе денег с коммерсантов, и в «проводке» миллионов долларов на предвыборную кампанию Собчака в швейцарские банки, и в покупке виллы в испанском городе Бенидор на бюджетные деньги, и в продаже подводных лодок и военно-морских кораблей... Могли бы обвинить в поставке невской воды обитателям Марса и воздуха – жителям Меркурия, поскольку такие анонимки относятся не к юриспруденции, а к литературе. Такого «компромата» на любого человека можно сесть и настрочить километры.

Вот, в общем-то, и все...

Потом эти обвинения передавались из уст в уста, меняли статус, превращаясь из слухов в «достоверные факты». Многократно повторенные, они уже обрели характер истины, которую «все знают».

Нет, повторяю, я отнюдь не хочу сказать, что на посту помощника Собчака Путин был безгрешен, ходил в поношенном пальтишке и питался по карточкам. Не то было время и не то место. В конце концов, он сам рассказывал, что после того, как он оставил пост в мэрии, у него был «дипломат» с некими «сбережениями» (который благополучно сгорел во время пожара на даче).

Это с одной стороны. А с другой – «дипломат», а не сейф, дача в Ленинградской области, а не дворец в Англии и даже не вилла на Канарах – в то время когда другие, не особенно скрываясь, делали миллионные состояния.

Человек, который, пять лет работая на таком посту, *столько* накопил, может, по российским меркам, считаться кристально честным!

Пусть поспорит со мной тот, кто никогда не таскал досок со стройки и не пил казенного спирта...

...Выборы 1996 года Собчак проиграл. Путина никто не гнал из мэрии, с новым мэром, тоже бывшим замом Собчака, они были на «ты». Однако он *не счел возможным* остаться в команде нового хозяина города. Свое решение мотивировал тем, что дал Собчаку «честное слово». Хотя уходил, по сути, «в никуда».

Как свидетельствуют многие люди, знавшие Путина как по Питеру, так и по Москве, в отличие от большинства чиновников (да и простых смертных тоже), он не менял отношения к людям, когда менялись их статус и социальное положение. Он общался с разжалованными и опальными точно так же, как и тогда, когда они были «в силе». Короче говоря, всегда был человеком *верным*. Как хотите, но это качество внушает уважение.

Не «сдал» он и Собчака – как в 1996 году, когда ушел со всех постов в Смольном, так и позже, ни разу не позволив себе ни одного выпада против бывшего шефа. Уже будучи во главе ФСБ, Путин характеризовал свои отношения с Собчаком как товарищеские – несмотря на то, что бывший мэр в то время пребывал во Франции, чтобы не встречаться с расследовавшими его деятельность работниками прокуратуры.

Характер, однако...

...В Питере ему делать было нечего, и Путин «уходит» в Москву, в Кремль. Там он работает поначалу заместителем управделами президента, занимается заграничной собственностью России. Кроме долгов, от бывшего СССР Россия получила многомиллиардную собственность за рубежом, которая к тому времени находилась в ведении управделами президента.

Первое, с чего начал Путин – наведение порядка, инвентаризация и юридическое оформление. Через несколько месяцев все документы на право владения этой собственностью в 35 странах мира впервые были приведены в порядок.

Впрочем, в управлении делами президента он проработал всего восемь месяцев. В кремлевских кабинетах постоянно образовывались дыры, а люди толковые, исполнительные и надежные ценились на вес золота. Спустя несколько месяцев Путин уже оказался в кресле начальника контрольного управления администрации. Здесь он, как и в Питере, занимался самыми разными вопросами: выплаты бюджетникам, утечка капиталов, чистка МВД...

Контрольное управление, бывший Комитет партийного контроля, также находилось в плачевном состоянии. Путин привел с собой группу молодых спецов-экономистов, и вскоре «наверх» начали поступать достаточно толковые сводки о положении дел в регионах. Сумел он найти нужный тон и в отношениях с губернаторами.

О результатах работы стало известно весной 1998 года, когда Путин, уже назначенный первым заместителем главы президентской администрации, внезапно созвал пресс-конференцию. Журналисты ломанулись на нее, гадая, что заставило этого человека, тщательно избегавшего любых контактов с прессой... А оказалось, что он всего лишь решил публично отчитаться о своей работе на посту главы Главного контрольного управления президента РФ – желание, мягко говоря, нетрадиционное. У нас чиновники в основном стараются как можно скорее забывать о том, что они делали на прежнем месте работы.

Путин роздал собравшимся подробную справку о делах своего управления. Оказалось, что по итогам проверок возбуждено пятьдесят уголовных дел, двадцать человек привлечено к уголовной ответственности, выявлено нецелевое использование казенных денег аж на восемь триллионов рублей.

А он в это время уже курировал регионы. На новом посту Путин действует все в том же старом добром стиле КГБ: никакой публичной полемики, никаких громогласных выяснений отношений. Однако местные владыки сразу же почувствовали твердую руку. «Он не заискивал перед ними, – рассказал "МК" один из крупных российских политиков. – Проводимые проверки были достаточно жесткими. Однако при этом Путин умудрился не поссориться практически ни с одним из влиятельных воевод».

Несмотря на то что было ясно: вольницы больше не будет – региональные лидеры все равно поддержали Путина. Одно это показывает, как все устали от царившего в стране бардака...

...Прервемся и подумаем немного: что мы видим? Мы видим человека, который делает карьеру не за счет взяток, связей, интриг, а просто потому, что он *хорошо работает*. Он работает настолько хорошо, что человек, имеющий его в аппарате, может на него положиться. Любой начальник, от самого маленького до самого большого, меня поймет.

При Сталине такие люди *выковывались*. Сейчас их просто нет. А заодно ясно, кто за Путиным стоит. Не компания подельников, а всего-навсего те, кому надоел бардак и кто считает, что пора наконец навести порядок.

Ведь к тому времени от бардака в стране устали не только региональные владыки. От него устали все... кроме тех, кто хотел по-прежнему ловить рыбку в мутной воде. Но даже и рыбка была уже почти вся выловлена, даже и перед олигархами встали уже другие задачи – не захватить собственность, а удержать ее. Даже они были заинтересованы в порядке.

Правда, кое-кто из них представлял себе порядок несколько иначе. Но это уже их личные проблемы...

И ничего удивительного нет в том, что, стихийно или же сознательно, но эти люди выдвинули из своей среды толкового, волевого и крепкого *работягу* и поставили на него.

И ничего удивительного в том, что среди них был и Ельцин...

Хватит, наперестраивались!

3. Вертикальный взлет

Кто знает, кому пришла в голову мысль о Путине как о возможном будущем преемнике Ельцина. Возможно, и самому Борису Николаевичу, ибо возвышение обоих отмечено одинаковой виртуозностью полета.

Но до этого было еще далеко, а пока что Владимир Путин продолжал делать свою удивительную карьеру, суть которой он определил так: он всю жизнь старался как можно лучше делать свое дело, а карьера происходила как бы сама по себе.

А что, чему-то в его биографии это противоречит? Я таких противоречий не нашел...

Чтобы разобраться в переплетающихся должностях будущего президента, сформулируем послужной список Путина в Москве.

С июня 1996 по март 1997 года он курирует зарубежную собственность управления делами.

26 марта 1997 года Указом Президента РФ назначен заместителем руководителя Администрации Президента РФ – начальником Главного контрольного управления Президента РФ.

19 сентября 1997 года включен в состав Межведомственной комиссии Совета Безопасности РФ по экономической безопасности.

25 мая 1998 года назначен первым заместителем руководителя Администрации Президента РФ, ответственным за работу с регионами.

15 июля 1998 года возглавил Комиссию при Президенте РФ по подготовке договоров о разграничении предметов ведения и полномочий между федеральными органами государственной власти и органами государственной власти субъектов Российской Федерации.

25 июля 1998 года Указом Президента был назначен директором Федеральной службы безопасности России (ФСБ).

– Я вернулся в свой родной дом, – заявил он при вступлении в должность.

Но возвращение было недолгим. Не прошло и года, как Путин снова сменил место работы. 29 марта указом Бориса Ельцина он был назначен секретарем Совета безопасности Российской Федерации.

С назначением Путина эта важная государственная структура фактически перешла под крылышко спецслужб. Председатель Совета Безопасности сосредоточил в своих руках влияние на Министерство обороны, МВД и ФСБ – по разным каналам, но достаточно надежно. Влияние Путина становилось огромным, не говоря уж об обширных к тому времени личных контактах – напомним, уникальность этого человека в том, что за время службы он ухитрился практически ни с кем не поссориться.

...«Московский комсомолец», вхожий в чиновные круги, пишет о характере Путина: «Всех поражала чрезвычайная организованность будущего премьера. О секундах свысока он не думал. В ответ на просьбы об аудиенции часто отвечал, к примеру: "Зайди ко мне через 10 дней ровно в два часа". Через десять дней большинство приглашенных пребывали в уверенности, что о них прочно забыли. Но нет. Ровно в два часа их ждали в кабинете Путина. Отличался В. В. и сравнительной доступностью. Многих бывших премьеров, например Кириенко и Примакова, упрекали в том, что они предпочитают вести все дела через узкую группу советников и малодоступны для всех остальных... И наконец, еще одно качество Владимира Владимировича, на которое указывают его бывшие коллеги: стальные нервы. Но вот расшифровывать, что они под этим подразумевают, кремлевские чиновники почему-то отказываются»...

А время было непростое. В стране чувствовался серьезный кризис власти. Ясно было, что на третий срок Ельцину рассчитывать не приходится. Конституционные ограничения, естественно, никто не принимал всерьез, ясно было, что для человека, расстрелявшего из танков собственный парламент, какая-то там строчка в Конституции – не помеха. Но просто ресурс популярности был выработан до последней капли. Между тем никого серьезного, кто мог бы стать ему преемником, на политическом горизонте не просматривалось, и хоровод правительственных назначений был тому только подтверждением. Власть лихорадило.

...И вот 9 августа 1999 года произошло нечто, ни в каких прогнозах не предусмотренное. Указом Президента РФ в правительстве была введена новая должность – еще одного (третьего по счету) первого заместителя председателя правительства. Согласно этому же указу вновь введенную должность получил Путин. В тот же день другим указом кабинет Сергея Степашина был отправлен в отставку, а Путин назначен временно исполняющим обязанности председателя правительства. Странное первое назначение – на полдня – объяснялось тем, что, согласно закону, и. о. председателя правительства может быть назначен только первый вице-премьер. Что еще раз доказывает, что желанию президента никакие законы не помеха. Захотел – и назначение состоялось, и закон соблюден.

И в тот же день в телеобращении Ельцин назвал Путина своим преемником на посту Президента РФ. «...Сейчас я решил назвать человека, который, по моему мнению, способен консолидировать общество. Опираясь на самые широкие политические силы, обеспечить продолжение реформ в России. Он сможет сплотить вокруг себя тех, кому в новом, XXI веке, предстоит обновлять великую Россию. Это секретарь Совета безопасности России, директор ФСБ – Владимир Владимирович Путин... Я в нем уверен. Но хочу, чтобы в нем были также уверены все, кто в июле 2000 года придет на избирательные участки и сделает свой выбор. Думаю, у него достаточно времени себя проявить».

Телеобращение оказалось неожиданностью не только для страны, но и для самого Путина. В тот же день, комментируя это заявление, он сказал: «Мы – люди военные, подчиняемся приказу». Обсмеивающий всех и вся «Московский комсомолец» откомментировал это как «демонстрацию покорности президентской воле. Доктор сказал: в морг – значит, в морг».

Неделю спустя на какой-то из встреч с журналистами, когда его уж очень достали вопросами, Путин высказался конкретнее. «Ну да. Ну сказал, что готов баллотироваться. А куда мне, извините, деваться? Да и вы бы на моем месте куда делись? Вчера президент говорит, что на меня рассчитывает, а сегодня появляются журналисты, суют мне под нос микрофон, наставляют телекамеру и спрашивают: ну так что?.. И как я должен ответить? Ляпнуть – "не буду"? И этим поставить президента в глупейшее положение?»

Действительно, в этой ситуации Борис Николаевич выхода Владимиру Владимировичу не оставил никакого...

Впрочем, все было во власти премьера. До выборов еще год, можно спустить дело «на тормозах». Да мало ли кто, в конце концов, в этой стране баллотируется в президенты?!

Впрочем, едва ли кто тогда отнесся к заявлению Ельцина всерьез.

На тот момент ни у кого, наверное, не было сомнений, что, как Кириенко был назначен премьером «под дефолт», так силовик Путин был назначен «под Чечню». После нападения боевиков на дагестанские селения стало ясно, что война начинается по новой, и разбираться с «независимой Ичкерией» надо всерьез. Не вскрытый вовремя гнойник грозил обернуться для России заражением крови. И директор ФСБ, председатель Совета безопасности Владимир Путин, человек с упорной непреклонностью бульдозера и хваткой бульдога, чрезвычайно подходил для этой задачи. Мавр сделает свое дело, а потом... потом, если он наломает слишком уж много дров и прольет слишком много крови, его можно будет за все это благополучно снять.

Сам он примерно так и воспринимал свое новое назначение. «Я как бы внутренне для себя решил, что все, карьера на этом, скорее всего, закончится, но моя миссия, историческая миссия – звучит высокопарно, но это правда – будет заключаться в том, чтобы разрешить эту ситуацию на Северном Кавказе... Я к этому так относился. Сказал себе: Бог с ним, у меня есть какое-то время – два, три, четыре месяца, – чтобы разбабахать этих бандитов. А там уж пусть снимают.

Моя оценка ситуации в августе, когда бандиты напали на Дагестан: если мы сейчас, немедленно это не остановим, России как государства в ее сегодняшнем виде не будет. Тогда речь шла о том, чтобы остановить развал страны. Я исходил из того, что мне нужно будет это сделать ценой политической карьеры. Это – минимальная цена, которую я готов был заплатить. Поэтому, когда Ельцин объявил меня преемником, и все сочли, что для меня это начало конца, я был совершенно спокоен. Ну и черт с ним. Я посчитал: несколько месяцев у меня есть, чтобы консолидировать вооруженные силы, МВД и ФСБ, чтобы найти поддержку в обществе. Хватит ли времени – вот только об этом и думал».

Не хотите – не верьте.

Хотите считать, что в нашей стране мужиков нет, что все без исключения – продажные подонки? Запретить не могу...

...Некоторые сомнения в том, что Дума утвердит нового премьера в августе были. Уж очень одиозная фигура – директор ФСБ, что было «красной тряпкой» для демократов, и ставленник Ельцина – того же цвета лоскут для оппозиции. Однако Государственная Дума все же утвердила Владимира Путина председателем правительства (233 голоса «за», 84 – «против», 17 – воздержались). Для назначения надо было как минимум 226 голосов «за». Так что прошел с минимальным превышением. Всерьез «против» были только коммунисты, что косвенно доказывает: Березовский к назначению Путина отношения не имел. Что бы БАБ ни говорил после...

...А журналисты и политологи хохотали.

«Большинство обитателей Белого дома решили, что если Степашин был хоть "туда-сюда" премьером, то Путин "может быть пародией на нормального главу правительства". О его выборных перспективах лучше вообще не говорить: они совершенно призрачны» – писал «Московский комсомолец».

«Путину, шестому за последние 18 месяцев премьеру, уготована миссия "консолидировать общество", "сплотить вокруг себя тех, кому в XXI веке предстоит обновлять великую Россию" – словом, унаследовать власть от президента, популярность которого едва дотягивает до 0,5%. Ясно, что выполнить такую задачу можно, лишь обладая гигантскими финансовыми и силовыми ресурсами, поддержкой и лояльностью региональной элиты, наконец, харизмой публичного политика. Без всего этого ни выборы не выиграть, ни даже ЧП не ввести. Располагает ли таким предвыборным багажом новый "преемник" – вопрос риторический. Стало быть, либо в Кремле на самом деле не исключают неких неконституционных действий (на что, впрочем, тоже нужны огромные ресурсы власти), либо кадровая рокировочка – шанс Династии дожить свой кремлевский век под надежным прикрытием». – Это газета «Сегодня».

«Возможно, предположение, что Путин может быть избран российским президентом, – одна из самых экстравагантных политических фантазий Ельцина. Когда до выборов год, а человека и в лицо-то знает не каждый телезритель, сделать на него ставку – большой риск. Тем более в стране, где к выходцам из спецслужб многие относятся с недоверием». – А это «Московские новости».

«Лишенному харизмы, ничем себя еще не зарекомендовавшему премьеру придется противостоять таким опытнейшим политическим матадорам, как Юрий Лужков, Геннадий Зюганов и, возможно, Евгений Примаков, которые не преминут покопаться в санкт-петербургском периоде его биографии, когда он имел тесные контакты с Анатолием Собчаком, которого обвиняют в коррупции». – Немецкая «Нойес Дойчланд»

«Уолл стрит Джорнал»: «Ельцин называет своим наследником никому не известного бывшего шпиона КГБ, что вполне можно считать "нормальным кремлевским назначением". Это может быть расценено как попытка президента удержать власть в своих руках и ослабить политическое влияние своих оппонентов... Правда, неизвестно, каким образом Путин, практически не известный публике и не обладающий "харизмой" человек, станет серьезным кандидатом в президенты».

Некоторым диссонансом прозвучал голос жириновца Алексея Митрофанова, председателя думского комитета по геополитике: «Я думаю, Путин – это человек, имеющий реальные шансы стать руководителем страны в 2000 году или даже раньше. (Кстати, оно и было раньше – на целых 12 часов! – *А. Б.*). Первое: его не считают реальным конкурентом... Второе: Путин – фигура компромисса. Чубайс думает: пусть Путин, лишь бы не Аксененко. Аксененко думает: пусть Путин, лишь бы не Чубайс. Коммунисты думают: пусть Путин, лишь бы не Березовский...»

Вполне в духе ЛДПР: не поймешь, не то человек всерьез говорит, не то изгаляется...

Однако события пошли иначе, не так, как предсказывали те, кто возомнил себя политическими прорицателями. Самыми верными «союзниками» Владимира Путина на пути сотворения его «политического чуда» стали вконец обнаглевшие чеченские боевики.

Взорванные дома поставили людей перед реальной угрозой: завтра это может случиться с тобой. Человек, который «разберется» с Чечней, в одночасье стал бы народным героем и получил ту самую «харизму».

То, что болтают по этому поводу – что все это, мол, организовал ФСБ... Основание у этих разговоров одно-единственное: все это произошло уж очень вовремя. Как в кино: Путин стал премьером, боевики взорвали дома, он после этого получил всенародную поддержку на любые действия, а когда пообещал мочить чеченцев в сортире, тут-то рейтинг и взлетел до небес...

А если подойти к делу с другого конца? Путин стал премьером ввиду начинающейся войны, а раз пошли военные действия, то начались и теракты, как оно было и раньше, и потом... Что-то подобное должно было случиться, просто по логике войны.

Взрывы домов – не первые и не последние теракты чеченских боевиков. Может, и в Буденновске были комитетчики? Салман Радуев – переодетый полковник с афганским опытом? И «Норд-Ост» – ФСБ? И 11 сентября... Ах нет, 11 сентября – это уже ЦРУ...

Кстати, идти на такое для спецслужб – колоссальный риск. Случись малейшая утечка информации – грохнет так, что от ФСБ лишь ошметки полетят...

А главное – зачем? Зачем организовывать теракты, когда при любом осложнении чеченцы их сами превосходнейшим образом организуют?

Впрочем, не то что доказательств, но даже сплетен, даже видеопленок, где замаскированный «сотрудник ФСБ» рассказывает о страшных диверсиях, и тех нет. Так, одни предположения телеканала господина Гусинского...

24 сентября в Казахстане новый премьер произнес ту фразу, которая вошла в сборники афоризмов. Тогда, отвечая на вопрос по поводу чеченской войны, он не то сорвался, не то просто не посчитался с положением, которое обязывает, и сказал: «Авиаудары в Чечне наносятся исключительно по базам боевиков, и это будет продолжаться, где бы террористы ни находились. Если найдем их в туалете, замочим и в сортире». Менее умная часть окружения премьера схватилась за голову и за сердце. Однако народу, которому наплевать на протокол, зато не наплевать, упадут ли на голову стены собственного дома, высказывание понравилось настолько, что в одночасье стало крылатой фразой и, пожалуй, положило начало стремительному взлету путинского авторитета.

Его рейтинг взлетел как на пружине. Оказывается, русский народ, несмотря на десятилетнее «промывание мозгов» в духе того, что мы перед всеми виноваты и должны смиренно просить прощения у оккупированных народов, все-таки имеет по этому поводу свое мнение и еще способен чувствовать национальное унижение. Поэтому главному герою второй чеченской войны за одно «мочить бандитов в сортире» избиратель многое простил. Да и прощать-то было особенно нечего...

А самое главное – чеченская кампания была воспринята как долгожданное начало возврата к великодержавной политике.

В этой стремительности взлета популярности есть и еще один хитрый финт. Народ давал кредит доверия не только Путину, но и той структуре, которую он, несмотря ни на что, все равно представлял. Если бы «господа демократы» на заре «перестройки» могли такое предвидеть, они перемерли бы от инфарктов сразу, поскольку КГБ ненавидели всеми фибрами своих диссидентских душ.

Однако время шло, и десять лет спустя народ – мы с вами, они и вон те мужики, что на другом конце страны, – уже так люто ненавидел «демократов» вместе с их демократией и экономической реформой, что эта ненависть естественным образом вознесла на пьедестал тех, кого они ненавидели. Как гласит арабская пословица: «Враг моего врага – мой друг».

Они представляли КГБ страшной силой, «тайной пружиной государства», и этого было достаточно – та страшная сила, которая враждует с «демократами», может быть, спасет страну от их реформ.

...На фоне Чечни другие намерения нового премьера были менее заметны. Но на самом-то деле она была далеко не главной трудностью на пути российского правительства. Главная – дела наши скорбные, горестная наша экономика. Несмотря на десять лет разграбления, в стране было еще достаточно того, что можно украсть, продать, перевести деньги за границу. А потом бросить уже окончательно разворованную страну на произвол судьбы...

Кто может сказать, где бы мы сейчас были, если бы во главе государства оказалась марионетка олигархов?

...Уже осенью 1999 года Путин наметил те пути, по которым впоследствии пошел. Все, в общем-то, просто. Так, новая политика правительства по отношению к внешним долгам пришлась по душе избирателям, хотя не сулила им на ближайшие годы сытой жизни – больше долгов не брать, а то, что должны, – платить. Уже в 1999 году Россия, несмотря на отсутствие международных кредитов, выполнила все финансовые обязательства этого года. Без новых кредитов как-то обошлись, и ничего – экономика не рухнула. Может быть, «надежда и опора» реформы, наши магнаты промышленности с перепугу меньше налогов воровать стали?

А ведь надо еще смотреть, на каких условиях давались эти пресловутые кредиты. Проценты-то по ним шли не только денежные. Так, по поводу одного из траншей МВФ немецкая газета «Вельт» писала: «Этот широкий жест имел под собой чисто политические причины и явился своеобразной премией России за сдержанность в косовском конфликте». (Это когда мы братьев-югославов продали.) Как может быть непопулярной у народа политика, при которой никто больше не осмелится обратиться к России с предложениями покупки политических решений?

Новая нотка прозвучала и в том, что касалось налоговой политики. Власть дала понять предпринимателям, что будет неукоснительно собирать налоги. Был отменен целый ряд налоговых льгот, предприняты некоторые экономические методы против утечки капиталов.

А теперь о самом больном вопросе – о приватизации и национализации. Всевозможные олигархи, говоря о смене кремлевских хозяев, в один голос говорили о «преемственности власти». Что это такое, по их пониманию? А это очень простая вещь. Программа-максимум – чтобы при новой власти было бы так же вольготно воровать, как и при старой. Программа-минимум: чтобы новая власть хотя бы не трогала того, что они успели нахапать.

Путин с самого начала успокоил трепещущих «приватизаторов»: воровать так, как раньше, больше не получится, но «речи о деприватизации и переделе собственности сегодня идти не может». Съезд промышленников и предпринимателей откликнулся на это такими аплодисментами, какие в советской истории только Сталину доставались. Чуяла кошка, чье мясо съела...

Коммунисты по-прежнему повторяли заклинания о тотальной национализации. Путин обозвал это требование «идеологическим тараканом» партии и заявил: «Вот этого точно не будет. Не будет очередной крупномасштабной трагедии. Если были произведены в предыдущие годы какие-то неправомерные действия, и это установлено и доказано судом, то другое дело. Ну а сама по себе национализация и конфискация вне судебной процедуры – это катастрофа».

Любой мало-мальски понимающий в экономике, да и просто наделенный здравым смыслом человек с этим согласится. Еще одного перехода из рук в руки наша многострадальная промышленность попросту не выдержит, тем более что управляющие промышленностью советские структуры за десять лет были практически разрушены. Есть, конечно, такие ревнители справедливости, которым хоть весь мир рухни, лишь бы все было «по правде». Но в таком случае куда проще, чем гробить промышленность, попросту вызвать санитаров.

Впрочем, как я уже говорил, даже на основе судебных решений деприватизировать можно все что угодно... Хорошая дубинка для непослушных богачей, вы не находите?

Что касается общего развития промышленности, здесь общее направление было следующим: в сфере экономики следует создать единый народнохозяйственный комплекс, в основу которого положить высокие технологии военно-промышленного комплекса. Допустить прямые иностранные инвестиции в российскую промышленность, зато закрыть внутренний рынок для зарубежных конкурентов отечественных производителей. То есть политика, прямо противоположная практике экономической реформы, нацеленной на атомизацию промышленности, разрыв существующих связей, уничтожение военной промышленности, а также создавшую благоприятнейшие условия для скупки иностранцами российских предприятий (вместо инвестиций) и открывшую рынок для иностранных товаров.

...Интересно, присутствовал ли Ходорковский на том совещании в Белом доме, где говорилось об управлении государственным имуществом в Российской Федерации? Путин заявил собравшимся, что отныне ничего от государства нельзя будет получить задаром. «А жаждущим ответим: Бог подаст!» Собственность должна приносить доход.

«В речи премьера было два ключевых момента, – писал "Коммерсантъ", – жесткое противодействие попыткам пересмотреть итоги приватизации и господдержка эффективного собственника, как частного, так и государства».

...По намеченному тогда пути он и пошел впоследствии, избавившись от приставки «и. о.» так легко и безболезненно, словно бы никакой избирательной кампании и не было вовсе. К полному обалдению политологов, так и не понявших: а что, собственно, произошло?

Не понявших до такой степени, что в совершеннейшей растерянности главный национал-патриотический теоретик страны А. Проханов печатно взмяукнул ни много ни мало – о происках самого Сатаны, который-де и «превратил чиновника провинциального масштаба в диктатора».

Поневоле вспоминается герой «Угрюм-реки», в схожей ситуации восклицавший: «Мистик мохнорылый, тварь!»

Ну, у Проханова все это было от бессильной обиды перед лицом напрочь поменявшейся жизненной ситуации, когда, хоть тресни, страна никак не желала приглашать А. П. в пророки и вожди, как ни старался. А самое, по-моему, для него обидное – это то, что «диктатор» наотрез отказывался собственными руками создавать «страдальцев». Проханов орал о происках Сатаны – а «оргвыводов» не последовало. Накропал истерически взвинченный антипутинский романчик «Господин Гексоген» – а его не то что не посадили, но и на червонец не оштрафовали. Лобызался с Березовским и, воодушевленный скорым приходом лондонских денежек, обещал всех раскатать – «диктаторский режим» опять-таки сохранял олимпийское спокойствие.

Впрочем, нежелание Путина мастерить собственными руками «безвинных страдальцев» проявилось еще раньше, в «деле Бабицкого». Поскольку эта фамилия уже стерлась из памяти многих, напомню: оный Бабицкий был «демократическим журналистом». То есть шатался по чеченским горам и лесам, дружески беседовал за чайком с «полевыми командирами», прокламируя их как бойцов за свободу и независимость. Когда его арестовали в Дагестане с фальшивыми документами, СМИ схожего пошиба выжидательно изготовились к могучему информационному залпу: подворачивался случай досыта покричать о тирании и зажиме свободной прессы. Как будто американцы, отловив в тылах расквартированных в Ираке войск своего Бабицкого с поддельным американским картоном (как выражался покойный Юлиан Семенов), стали бы поить его выдержанным виски, фотографироваться на память и устраивать вечера с девочками по вызову...

Однако Путин и тут проявил коварную суть: позвонил в Дагестан соответствующим службам и велел выкинуть арестанта за ворота к чертовой матери.

И вся либеральная орда, разинувшая было для воплей ротовые отверстия на максимальный распах, осталась в дураках. Всех до единого защитников вольностей прессы Бабицкий интересовал в одном-единственном качестве: в виде несчастного узника, гремящего ржавыми цепями на охапке гнилой соломы, к которому уже крались, перемигиваясь, хихикая и щелкая клещами, злые чекисты с засученными рукавами...

Вольный как птичка Бабицкий мгновенно стал никому не нужным. Московские знакомые мне рассказывали, как он еще какое-то время болтался по редакциям с предложением услуг, а его вежливо провожали за дверь: ну кому он нужен на свободе, без мрачных соглядатаев за спиной, без вырванных ногтей и с непоротой задницей?! Сенсации не вышло, Бабицкого забыли так стремительно, словно его и вовсе не бывало...

Вот тогда я и сказал себе: браво! Браво, господин полковник, это, без лести, высший пилотаж...

...Страна очень быстро почувствовала появление хозяина. Ту самую твердую руку на штурвале, которую отчего-то принято настороженно пугаться и на всякий случай поднимать шум до небес об угрозе демократии и прочих страшных вещей, будоражащих воспаленное сознание отечественного либерального интеллигента. Хотя, какую область человеческой деятельности ни возьми, понятия «штурвал» и «твердая рука» прямо-таки неотделимы друг от друга...

4. Твердая рука на штурвале

Буквально те же самые задачи, чуть ли не за четыреста лет до Путина, успешно решал кардинал Ришелье – не тот опереточный интриган, каким мы его помним по роману Дюма, а умнейший и крупнейший государственный деятель.

Фактически именно он утвердил понятие «французское государство», которое до Ришелье существовало исторически. Проблемы были те же, что у нас сейчас: номинально единая страна на деле состояла из скопища полунезависимых герцогств и прочих княжеств, хозяева которых, тогдашние олигархи, то преспокойно воевали меж собой, то с простодушным цинизмом договаривались свергнуть короля и посадить более покладистого, который ну абсолютно не будет мешать (знаменитый заговор Шале). Давным-давно существовали писаные законы, но по ним никто не жил: в каждой провинции, области, говоря по-русски, уезде реально правил местный «олигарх». Что он сказал, то и исполняли.

Между прочим, именно такой и посадил за решетку реального д'Артаньяна, отправившегося искать счастья в Париже. Проездом на постоялом дворе юнец посканда́лил с каким-то незнакомцем – а тот оказался местным хозяином полей, лесов, угодий и мельниц. И преспокойно распорядился: «А бросьте-ка этого наглого щенка в тюрьму!» Он не имел ни малейшего законного права на такие распоряжения – но он был тутошний олигарх. И юного гасконца вопреки всем писаным законам кинули в камеру, откуда он с превеликим трудом освободился лишь через несколько месяцев...

Ришелье эту систему поломал. Во все провинции назначил комиссаров (ага, они так официально и звались), чьей главной задачей было следить за соблюдением законов. Убрал с высоких постов тогдашних олигархов, которые палец о палец не ударяли, но огромное жалованье получали прилежно. Заговорщикам и строптивцам беспощадно рубил головы либо определял в Бастилию.

И в конце концов навел в стране порядок, превратив скопище, рыхлый конгломерат полувольных владений в единую державу с исправно работающим государственным аппаратом, здоровой экономикой, четкой вертикалью власти...

А теперь попробуем представить, что произошло бы в США, окажись на месте Рузвельта кто-то слабый вроде Кулиджа или откровенная марионетка олигархов вроде Гардинга.

С огромной долей вероятности можно утверждать, что дело закончилось бы совсем скверно.

Финансовая система рухнула, промышленность не работает, сельское хозяйство парализовано, миллионы людей потеряли и работу, и всякую возможность к дальнейшему существованию...

Что дальше? Да никаких сомнений: грандиозная, захлестнувшая всю страну смута, как две капли воды похожая на российскую образца 1605-го года...

Армия и полиция какое-то время пытаются наводить порядок, но очень быстро разваливаются, поскольку зарплаты им никто не платит, и надо думать о собственном выживании. Голодные толпы, движимые инстинктом самосохранения, бросаются грабить города и фермы – а у каждого фермера парочка винчестеров в шкафу, да и в городах немало оружия имеется.

Местные власти лихорадочно сколачивают (благо опыт есть) всевозможные «комитеты бдительности», чтобы уберечь свои городки, округа, амбары и скотные дворы. Начинается война всех против всех. В разных местах быстренько выдвигаются свои наполеончики, подбирающие под свою руку разрозненные остатки воинских частей и всех, способных держать оружие.

Более чем вероятно, что о своей независимости вновь заявляют южные штаты – участников Гражданской войны в живых практически не осталось, но еще немало тех, кто, будучи мальчишкой, прекрасно помнит о временах независимости.

Более чем вероятно, что через южную границу вторгаются ободренные царящей у соседа анархией мексиканцы (у которых янки, совсем недавно по историческим меркам, оттяпали половину территории Мексики).

Более чем вероятно, что из Канады двинутся английские полки – решить старый спор со своей взбунтовавшейся колонией и прихватить под шумок, сколько удастся (под благой целью спасения от хаоса, которая часть населения, скажем откровенно, привлечет).

Это не безудержный полет фантазии, а вполне реальная перспектива распада и исчезновения США как единого государственного организма. Подобное случалось не только в России, но и в других странах, так что строить виртуальность несложно...

Да, и вот что еще... Крах США в том случае, если бы не случилось реформ Рузвельта, обязательно бы рикошетом ударили по СССР. Поскольку наша индустриализация – в первую очередь результат того, что Сталин за хорошие деньги закупал в Америке целые заводы под ключ (наша «эмка» – как раз и есть одна из моделей «Форда»), металлургические комбинаты, домны, оборудование для ГЭС. Но в том случае, если США превратились бы в нечто неописуемое, никакие деньги уже не могли бы помочь – попробуй за любые деньги купить что бы то ни было, если оно больше не производится, заводы стоят, рабочие разбежались...

Но не случилось никакого Апокалипсиса – потому что пришел Рузвельт и действовал, не обращая особенного внимания на то, насколько его инициативы сочетаются с писаными законами и не писаными правилами игры...

Восемьдесят лет назад примеру спешного выхода из кризиса продемонстрировали наши польские соседи – не братья, конечно, но все же родственники, во многом на нас с вами чертовски похожие...

После того как сверхпопулярный в стране и у народа маршал Юзеф Пилсудский создал независимое государство и отстоял его в войне с соседями, он передал власть гражданскому правительству и добровольно отошел от штурвала. Воцарилась самая неприкрытая демократия с парламентом, полнейшей рыночной свободой и прочими прелестями.

И тут началось... Хоть святых выноси.

В Сейме (польском парламенте) увлеченно грызлись аж 112 (сто двенадцать!) партий. Господа депутаты увлеченно сколачивали состояния, коррупция и казнокрадство завелись фантастические. Лучше всего послушать очевидца тех событий, писателя Побуг-Малиновского...

«Из Сейма на страну разливалась волна грязи и нравственной гнили. Депутаты, трактуя свое избрание не как обязанность добросовестно и самоотверженно трудиться на благо государства, а как плацдарм для развития своей партии, или, что еще хуже, для сколачивания капитала и личной карьеры, создавали настоящую клику, которая, словно огромный отвратительный паук, охватывала своей паутиной всю страну. В государственных органах всегда было полно "нахалов из Сейма", которые являлись сюда с категорическими требованиями решить их личные вопросы или же с настояниями, советами, указаниями в соответствии с партийными интересами и устремлениями; затерроризированные чиновники часто не знали, кого им слушать, министра или пана, размахивавшего депутатским удостоверением. Одновременно старались сохранить близкие и сердечные отношения с избирателями; в результате нарастала волна коррупции, толпы аферистов и спекулянтов овладевали государственным аппаратом и его учреждениями. Все шире произрастали аферы и злоупотребления...»

Вот такая была парламентская демократия. Президента страны, ученого с Европейским именем Нарутовича к тому времени уже застрелил правый экстремист...

Спросили маршала Пилсудского, что делать. Маршал ответил кратко: «Бить воров и шлюх» (под шлюхами имея в виду, конечно, не честных тружениц панели).

12 мая 1926 г. верные Пилсудскому воинские части двинулись на Варшаву. Подавляющее большинство населения – и правые, и левые – оказались на стороне мятежников, железнодорожники собирались останавливать воинские эшелоны, если они двинутся к столице поддержать правительство, да и сами военные не горели желанием драться за кучку то ли политиканствующих воров, то ли заворовавшихся политиканов...

После трехдневной вялой перестрелки с минимумом жертв власти капитулировали.

Пилсудский стал военным министром – и в этом качестве фактически управлял страной. Вся демократия осталась в полной неприкосновенности – и выборы, и парламент, и президент, и политические партии. Коммунисты, правда, кричали: «Долой фашистское правительство Пилсудского!» – но, необходимо подчеркнуть, не на улице, а со своих депутатских мест в зале парламента, откуда их никто не гнал...

В общем, был объявлен режим «санации», оздоровления – и «хозяйство» изрядно очистили от коррупционеров, воров и просто любителей половить рыбку в мутной воде. Страна понемногу вернулась к нормальной жизни, кончился хаос и бардак, успешно развивалась экономика. Правда, после смерти Пилсудского его незадачливые наследники, флиртуя с Гитлером, привели страну к краху, но это уже другая история... Даже в отечественной историографии давно снят с Пилсудского ярлык «фашистского диктатора».

Интересная наука история. Вот только плохо, очень плохо преподают ее в наших школах...

5. Когда прошло пять лет...

...Итак, страна очень быстро почувствовала появление хозяина. Собралась, приободрилась... А потом восторги немножко поутихли и наступило некоторое разочарование. И тут надо бы разобраться: в чем именно новый президент не оправдал народных чаяний? Ясно ведь, что не оправдал – но в чем?

По этому поводу есть ответ у Березовского. В 2003 году, аккурат под встречу Путина и Буша, он опубликовал в восьми ведущих западных газетах так называемое «Открытое письмо» российскому президенту со списком обвинений из семи пунктов. Излагаю его весь. Комментировать не буду – думаю, что любой человек, прочитавший эту книгу, способен сделать это самостоятельно.

«Господин Президент (Буш, естественно. – *А. Б.*), известно ли Вам:

1) что за время президентства Путина разрушены независимые демократические институты в России? Парламент, суды, средства массовой информации фактически поставлены под контроль власти, а выборы превратились в фикцию?

2) что за время правления г-на Путина совершены военные преступления и геноцид в Чечне?

3) что есть многочисленные предположения о причастности российских спецслужб к взрывам жилых домов в сентябре 1999 года, когда погибло 294 человека? Что эти теракты стали предлогом для войны в Чечне? Что Кремль подавил парламентское расследование этих терактов и засекретил всю информацию?

4) что в октябре 2002 года для предотвращения теракта в театральном центре в Москве спецслужбы применили смертоносный газ, в результате чего погибло 129 мирных граждан?*

5) что антисемитизм и ксенофобия используются спецслужбами для демонизации крупного бизнеса и нагнетании военной истерии, как это происходило в Германии при захвате и консолидации власти нацистами?

---

* В мировой практике при освобождении заложников 25% погибших считается нормальным. Это война.

6) что за годы путинского правления выходцы из спецслужб – ветераны советского КГБ – заняли больше половины важнейших государственных постов?

7) что органы правопорядка используются в политических целях, фабрикуются уголовные дела, международное сообщество вовлекается в подавление политической оппозиции через процессы экстрадиции?* Общество сковал страх, оппозиционные политики и журналисты все чаще становятся жертвами нераскрытых покушений. Что впервые за 10 лет в России вновь появились политические заключенные?»

Короче: бедные, бедные СМИ, которым теперь нельзя вести откровенно антигосударственную политику, а можно только исподволь покусывать! Бедный «узник совести» Ходорковский! Бедный Березовский, которому грозит страшная экстрадиция прямо в лапы КГБ! А также бедные чеченские бандиты, подвергающиеся жестокому геноциду, и бедные заложники, которых попытались освободить, вместо того чтобы покорно выполнить требования бандитов и обеспечить тем самым еще десяток «Норд-Остов»... Жаль, что это письмо было написано в 2003 году, а не годом позже – а то бы он и убитых бесланских детей приписал властям, которые подвергают геноциду бедных иностранных наемников в Чечне.

БАБ в своем репертуаре: ври, ври, что-нибудь да сработает...

В антипутинском фильме «Товарищ президент» публично сокрушается еще один «герой перестройки» Александр Яковлев: «Первым звоночком для меня прозвучали вот эти цветы или что там на могилу Андропова, к барельефу Андропова. Второй, но уже удар – сталинский гимн. Такого кощунства, такого плевка в лицо народу я не ожидал. Под этот гимн погибли миллионы людей, расстреляны...»

Комментировать не матерно подобные откровения трудно. Однако попробую.

Во-первых, пресловутые «расстрелянные миллионы», под которыми, естественно, господин-товарищ Яковлев не убийц-уголов-

---

* Экстрадиция – выдача укрывающихся в стране преступников тому государству, где они совершили преступления.

ников имел в виду, а «верных ленинцев», укокошенных в «тридцать седьмом», шли к стенке под «Интернационал» – «Союз нерушимый» появился позднее, и «под него» расстреливали разве что дезертиров. А во-вторых, под этот гимн еще и поднимали советский флаг над рейхстагом, строили заводы, осваивали космос, под него СССР превратился в сверхдержаву, о которую никто бы не посмел вытирать ноги. Вот и вопрос: если бывший секретарь ЦК КПСС по идеологии товарищ Яковлев воспринимает этот гимн как плевок в лицо – то кому и чему он *на самом деле* служит?

Ну ладно, хватит о подонках. Поговорим о людях нормальных, честных, искренних, которые тоже несколько разочарованы.

Коротко говоря, основные обоснованные претензии к Путину (крики о том, что он – марионетка злобных янки, равно как о том, что он немецкий шпион, думаю, можно оставить за кадром) – их все можно свести к одной фразе: он не сотворил чуда. От него ждали чуда, а он...

Конечно, очень бы было хорошо, если б через год после прихода к власти нового президента наступило экономическое процветание, пенсии увеличились в десять раз, а зарплата хотя бы в пять, очередникам стали давать квартиры, в милиции перестали бы бить, а чиновники не стали брать взятки, и хлеб снова стоил бы четырнадцать копеек... А еще лучше, чтобы мы за эти пять лет догнали бы и перегнали Америку по всем показателям.

Нет, чуда не произошло. И не могло произойти. Достаточно чуть-чуть подумать, чтобы это понять.

Когда человек покупает дом, стараниями прежних жильцов доведенный до того, что стены кренятся, окна выбиты вместе с рамами, крыша течет, а по кухне бегают полуметровые крысы – что он делает? Засучивает рукава и принимается за ремонт. И не ждет, что все сделается за полгода, особенно когда и денег маловато, да и рук не хватает.

Вот на уровне собственного дома мы все очень хорошо понимаем. А на уровне страны нам вынь да положь чудо...

Не могло произойти чуда в стране, где все прогнило до такой степени, что буквально не за что ухватиться. Где чиновник, не берущий взятки – редкое исключение, где милиция больше озабочена набиванием карманов, чем защитой граждан, где в больницах поборы за каждый укол, а учителя торгуют отметками, где воровство – обычное дело...

И наивно было бы думать, что вот сейчас придет некий Царь-батюшка, рукой поведет, и у нас сразу установится царство чистоты и справедливости. Не будет этого, ибо для начала власти, долгими муками и усилиями, надо создать себе хотя бы почву под ногами, чтоб было на что опереться. Кому-то пригрозить, кого-то амнистировать, а кого-то к ногтю прижать. И страна из навозной кучи выползать будет не одним большим скачком, а медленно-медленно, шажок за шажком...

Впрочем, ведь чуда никто и не обещал, если помните...

И все же за эти годы кое-что сделано.

Уже несколько лет в стране правит бал устоявшаяся стабильность. Начали помаленьку забывать о финансовых пирамидах, обвалах рубля, дикой инфляции и наглой прихватизации. Увеличены оборонные заказы. На вооружении армии появилась уникальная МБР «Тополь М РС-12 М 2», которую за ее качества еще называют «сумасшедшей ракетой» – она уходит со старта со сверхзвуковой скоростью, по траекториям, которые не способен просчитать ни один компьютер ПВО «вероятного противника».

Предотвращена угроза распада Российской Федерации – реально существовавшая, отнюдь не надуманная. Система федеральных округов укрепила власть и управляемость.

Задолженность по заработной плате на месяц считается уже безобразием. А по полгода, как пять лет назад – не хотите?

В Чечне далеко до мира, но прежнего разгула бандитизма давно уже нет.

Россия расплачивается с внешними долгами – они были взяты в предшествующие годы, но платить, понятно, пришлось власти нынешней... Мы больше не должны ни гроша Международному валютному фонду и не собираемся занимать у него впредь. Конечно, новые займы планируются – но это уже другие займы. Прежние, во-первых, брались под высокие проценты, во-вторых, в обстановке хаоса и неразберихи, и то откровенно обогащали финансовых олигархов, то вовсе пропадали неизвестно куда. Нынешние займы – у Европейского и Мирового банков – берутся под низкий процент, исключительно на финансирование эффективных проектов (модернизация системы государственного управления, охрана окружающей среды, информатизация школ, реформа электроэнергетики).

Кроме того, создана «заначка» государственного масштаба – тот самый Стабилизационный фонд, чье существование не дает покоя «экономистам» в кавычках и попросту любителям халявы, которые с трагическим надрывом балованного дитяти требуют незамедлительно «все поделить». Раздать народу денежку на площади – как будто от этого станет легче и поможет вытянуть экономику.

Многим по-прежнему живется нелегко, но сухие цифры показывают, что страна выправляется. Мобильных телефонов в России уже насчитывается более сотни миллионов. Россия официально (не считая «неучтенки», которая у нас всегда присутствовала в нешуточных количествах) занимает официально второе место в мире по производству строительного кирпича. А это означает, что идет оживленное строительство. По числу автомобилей на душу населения мы уже опередили украинцев, белорусов, литовцев и латышей. Что же, прикажете верить, будто все это касается одних только «олигархов» и «богатеев» – все вышеприведенные цифры? Позвольте не согласиться. Они свидетельствуют скорее о том, что растет число обычных людей, которые стали жить лучше.

Объем вкладов в банках и сберкассах со времен дефолта вырос в 7 раз и приблизился к двум триллионам рублей. Студентов в России стало вдвое больше, чем было при советской власти (416 на 10 тысяч жителей против 216 в прежние времена). Ежегодно за рубеж выезжают 20 миллионов россиян. А главное – молодые женщины стали больше рожать. Это уже признак стабильности и повышения благосостояния. В прошлые времена, мы все прекрасно помним, женщина с коляской становилась в иные годы чуть ли не уникальным зрелищем для городской улицы...

Но самое главное, пожалуй – это то, что в новой России созданы все условия для людей, которые хотят честно зарабатывать в самых разных областях жизни. Речь не о «владельцах заводов, газет, пароходов» – о том слое «мелких» хозяев, который именуясь «средним классом», во всех развитых странах составляет фундамент общего процветания. Трудами хорошо проплаченных «орателей» в прежние времена была вбита в массовое сознание совершенно уродливая картина: якобы весь смысл реформ в том, чтобы создать малую кучку сверхбогатых людей, а уж они, в свою очередь, будут «содержать» от щедрот своих всех прочих, «позаботятся» о согражданах.

Нет ничего омерзительнее и ошибочнее этой выдумки, на которой в разное время уже обжигались многие страны. Не кучка суперолигархов ведет к процветанию экономику, а создание равных возможностей для всех.

К превеликому сожалению, насколько я могу судить, наш формирующийся «средний класс» до сих пор не вполне понимает, что обязан благосостоянием именно тому курсу, который взял несколько лет назад президент Путин. Таково уж человеческое сознание: когда дела идут хорошо, кажется, будто все получается «само собой», неким счастливым случаем. Меж тем пора бы осознать несколько простых истин: ни случая, ни совпадения нет; само собой ничего не получается; именно последовательная деятельность президента как гаранта стабильности и законности позволяет многим неплохо зарабатывать, если они трудятся усердно и честно.

Вообще, немногие отдают себе отчет, что с приходом Путина Россия впервые за много лет зажила нормальной жизнью без «больших скачков» и скороспелых экспериментов. Без шумных политических клоунад и потрясений, без скопища «пирамид» и разгула аферистов. Без малейших натяжек можно говорить, что таких времен у нас не было аж с 1894 года!

Именно так, это не ошибка в цифрах. С 1894-го, с восшествия на трон Николая II как раз и началась практически сплошная цепочка потрясений, конфликтов и идеологических утопий. Двадцать три года, до 1917-го, длился разгул «революционных спазмов», как в теории, так и на практике. После семнадцатого и до конца двадцатого столетия жизнь опять-таки была далека от нормального хода: войны, революции, бунты, эксперименты, массированная критика прежних утопий и скороспелое вторжение новых, крах прежней системы и создание новой в уродливых конвульсиях, осложненных Великим Грабежом...

Вы понимаете? Впервые более чем за столетие с лишним Россия развивается стабильно, нормально, спокойно, без всяких идейных шараханий из крайности в крайность, политических баталий и общественных катаклизмов! И попробуйте мне доказать, что дело обстоит иначе – все равно не поверю...

Отчего же ощущается некое разочарование? У меня есть по этому поводу некоторые соображения.

Во-первых, как я уже говорил, потому, что ждали большего.

А во-вторых...

По моему глубочайшему убеждению, во многих случаях критика Путина, его команды, его стиля работы и его реформ вызвана даже не потаенно вброшенными олигархическими денежками и не ущемленными политическими амбициями поблекших «пророков» и «мессий». Далеко не всегда. К сожалению, наши соотечественники, сдается мне, полюбили политический театр настолько, что подсознательно не могут без него жить, как наркоман без очередной дозы ширева. Все дело именно в подсознании. Если лидер государства не провозглашает неких завлекательных акций (типа «догнать и перегнать Америку», «лечь на рельсы», «раздать по две "Волги" на ваучер»), если он не поставляет материал для скандальной хроники, а «всего-навсего» занимается скучной, рутинной, повседневной работой, кропотливым строительством, исправлением ошибок, – некая часть населения (и немаленькая, что удручает) чувствует себя словно бы обокраденной. Она уже сидит на театре, на зрелищности и шумной клоунаде, как на игле.

А в-третьих – многие попросту не понимают происходящего. Опять же, скандалы, сенсации не нуждаются в особых комментариях. Если один думский депутат смазал другому по морде – то смысл происшедшего предельно ясен. А вот работу президента нужно комментировать, разъяснять людям. И заниматься этим должны те, кто за это, собственно, и получает зарплату – ученые, которые кормятся от казны, журналисты государственных СМИ в первую очередь.

Странно, но почему-то ни пресса, ни многочисленные ученые деятельностью Путина как-то и не очень даже интересуются. По ходу работы над этой книгой у меня не было никаких проблем с материалом. Описаний афер, воровства, коррупции на всех уровнях – хоть завались. А вот толковых работ, посвященных «эпохе Путина», его политическим, а главное, экономическим достижениям, практически нет. В чем же дело? Неинтересно возиться с мелочной, кропотливой, каждодневной работой, искать, сопоставлять, анализировать? То ли дело раскопать громкий скандал, бабахнуть на всю страну...

К сожалению, наши средства массовой информации за годы «перестройки» попросту *разучились нормально работать*, разучились *информировать* население. Они могут лишь вбрасывать скандалы да неестественным тоном освещать государственную политику. Такое ощущение, что делать позитивные материалы они не только не умеют – им это занятие глубоко *противно*.

«Отравленные свободой слова» – так бы я их определил. Когда водолаз быстро поднимается с большой глубины, у него начинается так называемая «кессонная болезнь», чаще всего приводящая к смертельному исходу. Похоже, наша пресса не пережила резкого перехода от строгой цензуры к ее полному отсутствию. Сначала бешеная эйфория, а потом тихое угасание...

Честное слово, читая газеты (про телевидение я уж и не говорю), как раз такое ощущение и возникает.

Впрочем, Путин тут никаким боком не виноват...

Разумеется, глупо было бы утверждать, что в деятельности нашей нынешней власти нет ни ошибок, ни промахов. От них никто не застрахован. К примеру, никто не станет отрицать, что закон о монетизации льгот далеко не идеален. Но...

Сейчас мало кто помнит, каковы причины принятия этого закона. Дело в том, что в 90-х годах президент Ельцин, в погоне за голосами избирателей, занялся дешевым популизмом. Известно, что на выборы ходят у нас в основном пенсионеры – вот он и издал несколько указов о льготах для этой категории населения. Причем издал их в приказном порядке, нисколько не интересуясь, кто и каким образом будет их реализовывать. Выполнить и доложить!

Возьмем, например, тот же бесплатный проезд. Президент *повелел* бесплатно возить пенсионеров и еще двадцать шесть категорий населения, забыв указать лишь одну «мелочь» – за чей, собственно, счет состоится этот банкет? А ведь возить пассажиров – стоит денег. В крупных городах на транспорте иной раз более половины пассажиров были бесплатными. То есть они за себя не платили. За них платил кто-то другой – тот, кто не смог от этой чести отбрыкаться. Город, или конкретные автобусные, трамвайные парки, где бесплатные перевозки пожирали деньги с такой силой, что ни на что другое не оставалось. Или же приходилось повышать тарифы, и те пассажиры, которые платили – отстегивали двойную цену. И никто не знал, что с этим делать, потому что власть, решившаяся тронуть эту льготу, потеряла бы избирателей.

Монетизация разгрузила транспорт. Когда перед пенсионерами встал выбор – покупать или не покупать карточку, пусть даже по льготной цене – оказалось, что многим она не так уж и нужна...

Между прочим, закон о монетизации, при всей его скособоченности, оказался крайне полезным для села. Ведь большинство этих льгот были существенны для городских пенсионеров, а сельских они вообще не касались. В селе все эти льготы так никогда и не работали – за полным отсутствием телефонов, общественного транспорта и прочего, ими охваченного. Получалось в полном соответствии с давним высказыванием Ленина по-другому, разумеется, поводу: «Формально правильно, а по сути – издевательство». А в результате закона о монетизации, так возмутившего горожан, сельский житель получил на руки реальные деньги. По городским меркам – копейки. По деревенским – немалое подспорье.

Не так все просто...

Но об этом наши СМИ не сообщали. Зато старательно показывали митинги протестующих. Совсем недавно в Красноярске как раз по поводу закона о монетизации вышли помитинговать пенсионеры. И все бы ничего, но среди стариков и старух затесалось несколько лимоновцев – сытые, мордатые щенки, по возрасту не имеющие права ни на какие льготы. Начали будоражить собравшихся, едва не повели перекрывать главный мост, соединяющий две части миллионного города – и только благодаря грамотным действиям милиции не получилось свалки с мордобоем. И когда организатору этого безобразия судья вкатила всего-то навсего пятнадцать суток, такой вот щенок осмелился угрожать ей с телеэкрана... Это, по-вашему, «диктатура»?

Не говоря уж о том, что даже такой «стихийный» митинг требует на свою организацию денег. Вот и вопрос: а кто их оплачивает? Из чьего кармана текут денежки? Всяко уж не старушки по рублику скидываются и не лимоновцы – хрен лимоновцы вложатся во что-то, кроме ящика пива...

Вот бы проследить...

Так что не будем упрощать...

Другой пример: сколько воплей сотрясало российские просторы по поводу нашего ухода из военно-морской базы Камрань во Вьетнаме и закрытия станции электронной разведки в Лурдесе! Каких только страшных словес не звучало!

А если – логично и спокойно?

Зачем нужны сегодня наши боевые корабли в Камране? Когда-то они базировались там в рамках глобального противостояния двух сверхдержав. Есть ли сегодня необходимость в вооруженном противостоянии американцам в тех теплых морях? Ни малейшей. Главная угроза для России в том регионе – не крейсера под звездно-полосатым флагом, а абсолютно не военная, тихая, ползучая экспансия Китая. Просачивание китайцев в Россию, которое, к сожалению, до сих пор не оценено должным образом по европейскую сторону Уральского хребта...

Кстати, с этой точки зрения – нет никого более заинтересованного в целостности России, чем США. Поскольку распад России автоматически приведет к подчинению ее зауральских регионов Поднебесной. А сочетание миллиарда китайцев с сибирскими ресурсами превзойдет самые апокалиптические голливудские боевики. Что бы там ни болтал старый придурок Бжезинский (чья фамилия в переводе на русский, вот юмор, звучит как... Березовский!), не он определяет геостратегию...

И наконец, нелишне уточнить, что Вьетнам (до сих пор насквозь социалистический, но здорово наловчившийся соображать насчет звонкой монеты) требовал за аренду базы в Камране 300 миллионов долларов в год. Нам деньги девать некуда?!

Та же почти история и с Лурдесом. Центр радиоэлектронной разведки, располагавшийся там до недавнего времени, конечно, многое позволял: перехватывать телефонные разговоры, радиопередачи (вплоть до переклички какого-нибудь сельского шерифа со своим офисом), сообщения со спутников и по факсу...

Но так ли уж это было необходимо в хозяйстве? Для чисто шпионских забав – безусловно полезно. Для стратегических целей обороны страны – вряд ли. Системы раннего предупреждения о любой возможной агрессии против нашей страны превосходно существуют в других местах, и никак с Лурдесом не были связаны.

Есть и другие, более серьезные, аспекты. Конечно, это выглядит импозантно и внушительно – уходящие за горизонт ряды сложных радиоантенн, суровые офицеры за пультами... Однако практически те же самые задачи, что решал Лурдес, гораздо более успешно выполняют в последние годы спутники радиоэлектронной разведки. Высоко над землей, в космической черноте, висит ощетинившийся антеннами аппарат размером с «Запорожец» или даже стиральную машину – и выполняет ту же работу.

Подобные спутники – вещь до предела засекреченная. Даже их точное количество – строжайшая государственная тайна. Но они существуют и действуют успешно (я даже знаю, где их делают, но хрен проболтаюсь). Не зря те же самые Соединенные Штаты, где денежку считать умеют, в последние годы масштабным образом сокращают и агентурную разведку, и все эти поля антенн от горизонта до горизонта. Спутники в сто раз эффективнее, и обходятся гораздо дешевле...

Так зачем нужен устаревший Лурдес, за аренду которого, между прочим, бородатый команданте опять-таки требует кругленькую сумму – двести миллионов долларов в год? Они у нас лишние?!

Да, пресловутую «конверсию» пресса обслуживала куда с большим азартом. Разрушать – не строить...

Иногда Путину, которому повелось ставить в строку всякое лыко, еще и припоминают в качестве критического аргумента привилегии, предоставленные Ельцину (иммунитет от судебного преследования и т. д.).

Опять-таки это обычная практика. В кризисные моменты ради снятия лишнего напряжения и предотвращения ненужной конфронтации в обществе (которому и без того есть чем заняться) так поступали во многих странах. Мы привыкли во всех случаях оглядываться на США? Так вот вам: в 1974 году, чтобы не усугублять ситуацию и не развивать политический кризис, Джеральд Форд самым официальным образом объявил полную амнистию подавшему в отставку Ричарду Никсону «за все возможные нарушения законов США». И сгладился конфликт, не принесший бы пользы никому, кроме политиканов и газетчиков...

Но для меня лично все же главное свершение Путина – то, что он недвусмысленно, последовательно и упорно «строит» олигархов. Создает систему, в которой никакие денежные мешки уже не смогут беззастенчиво «рулить» правительством, парламентом, общественным мнением. И хапать на прежний манер уже никогда не смогут.

Я понимаю, что экономика там, политика, престиж России... Да, я все это понимаю. Но для меня – вот главное...

Глава девятая

ИТОГОВАЯ

1. Итоги и выводы

Каковы же они, изложенные максимально ученым языком, без публицистической легкости?

Гайдаровская «либерализация цен» позволила близким к новой власти бизнесменам получить огромные прибыли, а ваучеризация и последовавшие за ней залоговые аукционы сформировали «класс» олигархов, с многочисленными нарушениями законов приватизировавших общенародную собственность. Олигархи коррумпировали как государственных чиновников, вплоть до весьма высокопоставленных, так и правоохранительные структуры. Чуть позже началось «раскладывание золотых яиц» по разным корзинам. С одной стороны, олигархи поддерживали Ельцина и его «молодых реформаторов», с другой – финансировали совершенно противоположные политические силы. Есть серьезные основания подозревать, что «октябрьские события 1993 года» – результат как раз закулисных действий олигархов, использовавших довольно примитивную схему: столкнуть две ветви власти, чтобы «под шумок» загрести еще больше.

В дальнейшем олигархи цинично использовали попытки руководства страны навести конституционный порядок в Чечне. Образовалась «черная дыра», своеобразный «оффшор», через который перетекли громадные деньги. Яркий пример: связи Березовского с «полевыми командирами».

Уже тогда самые прозорливые бизнесмены поняли, что сохранить власть, а значит, и прибыли невозможно без масштабного манипулирования общественным мнением. Сначала были созданы так называемые «независимые» каналы телевидения и радиовещания, потом произошел фактический захват государственного ОРТ. Не вложив ни копейки в развитие телеканала, олигархи его использовали как для «внутриклановых» разборок, так и для информационного прикрытия своих операций в Чечне, а заодно и для извлечения многомиллионной незаконной прибыли от рекламной деятельности. Шантажируя страну и президента Ельцина «угрозой со стороны коммунистического реванша», олигархи использовали президентские выборы 1996 года для того, чтобы навязать власти свои условия и захватить контроль над ключевыми отраслями российской экономики. Именно олигархи тогда поддерживали и финансировали Зюганова как «единственно возможную альтернативу Ельцину» (Зюганов был полностью подконтролен, и не было ни малейшей опасности, что он «сорвется с крючка»). Играя роль «непримиримого борца с режимом», Зюганов на деле предал свой электорат, координируя действия с крупным бизнесом и правительством.

Во время залоговых аукционов КПРФ и ее многочисленные «союзники» (сила, имевшая реальное большинство в Думе) ничего не сделали реально, чтобы предотвратить захват общенародной собственности, демонстрируя сопротивление только для вида. В дальнейшем и в регионах заработала примитивная схема: олигархи заключили союз с теми губернаторами, кто был ставленником КПРФ, что порой нисколько не скрывалось.

Олигархи сделали все, чтобы превратить правительство из эффективно действующего органа управления страной в собственную лоббистскую контору. Коммунисты не только не воспрепятствовали этому, но и поставили на конвейер штамповку в Думе законов, которые правительство проталкивало в интересах большого бизнеса. Именно коммунисты голосовали за принятие бюджета во времена Черномырдина. Именно коммунисты были основным тормозом принятия пакета законов о лоббизме – поскольку это лишило бы их возможности получать неплохую прибыль от закулисной деятельности в Думе. В результате многие решения правительства перестали отражать государственные интересы, став предметом купли-продажи олигархических группировок.

В результате кризиса 1998 года, красиво поименованного «дефолтом», финансовые структуры олигархов (как это было в 1929 году в США) присвоили огромные средства населения. Ради своих прибылей они поставили страну на грань катастрофы. Все это было бы невозможно без того самого утверждения всех правительственных решений фракцией КПРФ и их союзниками, имевшими достаточно мандатов, чтобы заблокировать как любые действия правительства, так и назначение премьера.

Позже олигархи развязали кампанию по объявлению Ельцину импичмента – из-за того, что президент все же никак не мог считаться «марионеткой». Используя подконтрольную КПРФ как таран, угрозу импичмента превратили в орудие шантажа главы государства, для того чтобы президент стал более уступчивым. Коммунисты получили немалые средства на избирательные кампании – а олигархи вовремя «притормозили» импичмент, получив от власти необходимые услуги и уступки.

Далее олигархи использовали инициативы «левых» по отставке правительства с целью шантажа кабинета министров в связи с «борьбой за бюджет». Скоординированная кампания в олигархических и коммунистических СМИ была направлена против экономического курса и бюджетной политики правительства. Фактически олигархи наняли коммунистов в качестве «политических рэкетиров», чтобы те, угрожая отправить правительство в отставку, перераспределили бюджетные средства в пользу представителей крупного бизнеса. Сама КПРФ осталась в стороне, но ее члены голосовали за нужный бюджет все поголовно.

В 1999 году во время выборов в Госдуму олигархи снова пытались получить контроль над парламентом. В результате массированного использования грязных технологий эти выборы стали самой скандальной кампанией в независимой России.

После избрания Путина президентом олигархия почувствовала реальную угрозу для своего господства в России. Путин доказал, что страна может избавиться от олигархического правления. В то время как КПРФ с Зюгановым во главе в течение многих лет только на словах воевала с олигархами, получая от них же немалые деньги. Путин обрушил их планы захватить полный контроль над Россией и превратить ее исключительно в дешевый источник сырья, рабочей силы и вывозимых за границу капиталов. Олигархи объявили Путину информационную войну, на их стороне, помимо традиционных «подручных» вроде СПС и «Яблока» открыто и цинично встала КПРФ, мгновенно примирившись с «классовым врагом».

(Кстати, Зюганов еще при Ельцине так радел об отставке Чубайса отнюдь не из реальной враждебности. Просто-напросто он прекрасно знал, что Ельцин не терпит неприкрытого нажима в кадровых вопросах и поступит как раз наоборот...)

Олигархи предприняли попытку скупить все основные политические партии России, имевшие представительство в Думе – чтобы подменить общенациональные интересы, которые должен выражать парламент, узкими интересами кучки нуворишей. Вслед за приватизацией собственности, они пытались приватизировать и политическую жизнь, и саму российскую государственность. Победа объединенной путинской партии на выборах 2003 года заставила олигархов ужесточить противостояние президенту и его команде, а также срочно поменять тактику. Если прежде они оплачивали «правых» и «левых», с двух сторон душивших путинские реформы, то теперь начались попытки объединить всю «оппозицию» в единую команду: интимное воркование Березовского с Прохановым, выступления Зюганова в защиту Ходорковского и т. д. Эта программа срывается пока исключительно из-за мелочности «лидеров оппозиции» вроде Явлинского, Немцова, Хакамады и прочих возомнивших о себе чрезмерно много и искренне полагающих себя «крупными независимыми фигурами». Однако это не значит, что олигархи отказались от создания «единого антипутинского фронта»...

2. Детали, технологии

Как это выглядит на практике? Некоторое представление дает доклад Совета по национальной стратегии «Государство и олигархи».

«В сегодняшней России назревает олигархический переворот. Сверхкрупный бизнес делал ставку на личную интеграцию во власть и существенное урезание полномочий президента».

По мнению генерального директора Совета С. Белковского, олигархи готовят трансформацию страны из президентской республики в президентско-парламентскую французского типа. Подобная трансформация подразумевает формирование правительства парламентского большинства с одним из олигархов во главе (о своих намерениях на этот счет еще недавно практически открыто говорил Ходорковский). С точки зрения жизненно важных интересов олигархии, институт президентства себя исчерпал и превратился в потенциальную угрозу для сверхкрупных корпораций.

Становится ясным, что задача олигархов – уничтожить суверенную российскую государственность, сформировать в стране марионеточный режим под внешним управлением с Запада. Систему ценностей олигархии можно смело называть антинациональной. Олигархическая собственность на территории России главным образом оформлена на иностранные юридические лица, преимущественно оффшорные компании. Продолжается массированный вывоз капиталов из страны, приобретение всевозможных материальных ценностей за рубежом – от футбольных команд до замков, земель и предприятий. Семьи многих олигархов постоянно проживают за границей, там же обучаются их наследники. Это указывает на то, что большинство олигархов не связывает свои личные интересы с Россией, которую они в любой момент способны покинуть.

Презентуя себя как «отечественных Фордов и Карнеги», олигархи не имеют ничего общего с цивилизованным бизнесом, который во всем мире, восприняв уроки кризисов, в первую очередь старается заботиться об интересах общества. Российские олигархи в большинстве не чувствуют социальной ответственности перед родиной и народом. Их интересы по ослаблению и ликвидации российской государственности совпадают с интересами ряда политиков Запада, считающих, что сильная Россия все же может в обозримом будущем стать конкурентом на мировой экономической арене. В результате оформляется антироссийский заговор с участием западных политиков, российских олигархов и российской же «оппозиции». Не зря в последнее время столь модным стало напоминать об «украинском опыте», «оранжевой революции». Не зря на пресловутом майдане в Киеве рядом с Ющенко периодически светился Немцов. Не зря появились не имеющие рыночного спроса, но дорогостоящие в производстве толстенные книги в завлекательных обложках с угрожающе-многозначительным названием вроде «Последний шанс Путина» и даже «Россия после Путина». В психологии и пиар-технологиях такие вещи прекрасно известны: речь идет о завуалированном давлении на сознание масс, когда о заветной цели упорно говорят как о якобы «совершившейся».

Березовский срочно выпустил толстенный трехтомник «Избранных произведений» – опять-таки в рамках глобальной стратегии. Эффект мизерный, но сейчас любые средства хороши...

Глава десятая

ЕЩЕ РАЗ О БЕРЕЗОВСКОМ

1. Погружение в виртуальный мир

После того как 23 марта 2013 года Борис Березовский был найден мертвым в своем лондонском особняке, журналист и политолог Станислав Белковский, человек лично знавший Бориса Абрамовича и относящийся к нему с явной симпатией, выпустил статью «Березовский: эпизод последний», широко разошедшуюся в Интернете. Там он назвал олигарха… шизофреником. Правда, смысл в это слово он вкладывал не слишком привычный.

«Шизофреник живет сугубо и всецело в придуманном им мире, где царят его собственные законы. Потому-то ему не страшно. Он может висеть на волоске и ходить по лезвию бритвы, не испытывая паники или хотя бы навязчивой тревоги. Мир шизофреника ему совершенно не враждебен — хотя бы уже потому, что это Страна чудес / Зазеркалье, которого в наличной материальной реальности не существует».

И ведь в самом деле, с какого-то момента действия Березовского начинают вызывать некоторое недоумение. Складывается впечатление, что чем дальше он сидел в Лондоне, тем более погружался в собственный «виртуальный мир».

Итак, Березовский объявил войну Путину. Причем выступил с критикой президента с «ортодоксальных» либеральных позиций. Его риторика напоминает либеральные газеты эпохи «поздней перестройки». Дескать, поскольку В. В. Путин в прошлом офицер КГБ, то получалось, что в России взяла власть «кровавая гэбня». А что нужно? Правильно. Снести эту власть, развалить все, что еще не развалили – и на руинах ликовать о «торжестве демократии».

Хотя уж если Березовский сам не понимал ситуации – мог бы кого-нибудь спросить, благо от него кормились не самые глупые люди. И ему бы объяснили, что в России параноидальный страх перед КГБ как-то сошел на нет. Если, конечно, не брать в расчет таких персонажей, как Новодворская или Алексеева. Тем более что Путин являлся офицером внешней разведки, а для нормальных людей стало понятно – разведка существует в любой стране.

Однако несколько иначе дело обстоит в виртуальном мире. Сегодня «виртуальное» мышление очень распространено. Потому что существует Интернет.

Если говорить о политике, то мир Интернета и в самом деле в некоторой степени шизофренический. Ведь для создания и поддержки сайта достаточно одного человека. Так что политических сайтов существует много и разных. При этом в Интернете не существует такого понятия, как расстояние. Нет никакой разницы – сидит ваш собеседник в том же доме или на другом конце планеты. Так что на любую, пусть и самую бредовую идею найдется какое-то количество человек, которые ее поддержат. При этом Интернет безличен. В нем можно выдавать себя за офицера спецназа, за олигарха или за длинноногую блондинку. При желании можно жить в собственном мире, в котором вы сможете общаться только с идейно близкими, а остальных игнорировать.

Кстати, стоит опровергнуть расхожее мнение, что Сеть является пастбищем исключительно для молодежи. Это уже давно не так. Компьютеры стоят относительно недорого, Интернет-услуги – тоже. Так что на сетевых просторах пасется сегодня кто угодно.

Причем многие и в самом деле начинают верить, что виртуальный мир – это и есть сама реальность.

Примером может послужить ситуация как после думских, так и президентских выборов. Как известно, оппозиция подняла визг до небес о том, что их результаты сфальсифицированы. Никто не отрицает, что «вбросы» имели место. Но это скорее всего происходило от чрезмерного усердия чиновников, желавших лишний раз прогнуться перед властью. Путин победил бы в любом случае. Это понятно разумным людям, но не обитателям виртуального мира. Нам стали демонстрировать многочисленные образцы «интернет-голосований», в которых Путин и «Единая Россия» с треском проигрывали, а побеждал... кто-нибудь. Причем эти «голосования» на полном серьезе и совершенно искренне выдавали за истину. Хотя ведь очевидно:

Интернет есть далеко не у всех.

Из тех, у кого он есть, не все лазают по политическим сайтам.

Из тех, кто лазает, не все заходят именно на этот сайт.

Кроме того, поскольку Интернет не имеет расстояния, в подобных «голосованиях» могли принимать участие не только граждане России. А из эмигрантов на российские политические сайты заглядывает ну очень специфическая публика...

Я ни в коем случае не утверждаю, что Березовский получал сведения о политических настроениях в России исключительно из Интернета. Но складывается впечатление, что Березовский с некоторого времени стал мыслить по законам виртуального мира. То есть он видел только то, что хотел видеть. Причем большой вопрос — а как его информировали те, с кем он работал?

И Березовский стал бороться за демократию.

С этой целью в декабре 2000 года он учредил Фонд защиты гражданских свобод. Дело было поставлено серьезно. Для управления новым фондом Березовский привлек команду из Фонда Джорджа Сороса.

Сам БАБ заявил:

«Я рад, что они согласились взяться за этот проект. В ближайшие месяцы будет создан Общественный совет нашего фонда для разработки долгосрочной программы, назначения экспертов, проведения конкурсов и участия в сборе средств».

Кому выделили?

Для поддержки Музея и Общественного центра Андрея Сахарова – 3 миллиона долларов.

Международному фонду «Демократия» (Фонд Александра Яковлева) для организации электронного архива истории сталинских репрессий – 150 тысяч долларов.

Центру содействия реформе уголовно-исполнительной и судебной системы (Фонд Валерия Абрамкина) на проведение мероприятий в защиту прав заключенных – 100 тысяч долларов.

Программы:

«Защита гражданских свобод» – 3 миллиона долларов в течение трех лет.

«Федерализм и народовластие» – Аналитический и информационный центр в Нью-Йорке для изучения проблем и развития международных связей органов регионального и местного самоуправления в России – 1,5 миллиона долларов в течение трех лет.

«Солдатские матери» – 1 миллион в течение трех лет.

Березовский не только вкладывал свои деньги, он подталкивал американцев вкладываться в эту организацию. Так, в 2004 году один из главных в фонде, Александр Гольдфарб, явился в Конгресс США в первый день визита Путина в Америку и толкнул перед конгрессменами речь:

«Сокращение американского финансирования российских правозащитников отражает точку зрения, активно распространяемую администрацией Буша, что Россия значительно продвинулась на пути демократии. Между тем зажим демократии Путинским режимом очевиден. Просто интересы сотрудничества в области безопасности перевесили традиционные американские ценности. Увы, правозащитники повторяют путь чеченцев; российская власть собирается их "мочить в сортире", а западные правительства делают вид, что ничего особенного не происходит. Хорошо, что гости смогут пролоббировать свои интересы непосредственно у источника финансирования».

Этот фонд активно боролся за всяческие свободы – к примеру, финансировал съемки фильмов, поливающих грязью наших солдат в Чечне и рекламирующих чеченских бандитов.

Но... Все мы знаем, как распределяются деньги в подобных фондах. По большому счету Березовский создал разветвленную структуру для различных «грантоедов», которые возьмут деньги и отработают их так, что глаза бы не глядели. Или вовсе не отработают. Но эти люди умело создают плотную толпу «демократической общественности», чьи вопли, если не прислушиваться, можно принять за мнение народа.

И Березовского стали «кидать». Все, кому не лень. Вот рассказ питерского журналиста: «Я получил заказ написать байку о том как ФСБ сорвала покушение на Путина и придумал телегу о том, что когда специально отобранный отряд чеченских боевиков славянской национальности готовился мочить Путина в Москве, он выехал в Чечню, встретил там новый год среди военных, избежал покушения и пропиарился перед выборами. Заказчиком выступил Березовский, я получил чистыми 1000 баксов, материал вышел в "Калейдоскопе"». («Калейдоскоп» – одно время очень популярная в Санкт-Петербурге газета «желтой» направленности. В последнее время куда-то делась. – *А. Б.*).

Заметим, что байка, выдуманная журналюгой, скорее пропутинская. А деньги он все равно получил.

Конечно, что для Березовского штука долларов? Но процесс пошел. Сколь таких было? В определенных журналистских кругах получить деньги с «богатого Буратино» и его «простебать» является чем-то вроде спорта.

В процесс включился и неоднократно упоминавшийся в этой книге главный российский национал-патриот Александр Проханов, «...который в 2002 году получил от БАБа $300 000 "на развитие издания", соблазняя шизофреника туманными обещаниями стать оппозиционным кандидатом в президенты. (О, как я мутновато жалею, что не получил с тех средств заслуженный откат. Не такие уж маленькие деньги были по тем обывательским временам.) Никакого "развития издания" не случилось, вместо коммунизма объявили Олимпиаду: развивать А. А. Проханов решил собственную дачу. Сотрудники "Завтра" тогда подваливали ко мне с прозрачными намеками: а чего Березовский жмотится-то? Мы тут его интервью публикуем во всю ивановскую, а он — ни копья. Связанный обязательством молчания, я не мог предложить им со своей стороны ничего, кроме полувнятного мычания. Теперь, как любят утверждать ветераны разведок боем, "об этом можно рассказать"» (Станислав Белковский).

Вроде бы Березовского не совсем «развели» – его интервью в «Завтра» печатали. Но газета какой была, такой и осталась – изданием не самого высокого уровня, рассчитанным на очень специфический круг читателей.

Дальше больше. Большое «кидалово» произошло в 2004 году на Украине, во время знаменитой «оранжевой революции». Многие уже, вероятно, забыли, что там произошло, так что имеет смысл напомнить. На президентских выборах победил Виктор Янукович с отрывом в 3%. Кандидат считался проросийским, его поддерживали в основном в восточных регионах и в Крыму. Главным соперником был Виктор Ющенко. Тот самый, который впоследствии объявил Степана Бандеру национальным героем Украины. Западные наблюдатели объявили, что выборы произошли с нарушениями. (А кто бы сомневался! Только на самом-то деле мухлевали все, а самые демократические наблюдатели заметили нарушения только с одной стороны). В общем, поднялся крик до небес – и «возмущенные народные массы» вышли на улицу. Не только вышли – эти самые массы везли из глубинки автобусами.

Во главе протестующих встали «обиженный» Виктор Ющенко и примкнувшая к ним Юлия Тимошенко, являющаяся представительницей украинских олигархов. Ей пообещали должность премьер-министра.

Народ стал толкаться на площади и увлеченно протестовать. Многие из тех, кто пришел на «Майдан Незалежности» (Площадь Независимости возле Крещатика, в просторечии – «Рулетка»), были искренними дураками. Главной ющенковской морковкой, вывешенной перед носом электората, являлось вступление Украины в Евросоюз. Что было существенно. Вступление в ЕС означало для украинцев возможность ездить на заработки не в Москву, а в Европу, где зарплаты побольше. Хотя умные люди понимали – никакого вступления в ЕС не будет. Европа сумела «переварить» бывшие страны Варшавского Договора и Прибалтику, но огромную Украину она бы не потянула. Ведь в Европе понимали – к ним ринутся не только работяги, жаждущие подмолотить на стройке, но и проститутки (в Москве чуть ли не каждая вторая жрица панели – с Украины), а также всякие проходимцы.

Но имелись и «профессиональные революционеры». Как и положено подобным персонажам, они работали за деньги. Деньги давали многие, в том числе и Госдеп США. Но и Березовский не отставал.

Он с увлечением ринулся в процесс. Видимо, ему нравилось, что позиция Ющенко и К° была откровенно антироссийской. Хотя российские либералы ее считали «антипутинской». Ну, значит, грех не отстегнуть. Береза выкинул на «оранжевую революцию» по разным сведениям от 38 до 45 миллионов долларов. (Последнюю цифру озвучил сам БАБ.) Что творилось на «Майдане»… По рассказам бывших там людей, деньги раздавали чуть ли не пачками и кому попало. Даже из Москвы потянулись различные проходимцы с целью немного подзаработать. Кто-то срубил на этом 1000 долларов, кто-то – 100 тысяч. А сколько просто украли… Это многим понравилось, захотелось устроить что-нибудь подобное и в России.

В общем, праздник удался во всех отношениях. Поменяли конституцию, страна стала из президентской парламентско-президентской. (То есть президента выдвигало парламентское большинство.) Ющенко прорвался-таки на главный пост, где бросился внедрять откровенно бандеровскую идеологию, запрещать русские телеканалы и радиостанции и так далее. Кстати, все могли поглядеть, чем такие революции заканчиваются – заседания Верховной Рады стали напоминать некую смесь цирка и дурдома.

Украинцам это очень быстро надоело. На следующих выборах, в 2010 году, Янукович-таки стал президентом. А Юлия Тимошенко тут же угодила на нары. Конечно же, исключительно за политику, а не за то, что «кинула» государство на 190 миллионов долларов.

Но, в конце концов, это украинские дела. А что Березовский? Он вкладывался отнюдь не только ради идеи. Есть сведения, что лидеры «оранжевых» обещали ему хороший приз за спонсорство – компанию «Укротелеком». И что? А не дали. Его даже в Киев не пригласили. Потому что в правительстве начались разборки – и всем стало не до него. То есть денежки Березовского вылетели псу под хвост.

2. Будем делать революцию

Тогда Березовский перенес свое внимание на Россию. Похоже, ему не давали спать лавры Герцена и Парвуса.

24 января 2006 года он выступил в эфире главного светоча оппозиции – радиостанции «Эхо Москвы». Там БАБ заявил, что «работает» над силовым захватом власти в России.

Впрочем, впервые Березовский заговорил об этом раньше – во время выступления в Оксфордском союзе Оксфордского университета 8 ноября 2005 года.

«…Революция – сложный момент для всех, потому что революция полностью меняет жизнь человека, но, с другой стороны, она же является необходимым условием для того, чтобы изменить систему. В каждой стране революция начинается по-своему, потому что это зависит от истории, культуры, ментальности и многих других факторов». Но это было, так сказать, в узком кругу, а «Эхо Москвы» – это уже иное дело.

То же самое Березовский повторил 13 апреля 2007 года в интервью не самой последней британской газете – «The Guardian». Вот его самые яркие высказывания:

«Путин разрушает Россию, сворачивая демократические реформы, оказывая давление на оппозицию, централизируя власть и попирая конституцию».

«Сменить режим с помощью демократических выборов нет никакой возможности. Если одна часть политической элиты не согласна с другой частью политической элиты – в России это единственный путь смены власти. И я пытаюсь по нему идти».

«Для свержения этого режима необходимо применить силу. Невозможно изменить его демократическими методами».

«Рисковать своими жизнями ради защиты режима Путина готовы гораздо меньшее число россиян, чем те, что готовы рисковать, восстав против этого режима».

Там же он признал тот факт, что финансирует оппозиционные силы, которые занимаются подготовкой переворота.

«Сейчас я также предпринимаю и практические шаги, по большей части касающиеся финансов».

Российская прокуратора завела на Березу новое уголовное дело и в очередной раз потребовала экстрадиции опального олигарха. Англичане в очередной раз отказали. Королевская прокурорская служба «не нашла достаточных доказательств для предъявления Березовскому обвинений в подстрекательстве к терроризму».

Все это не очень понятно. В самом деле, станет ли человек, всерьез намерившийся устроить государственный переворот, кричать об этом направо и налево? Могут возразить, что так действовали большевики. А вот и нет. Большевики много говорили о революции, пока сидели в эмиграции и ничего не могли сделать. А вот когда появился шанс… Ни в 1905, ни в 1917 году они о намерении идти и свергнуть власть не кричали. Они без особого шума готовили восстание. Все решения о выступлении были для внутреннего пользования. Хотя в 1917 году государство было совершенно беспомощно. Пришедшие в феврале к власти демократы тут же упразднили Отдельный корпус жандармов и Охранные отделения и фактически развалили сыскную полицию. Взамен не создали ничего. В современной России ситуация несколько иная.

В то время выходку Березовского многие расценивали как хитрую провокацию, целью которой было ухудшение отношений между Великобританией и Россией. БАБ рассматривался, что у нас, что на западе, этаким гением коварства, который все ходы просчитывает на десять шагов вперед. Как мы увидим дальше, с расчетливостью у него чем дальше, тем было хуже. Возможно, он уже погрузился в «виртуал».

Свое заявление по «Эху Москвы» Березовский сделал перед очередным «Маршем несогласных». Они, эти самые марши, начались несколько ранее. В том, что их финансировал в том числе и Березовский, мало кто сомневался. Кстати, на первых маршах были замечены портреты БАБа и плакаты: «Березовский, спаси нас!» Может, конечно, это была и провокация – но тех, кто эти плакаты нес, из колоны не выкинули.

Сценарий этих маршей был очень простой – вывести как можно больше людей и устроить столкновение с ОМОНом. Если полицейские вели себя мирно – находилась группа товарищей, которая их откровенно провоцировала. Суть этого никто не скрывал: западные корреспонденты снимают действия омоновцев, а потом демонстрируют на Западе «ужасы тоталитаризма» при власти «кровавой гэбни». Но только эти мероприятия стали довольно быстро выдыхаться. Вот Березовский своими заявлениями и пытался подлить керосинчику в костер, который никак не желал разгораться. Кстати, все, кто получил по голове дубинкой на этих маршах, скажите спасибо Борису Абрамовичу. Именно из-за его заявлений полиция была столь нервной. Сверху было спущено ЦУ – не допустить никакой «оранжевой революции»! А дальше уже каждый начальник действовал в меру своих умственных способностей.

Но заявления БАБа не помогли. Довольно быстро затея с «Маршами несогласных» полностью увяла. Народу шляться без особого толка на митинги надоело. Потому что, несмотря на заявления Березовского и лидеров оппозиции, власть абсолютно не спешила рушиться.

Кстати, а что хотели-то господа оппозиционеры? Отставки Путина – это само собой разумеется. Далее – ограничение президентской власти (вариант – упразднение президентского поста), новые выборы, к которым будут допускаться чуть ли не все партии, хоть численностью в десять человек. Либеральных придурков это очень грело. Хотя случись подобное – кто мог бы всерьез претендовать на депутатские места? Да все те же, кто уже доказал свою полную несостоятельность. А если точнее – тот, кому бы больше дали денег спонсоры, в том числе и Березовский. Никакой новой политической силы создать было просто невозможно.

Впрочем, ее до сих пор так и не создали. Вожди быстро перессорились – каждый претендовал, чтобы на Западе получить звание самого оппозиционного оппозиционера. Собственно, все последующие подобные проекты закончились ровно тем же самым. Возникали какие-то аморфные структуры, потом в них начинались разборки, и они разваливались, затем создавались новые структуры…

По большому счету Березовского снова «кинули». Профессиональные борцы за демократию среднего звена в частных разговорах не скрывают, что они просто зарабатывают деньги, а на результат им глубоко наплевать.

Последним таким хитом был большой шум вокруг президентских выборов 2012 года, связанный с одним из кандидатов – миллиардером Михаилом Прохоровым. В предвыборной программе он не скрывал своих взглядов: «Обеспечить всем производителям газа равный доступ к трубопроводам и экспортным поставкам, разделить "Газпром" на несколько конкурирующих компаний, продать все непрофильные активы госкорпораций, запретив им заниматься спонсорской деятельностью, сами корпорации приватизировать, чтобы покрыть дефицит Пенсионного фонда».

Вопросы есть?

Демократы раскручивали Прохорова так, будто его победа гарантирована. Березовский гордо заявил, что вернется в 2012 году. То есть когда Прохоров станет президентом. Результат – он получил 5 722 508 голосов (7,98 % голосов избирателей).

3. Обличители «кровавого режима»

Практически одновременно Березовский начал разоблачения преступлений «кровавого путинского режима». Стоит рассказать о двух эпизодах. Один из них – смерть Александра Литвиненко, бывшего полковника ФСБ.

С Березовским он познакомился в 1994 году. Именно Литвиненко расследовал уже упоминавшееся покушение на БАБа. А в следующем году подполковник помешал аресту Березовского в связи с делом об убийстве Листьева. Размахивая пистолетом и корочкой ФСБ, он просто разогнал работников милиции. Ну, конечно, сделал это Литвиненко исключительно из врожденного благородства.

А в 1998 году он заявил, что начальство поручило ему убить Березовского. Считается, что после этого Литвиненко стали «шить» уголовные дела. Правда, есть и другая версия – что все происходило в обратном порядке – он давно находился в разработке по поводу разных не слишком красивых дел – вот и решил сыграть на опережение.

Злые языки поговаривают, что за этим сенсационным заявлением стоял Березовский и главной задачей его было – «повалить» тогдашнего руководителя ФБС Николая Ковалева, с которым у БАБа категорически не складывались отношения. Ковалева в итоге сняли. А все три заведенные против Литвиненко уголовных дела развалились одно за другим.

Однако от греха подальше Литвиненко в 2000 году сдернул в Грузию, а потом – в Турцию по фальшивому паспорту, который ему предоставил деловой партнер Березовского Бадри Патаркацишвили. В Турции Литвиненко явился в американское посольство и предложил свои услуги ЦРУ. Но те особого энтузиазма не проявили. Пришлось двигать в Англию.

На берегах туманного Альбиона экс-подполковник попросил политического убежища и его получил. Жил он в квартире, которая принадлежала БАБу, и получал от Бориса Абрамовича деньги из так называемого «Фонда защиты гражданских свобод».

Литвиненко участвовал в деле с «разоблачением» еще одного адского плана ФСБ – о якобы имевшем место намерении ликвидировать Березовского с помощью отравленной авторучки. Это имело очень конкретный смысл – решался вопрос о предоставлении Березовскому политического убежища.

История совершенно безумная. Вот что писал английский журналист Дэвид Леппард («The Sunday Times»):

«Британская служба безопасности МИ-5 была уведомлена о намерении секретных агентов российских спецслужб совершить убийство медиамагната, получившего политическое убежище в Великобритании. Сообщается, что один из этих агентов должен был убить его с помощью отравленной ручки.

Сообщается, что агент СВР (бывший КГБ) был заслан в Великобританию с тем, чтобы заколоть наполненной ядом авторучкой российского миллиардера Бориса Березовского во время посещения последним слушаний в лондонском суде по делу о его экстрадиции по обвинению в отмывании денег.

Разоблачение этих намерений состоялось после того, как министр внутренних дел Дэвид Бланкетт, поначалу отказавший Березовскому в предоставлении политического убежища, полностью поменял свою позицию на противоположную. Это разоблачение напоминает об убийстве в 1978 году болгарского диссидента и иммигранта Георгия Маркова, которого шпион убил с помощью отравленного кончика зонта.

Сообщается, что российский шпион признался, что получил указания пронести в лондонский городской суд на Боу-стрит, где Березовский должен был присутствовать на слушаниях по делу о его экстрадиции, наполненную смертельным ядом зажигалку.

Агент планировал наполнить этой жидкостью ручку и затем уколоть ею руку Березовского, когда тот будет проходить мимо. Однако у потенциального убийцы, судя по всему, сдали нервы. Агент рассказал о готовящемся покушении самому магнату и, как утверждается, сообщил о нем британским властям».

Ничего себе! Принести яд в емкости – и прямо на месте заправить ее ядом... А сразу зарядить ядом ручку было нельзя?

В настоящее время английским судом признано, что дело было сфабриковано. Березовский нанял некоего Владимира Теплюка, неудачливого бизнесмена из Казахстана. Он должен был инсценировать покушение. Но что-то не сложилось. Так что вышло не очень убедительно. Впрочем, своего Березовский добился – политическое убежище ему предоставили.

В том же году Литвиненко прославился еще одним скандалом. Он написал заявление в полицию, что, дескать, приехавшие к нему экс-коллеги (тоже бывшие чекисты, причем те самые, с кем вместе он разоблачал намерение ФСБ порешить Березовского) и предложили поучаствовать в покушении на... Путина с помощью каких-то чеченцев. Экс-чекистов арестовали, но поскольку никаких доказательств не нашли, то... выслали из страны.

Вот что впоследствии об это рассказывал один из них, Андрей Понькин о своем пребывании в полиции:

«Мне задавали специфические вопросы. Являюсь ли я сотрудником ФСБ? Собирается ли ФСБ убить Литвиненко или похитить Березовского? Разговаривал ли я с Литвиненко про Путина? Я им отвечал: Литвиненко – сумасшедший. Отправьте меня к моему президенту, пусть органы правоохранительные со мной разбираются. Тут они просто взвились: все, мы больше с тобой разговаривать не будем. И снова отвели в камеру. Думаю: будь что будет. И тут вдруг открывается дверь, заходит старший офицер и говорит: "Мы приносим извинения. Факты не подтвердились, вы свободны"».

Даже сами следователи не пытались отрицать того, что за этой грязной историей стоит именно донос Литвиненко:

«Нас повезли в аэропорт. И мой переводчик Чарльз рассказал мне, что донос на нас в полицию написал Литвиненко. Чарльз лично переводил его на английский язык».

Затем на пару с Юрием Фельштинским бывший подполковник написал книги: «ФСБ взрывает Россию», и «Лубянская преступная группировка». Суть их та же, что в заявлениях Березовского – что жилые дома в России в 1999 году взрывали не чеченские террористы, а «контора». Впрочем, особой сенсации книги не вызвали, хотя в либеральной среде пользовались большой популярностью. К этому времени Литвиненко являлся уже не офицером, а перебежчиком.

Заодно он всячески прославлял чеченских террористов.

Вот образцы его творчества:

«Маленький, злобный и мстительный Путин воюет против чеченцев. Он имеет сотни марионеток из числа предателей и многотысячное, коррумпированное и плохо управляемое войско. Таких как Путин, который проливает кровь, трусливо прячась за спины своих солдат, на Кавказе презирают. Шамиль воюет за народ. Он имеет легко управляемые и хорошо законспирированные боевые группы, уважение и поддержку миллионов кавказцев, потому что, несмотря на многочисленные раны и тяжелое увечье, сам непосредственно участвует в боях, не прячась за спины своих воинов.

Любая даже самая незначительная военная победа чеченского командира Шамиля Басаева оборачивается крупным политическим поражением президента России Владимира Путина. И чем активнее российская пропаганда ругает Шамиля, тем больше на Кавказе его любят и уважают, и тем сильнее ненавидят Путина.

Кто из них победит, сомнений нет. Начиная вторую российско-чеченскую войну, бессмысленную и жестокую, Путин сам себя загнал в чеченский капкан, и даже если его спецслужбам рано или поздно удастся убить Шамиля, это уже не изменит практически ничего, потому как: "В дыму витает дух Шамиля…"»

«Не голосуйте за геноцид.

История знает много сотен войн и военных лидеров, но только один из них, Адольф Гитлер, до сих пор проклят во всем мире. Это потому, что Гитлер был виновен в геноциде. Хотя он начал разрушительные войны, где миллионы людей были убиты, его имя, вероятно, было бы забыто тотчас, если бы не геноцид. Уже четвертое поколение немцев по-прежнему ежедневно извиняется перед всем миром за злодеяния своих предков.

Геноцид является самым страшным из преступлений человечества, которое мы знаем. Всего лишь один маньяк начинает геноцид, и тогда вся страна несет ответственность за это. Действительно, один маньяк не может организовать геноцид сам по себе. Он нуждается в команде товарищей и помощников. Нужны те, кто убивает, и те, кто прикрывает и оправдывает массовые убийства. Он нуждается в тех, кто финансирует массовые убийства за счет налогов и тех, кто голосует за массовые убийства на выборах. Ему нужны те, кто слишком боится говорить, и те, кто слишком напуган, чтобы слушать.

Это же очевидно, почему Путин и его окружение так нервничают сейчас. Они знают, что рано или поздно они не смогут избежать ответственности за взрыв жилых домов и людей, которые спали там; за отравление женщин и детей Норд-Оста газом; за сжигание чеченцев живыми и пытки их до смерти в тюрьмах ФСБ, за войны и геноцид, который оставил сотни тысяч детей-сирот. Проблема в том, что всем нам придется делить эту ответственность.

Это дело чеченцев – думать, как спасти своих детей от русских пуль. Это дело нас, русских, думать, как спасти наших детей от позора быть русскими. Чем больше мы слышим о величии России, тем яснее являются перспективы распада страны, Российского Нюрнбергского Процесса, национального унижения.

Вот почему я говорю вам никогда не голосовать за Путина и его банду КГБ и никогда не поддерживать их. По крайней мере, это позволит вам рассказать своим детям – вы честно сделали все, что могли».

А что касается ФСБ, то оно, оказывается стоит, даже за скандалом вокруг датской газеты Jyllands-Posten, опубликовавшей карикатуры на Магомета.

Все журналистское творчество Литвиненко отличается исключительной убогостью. Так что, скорее всего, в упомянутых книгах его имя поставлено просто как бренд. Ведь одно дело, когда пишет какой-то писатель, а другое – бывший комитетчик.

К тому же есть сведения, что Литвиненко собирался заняться шантажом кого-то из русских олигархов, живущих в Англии.

Был он связан и с очень сомнительным типом, итальянцем Марио Сакрамеллой. Связался Литвиненко и со спецслужбами Испании по поводу борьбы с «русской мафией». Правда, остается страшной тайной – кого же в итоге испанцы там поймали?

23 ноября 2006 года Литвиненко умер. Эта история до сих пор очень темная – и о ней можно написать отдельную книгу. Так, «все знают», что его убили. Однако факт умышленного убийства не доказан до сих пор!

Однако Березовский тут же обвинил в этом ФСБ и Путина лично. Он заявил:

«У меня есть аргументы, почему Путин заказал это преступление, почему Луговой был исполнителем. Это факты, а не рассуждения на тему».

(Заметим, что «аргументы» и «факты» – это несколько разные вещи. – *А. Б.*)

В интервью «Эху Москвы» БАБ развил тему:

«Все эти многочисленные версии, которые продолжают появляться, они являются только следствием того, что российская власть хочет прикрыть это преступление. И те, кто прикрывают это преступление, в свою очередь, становятся преступниками. ...Совершенно очевидно сегодня, что все следы ведут в Москву и на самый верх. Без участия государства, без участия лично Путина подобные преступления не могли совершить никто».

Правда, фактов он так и не привел. Аргументов тоже. Никаких. Да и вообще, Березовский так и не сумел внятно объяснить – а зачем «кровавая гебня» осуществила это убийство? Никакой опасности ни для власти, ни для чекистов в частности Литвиненко не представлял. Да, он писал всякое… Так, во-первых, когда это было, а во-вторых, обе книги – честно говоря, могут произвести впечатление только на того, кто *уже* уверен в изложенной версии. Никого убедить они не могут. Березовский что-то туманно намекал, что, дескать, метили на самом далее в него – но почему-то порешили Литвиненко. Который, кстати, отнюдь не был его правой рукой, как, впрочем, не являлся он и охранником БАБа, как это писали многие СМИ. Отношения в последнее время у них были неважные. Да и до этого – тоже не ахти. Так, Березовский платил Литвиненко из своего фона 4500 фунтов в месяц, а потом и вовсе снизил выплаты до 1500. Для Англии это не деньги. Столько уж точно олигарх не платит ценному сотруднику.

Да и вообще – способ убийства очень уж напоминает голливудский триллер. Никакой охраны у Литвиненко не было, по Лондону он ездил на общественном транспорте. И его ничего не стоило просто застрелить.

Хотя эта история наделала много шума. Английские власти обвинили в убийстве бывший сотрудника ФСБ Андрея Лугового и потребовали его экстрадиции на британские берега. Впрочем, бритты, хотя и утверждали, что у них есть доказательства его вины, не представили их до сих пор.

Россия отказала, что вполне соответствует российским законам. Путин откомментировал это решение так:

«В Великобритании прячется, по сведениям Генпрокуратуры, около 20 российских граждан, совершивших, по данным наших правоохранительных органов, тяжкие и особо тяжкие преступления.

Несмотря на многочисленные просьбы России их выдать, воз и ныне там. Никого не выдают».

Последовали взаимные высылки дипломатов, но потом как-то все успокоилось, британцы и вовсе как-то забыли о своем требовании. Разумеется, всю эту историю списывали на коварство Березовского, который на смерти Литвиненко ухитрился нагадить России. Хотя тут-то он скорее всего ни при чем.

Кстати, пролив достаточно слез, Березовский в итоге отказал в финансировании расходы вдовы, Марины Литвиненко, которая захотела возобновить фактически заглохшее расследование.

Версию «Литвиненко убила ФСБ» повторяли только уж самые невменяемые либералы. Куда больше шума вызвало убийство 7 октября 2006 года в Москве журналистки Анны Политковской. Разумеется, Березовский – и с его подачи московская «демократическая общественность» в голос завыли о героической журналистке, которая обличала путинский режим – и за это ее и порешили. Но только вот на самом деле Политковская сделала себе имя на очень дурно пахнущей теме – защите «борцов за свободу Ичкерии» и поливании грязью федеральных войск. Причем, разумеется, врала при этом напропалую.

Вот что о ней сказал генерал-полковник Герой России Геннадий Трошев:

«Политковская обнаружила какие-то ямы, где якобы "федералы" держат пленных из числа мирных жителей. Понаехали комиссии, проверили все до последней телеги, но ничего не обнаружили. Приведенные в публикации факты не подтвердились. Политковская настолько, видимо, ненавидит армию, что в День защитников Отечества в телепрограмме "Глас народа" дошла до прямых оскорблений в адрес солдат и офицеров, воюющих в Чечне».

Боевой офицер и писатель капитан Вячеслав Миронов писал:

«Политковская подтасовывала факты, занималась обелением чеченцев, компрометацией федеральных войск. О мертвых плохо не говорят, но мы же обсуждаем ее деятельность. Считаю, она заработала себе политический и журналистский капитал на костях русских солдат».

«С фактами у Политковской всегда был швах. Постоянно получалось так, что журналистка регулярно путала ситуации "я видела своими глазами" и "мне говорил один чеченец с честными глазами". И совершенно спокойно писала "я сама видела" – когда речь шла о "рассказали"».

Существование самих рассказчиков, впрочем, тоже вызывало сомнения. Например, Анна Степановна публиковала статью с «исповедями российских солдат, воюющих в Чечне». Исповеди она, по ее же словам, принимала из солдатского сортира: то есть она сидела в этом сооружении, а с внешней стороны к этому сооружению подходили какие-то люди, называющие себя солдатами срочной службы, и через щели в досках «говорили правду». Думаю, всем понятно, чего стоят такие информаторы – даже если они на самом деле существовали. Впрочем, воевавшие в Чечне люди писали по этому поводу на Интернет-форумах: «все сортирные откровения – бред» (Константин Крылов, журналист).

Кто-нибудь верит, что такими вещами занимаются из идеализма? А дружить с бандитами и террористами – это дело, знаете ли, такое...

Чтобы все было понятно, приведем журналистские премии Политковской.

В январе 2000 года ей присудили премию «Золотое перо России». Далее – за 2001–2005 годы она получила следующие премии:

– Премия Вальтера Гамнюса (Берлин). С формулировкой «За гражданское мужество». Денежное выражение – 30 тысяч евро.

– Ежегодная премия ОБСЕ «За журналистику и демократию». С формулировкой «За публикации о состоянии прав человека в Чечне». Денежное выражение – 20 тысяч долларов США.

– Премия имени А. Сахарова (учреждена Питером Винсом) «Журналистика как поступок». Денежное выражение – 5 тысяч долларов США.

– Премия «Global Award for Human Rights Journalism» («Эмнисти Интернешнл», Лондон). Денежное выражение – 12 тысяч фунтов стерлингов.

– Премия имени Артема Боровика. (Учреждена телекомпанией CBS, вручается в Нью-Йорке.) Денежное выражение – 10 тысяч долларов.

– Премия «Lettres Internationales» (Франция). С формулировкой «За книгу репортажей, опубликованную на французском языке под названием «Чечня — позор России». Денежное выражение – 50 тысяч евро.

– Премия «Свобода Прессы» («Репортеры без границ», вручается в Париже). Денежное выражение — 7600 евро.

– Премия Улофа Пальме (Стокгольм). С формулировкой «За достижения в борьбе за мир». Денежное выражение – 50 тысяч долларов.

– Премия «Свободы и будущего прессы» (Лейпциг). Денежное выражение – 30 тысяч евро.

– Премия «Герои Европы» (журнал «Тайм»). С формулировкой «За мужество». Денежное выражение не определено.

– Премия «За мужество в журналистике» (Международный женский фонд по делам печати). С формулировкой «За репортажи о войне в Чечне». Денежное выражение точно не определено (порядка 15 тысяч евро).

Как видим, все премии – от шибко демократических организаций.

А причина убийства?

«Но ведь вполне возможно, что Политковскую убили не за что-то, а почему-то. В смысле – с какой-то целью, которая, может быть, имела довольно косвенное отношение к ее непосредственной деятельности. Говоря грубее, она оказалась удобной разменной фигурой для достижения какой-то цели. «Ничего личного».

Это тоже «проговоренная версия». В интернете появлялись некие документы на тему возможного политического использования смерти Политковской для дестабилизации обстановки в стране, якобы датированные прошлым годом. Скорее всего, это нынешний вброс: никаких следов этого документа в недалеком прошлом не обнаруживается. Тем не менее резон в такого рода построениях есть, и мы его обязаны рассмотреть.

Не секрет, что существуют достаточно влиятельные силы – начиная от опальных олигархов и кончая иностранными государствами – которые были бы не прочь провернуть в России нечто вроде «оранжевой революции», с последующей посадкой на кремлевское кресло какой-нибудь марионетки типа Ющенко или, еще лучше, Саакашвили. Это решило бы массу проблем со страной.

И, разумеется, действовать они будут по шаблонам.

Есть такой биллиардный прием – карамболь. Когда одним шаром бьют по двум сразу. В данном случае убийство Политковской можно рассматривать как этот самый двойной удар – именно потому, что две основные версии убийства, «путинская» и «кадыровская», бьют по двум ключевым фигурам в стране. По президенту лично и по человеку, которого можно считать «главным успехом» президента, пришедшего к власти на «чеченской теме».

Впрочем, тут есть еще и третий шарик: реакция Запада. Так, американское правительство обязано – именно что обязано! - реагировать на смерть американской гражданки, каковой Политковская являлась. Так что негодующее внимание «вашингтонского обкома» обеспечено.

Теперь вопрос. Кто мог провернуть подобную комбинацию?

Нет, мы не можем называть имен и фамилий – мы их не знаем. Ясно одно: это были если не друзья, то единомышленники Политковской. Которые отнеслись к ней так же, как она относилась к фактам – то есть как к материалу, нужному для "дела"» (Константин Крылов).

Эффект от этой дурно пахнущей возни был куда сильнее, чем с делом Литвиненко. Ведь нашим журналистам на экс-подполковника было наплевать. А тут вот начали убивать акул пера! Тем более что в многочисленных визгах на эту тему старались обходить главное – а на чем, собственно, Политковская специализировалась. И множество людей искренне начали размазывать сопли и слезы по лицу в защиту «свободы прессы» как они ее понимали – можно врать, что угодно, и ни за что не отвечать.

Но по большому счету это тоже оказалось бурей в стакане воды. Народные массы как-то не бросились устраивать революцию.

4. Что-то пошло не так

Между тем дела у Березовского шли совсем не блестяще.

В мае 2006 года его задержали в бразильском аэропорту Сан-Пауло, где в течение нескольких часов с него снимали показания по поводу разных махинаций – уже в этой стране. А в июле следующего года Верховный суд Бразилии выдал ордер не его арест.

Дело затеяла бразильская генеральная прокуратура. По данным следствия, БАБ занимался знакомым до слез делом – отмыванием денег через инвестиционную группу Media Sports Investment, являвшуюся, кстати, спонсором бразильского футбольного клуба «Коринтианс». Не нам судить, что там было на самом деле. Бразилия – тоже страна очень своеобразного капитализма. Там хватает и своих олигархов. Так что, возможно, Березовский с кем-то там не договорился. Как бы то ни было, но его счета в данной стране были заморожены.

На этот раз Березовский не стал обвинять ФСБ и Путина, все-таки это было бы уже слишком. Он просто «ушел в несознанку». Корреспонденту РИА «Новости» БАБ заявил:

«Ни я, ни мои адвокаты не имели никаких контактов с бразильскими властями по поводу сообщений о выданном ордере на мой арест. Я не вовлечен в отмывание денег и никоим образом не имел отношения ни к каким сделкам, касавшимся Карлоса Тевеса. Я вообще болельщик "Арсенала"».

На этом фоне уже рутиной смотрелся очередной одновременно начавшийся процесс против Березовского, затеянный в России. Теперь его обвинили в причастности к хищению денежных средств авиакомпании «Аэрофлот» на общую сумму более 214 миллионов рублей. БАБу были предъявлены обвинения по статьям «Мошенничество» и «Легализация (отмывание) денежных средств или иного имущества, приобретенных незаконным путем». 29 ноября 2007 года по этому делу Савеловский суд Москвы заочно приговорил Березовского к шести годам лишения свободы.

На этом дело не закончилось. Подоспело новое дело. Басманный суд Москвы выдал санкцию на арест Березовского. Обвинение – организация в 1997 году хищения у банка «СБС-Агро» кредита в 13 миллионов долларов, потраченного «на покупку недвижимости на Средиземноморском побережье Франции».

Повесили еще один срок. В июне 2009 года Красногорский городской суд заочно признал Березовского виновным в хищении 140 миллионов рублей у «ЛогоВАЗа» и «АвтоВАЗа» и приговорил его уже к 13 годам лишения свободы.

Один раз представителям российской Генеральной прокуратуры довелось-таки пообщаться с Березовским лично. Это случилось в марте 2007 года. Беседовали с ним не о его делах, а о смерти Литвиненко – российская прокуратура вела параллельное расследование. Беседа проходила в Лондоне, на территории Скотланд-Ярда. БАБ и здесь остался верен себе. Он согласился на встречу, но на том условии, что следователь будет проверен на наличие оружия и ядов. Хотя это даже не смешно. Представьте картинку – официальный представитель России выхватывает пистолет и валит Березовского с криком «За Родину! За Путина!»

Одновременно пошла атака и со стороны Европы. В октябре 2008 года Федеральный уголовный трибунал Швейцарии принял решение конфисковать несколько миллионов франков со счетов в швейцарских банках, в том числе и принадлежавших Березовскому.

А «чекистская власть» продолжала действовать. В октябре 2011 года российская прокуратура послала запрос в город Антиб (это Франция, знаменитый Лазурный берег) с требованием арестовать две его яхты стоимостью около 20 миллионов американских рублей. Французские власти пошли навстречу – и яхты были арестованы. Кроме того, российские власти добились ареста виллы Березовского во Франции. Заодно во Франции собрались изъять и принадлежащую ему коллекцию картин.

Березовский отреагировал интересно – заявил, что никаких яхт в Антибе у него нет. Это тоже уже анекдот. ФСБ так запугала французов, что они арестовали чужие посудины?

Очень непонятную роль в судьбе Березовского сыграл Бадри (по паспорту Аркадий Шалвович) Патаркацишвили.

Это очередной олигарх, который начинал с БАБом еще в начале 90-х. Так, с мая 1992 по май 1994 года он являлся заместителем генерального директора АО «ЛогоВАЗ», в 1994–1995 году трудился заместителем генерального директора телеканала «Общественное российское телевидение» (ОРТ) по коммерции, а заодно был первым заместителем председателя совета директоров ОАО «Общественное российское телевидение».

Однако в 2001 году его обвинили в организации побега из тюремной больницы некоего Николая Глушкова, который находился под следствием по делу все того же «Аэрофлота». Дело темное, потому что Глушкова в итоге оправдали. Но Патаркацишвили предпочел перебраться в Грузию – то есть за пределы досягаемости российской Фемиды. Партнерство же с Березовским продолжалось. Кстати, Патаркацишвили, как и Березовский, любил заявлять, что он привел во власть Путина.

12 февраля 2008 года Патаркацишвили в возрасте 52 лет умер в Лондоне от сердечного приступа. Что, кстати, породило массу вопросов. Хотя бы потому, что до этого олигарх на сердце не жаловался. Впрочем, случается и не такое.

Мнения по поводу взаимоотношений двух олигархов в «заграничный период» приводятся разные.

«Последние полтора года Б. Патаркацишвили и Б. Березовский находились в конфликтных отношениях. Патаркацишвили выкупал доли их совместного бизнеса, инициатором раскола был сам Бадри, который начал тяготиться нездоровыми политическими амбициями своего партнера. Вся история с Грузией не была связана с Березовским, более того, Борис Абрамович обвинял Патаркацишвили в том, что тот действует в интересах России и вступает в контакты с российскими спецслужбами. Таким образом, я уверен, что Березовский – наиболее заинтересованное лицо в смерти Патаркацишвили» (Александр Хинштейн, депутат Госдумы).

Но есть и абсолютно противоположные мнения.

«Главной ошибкой БАБа оказался, на мой взгляд, его ключевой партнер Бадри (по паспорту Аркадий Шалвович) Патаркацишвили. С какого перепою Б. А. посчитал его финансовым гением, так до сих пор и неясно. Гений, кажется, специально делал так, чтобы собственность Березовского последнему не принадлежала. Самой эффектной сделкой, которую А. Ш. насоветовал Б. А., было вложение $500 млн в акции холдинга "Металлоинвест" имени А. Б. Усманова. Причем, чтобы только получить право потратить полмиллиарда долларов, Березовский должен был (по идее и инициативе г-на Патаркацишвили) подарить передаточному звену – младшему совладельцу "Металлоинвеста" Василию Анисимову – самолет. Гениально, не правда ли?

К началу 2008 года эта БАБская инвестиция подорожала в пять раз – до $2,5 млрд. И тут как раз А. Ш. скончался в Лондоне, будучи джентльменом сравнительно молодым (52 года) и не то чтобы сильно больным. Заинтересованность определенных людей в этой смерти была столь очевидной, что я не понимаю логику Скотланд-Ярда: ведь именно тогда выяснилось, что доказать свои права на акции металлического холдинга БАБ не может (и никогда не сможет). Почему никто ничего не расследует, фиг его знает. В конце концов, у Бадри Шалвовича были сложные психоделические отношения с разными спецслужбами, и отнюдь не только российскими.

И вот в феврале 2008-го, сразу после странной смерти Бадри, выяснилось, что Березовскому вообще ничего не причитается. Все его дорогие покупки – от сказочного острова Fisher's Island близ Майами до дворца в Марракеше (Марокко) – вдруг стали собственностью родных и близких А. Ш., типа нажитой непосильным трудом. Особенно Б. А. жалел о своих грузинских активах – заводах «Боржоми» и телекоммуникационном операторе Magticom. Ведь Грузия была почти последней страной, дарившей ему надежду на вечное возвращение и право поговорить по-русски и за пределами собственного дома.

...

А смерть Александра Литвиненко? Да-да, все мы слышали миллион раз про полоний со свежим гамлетом и кровавых РФ-отравителей. А почему никто не думает, что г-н Литвиненко тесно работал с испанскими силовиками и собирался давать в суде показания против некоторых паракриминальных партнеров Патаркацишвили? А? Ведь именно А. Ш. с пеной у рта убеждал Б. А., что экс-майора грохнула русская охрана. И убедил ведь, черт побери. Сомневаться Березовский стал только в последний год своей жизни, когда истинная роль Бадри в его судьбе прояснилась внезапным апрельским небом» (Станислав Белковский).

Честно говоря, нет никакого желания разбираться, что там на самом деле происходило. Вам это интересно? Кто кого из этих двоих «кинул». Однако факт есть факт – примерно с 2006 года бизнес Березовского начал сыпаться. И я готов согласиться с господином Белковским – видимо, Березовский не понимал, что правила игры изменились...

Между тем БАБ продолжал свою общественно-политическую деятельность, направленную на свержение Путина.

Поводом было вот такое дело. Один из членов тамбовской группировки Юрий Колчин, осужденный еще за одно громкое убийство – Галины Старовойтовой, на допросе заявил: в числе заказчиков убийства Листьева был Березовский. Плюс к этому – криминальные авторитеты Владимир Барсуков (Кумарин) и Константин Яковлев по прозвищу Могила (последний был убит в 2003 году).

БАБ отреагировал так:

«Раньше я думал, что за убийством стоит Коржаков. А сейчас питерские бандиты возникли, и, я думаю, что Путин мог заказать Листьева через них.

...

Думаю, что Путин перед выборами хочет избавиться от всех подозрительных историй и от этой в том числе. Ну а на кого же еще переводить, если не на меня».

А зачем убили знаменитого журналиста?

БАБ на это отвечает стандартно: «Листьев был неугоден власти».

Но при чем тут Путин, который, напомним, тогда являлся первым заместителем председателя правительства Санкт-Петербурга? Да и чем именно был неугоден власти Листьев? Тем, что создал передачу «Поле чудес», которая разжижала мозги зрителей не хуже, чем «паленая» водка – и не давала подумать над тем, что в стране происходит? Листьев ругал власть при СССР, а против «демократической» власти он не сказал ни единого слова!

Похоже, что Березовский совершенно искренне считал жителей России тупым быдлом, у которых начисто атрофированы мозги. Понятно, что он, будучи медиамагнатом, приложил много усилий, чтобы так и случилось – но к счастью...

А дальше начался и вовсе цирк. В январе 2012 года Березовский написал два открытых письма – Патриарху Кириллу и Путину. Их стоит привести полностью.

«Открытое письмо Бориса Березовского Патриарху Кириллу

Ваше Святейшество!
Не надежда, а Вера умирает последней.

Можно сколько угодно говорить о воскрешении Веры, о возрождении православия, реставрировать старые и строить тысячи новых храмов, но никакой ритуал не подменит Веры. Именно дефицит Веры есть главная беда России.

Россия теряет веру в правду, веру в справедливость, веру в себя.

Народ утратил веру во власть и может потерять веру в церковь. Власть не доверяет собственным гражданам. Неужели и церковь способна утратить веру в своих прихожан?

Ваше Святейшество!

За Вами тысяча лет православия, а впереди тяжелейшие испытания. В этом году Вам придется войти в историю.

Вы можете войти в историю как мирно восседающий на своем троне Предстоятель всех православных России.

Мирно восседающий, в то время как нежелание власти услышать волю народа переросло в разрыв отношений между народом и властью. Мирно восседающий, в то время как шумные митинги протеста перерастут в грохот выстрелов, когда потоки взаимных обвинений превратятся в кровь невинных.

Если прольется кровь, Путину отвечать за это перед народом, перед собственной совестью и перед историей.

А Вам перед Богом.

Вы можете войти в историю как глава Русской православной церкви, взяв на себя историческую миссию спасения России от смуты подобно своим великим предшественникам.

В Ваших силах сегодня обеспечить бескровную смену власти в России.

Какие бы прозрачные и честные выборы власть ни провела, и кто бы на них ни победил, общество не примет их результатов.

Вы в уникальном положении – Вы не претендуете на светскую власть.

Ваше Святейшество!

От пастыря ждут сегодня не слово, но дело.

Помогите Путину опомниться.

Донесите до него глас народа. А когда Путин услышит Вас, возьмите власть из его рук и мирно, мудро, по-христиански передайте ее народу.

Борис Березовский,
Лондон, 15 января 2012 года»

А вот обращение к Путину.

«Володя,

пока еще в твоих силах избежать кровавой революции, не допустить разрушения российского государства, когда народ и власть окончательно потеряют связь друг с другом.

Интеллектуальной частью общества – Площадью – артикулированно озвучены два главных тезиса:

– Путин должен уйти;

– не хотим крови революции.

Выполнение этих двух несовместимых требований практически невозможно.

Ты, как типичный диктатор, не готов отдать власть через выборы. Но история знает исключения.

Пойми, даже, если начнут те, кто сегодня на Площади, отвечать все равно тебе.

Авторитарная власть всегда пугает кровью революции, но кровь революции – ответственность власти, а не революционеров.

Сейчас ты можешь уйти на любых условиях.

Возьми с собой столько, сколько сможешь унести. Возьми себе столько славы, сколько ты принес России, возьми себе столько денег, во сколько ты оцениваешь свой труд на галерах, возьми себе столько гарантий, сколько тебе покажется достаточным.

Уже сегодня ты не можешь верить ни одному человеку: не только тем, кто на Площади, но и своим друзьям, которых ты сделал баснословно богатыми.

Ты сам загнал себя в эту ловушку.

Поверь только Ему, тому к кому ты приходишь на Рождество и на Пасху.

Только Русская православная церковь может стать гарантом мирной смены власти и твоей личной безопасности. Только церковь может спасти Россию от тебя, а тебя от России.

Сними свою кандидатуру, отмени выборы, попроси Патриарха созвать Комитет национального спасения.

Пусть в Комитете будешь ты, твои партнеры, твои противники, а главное те, для кого существенны интересы России. Вместе подготовьте свободные выборы. Выборы, на которых будет представлена вся политическая палитра современной России, от Грызлова и Шойгу до Лимонова, Навального, Немцова и Удальцова, от Жириновского и Зюганова до Ходорковского и Лебедева. Выбор, который примет общество.

Володя, ты между двух огней.

Одним – бунтовать. Другим – спасать свои шкуры. А отвечать за все тебе.

Борис Березовский»

Обратите внимание, что «интеллектуальной частью общества» названы те, кто топтался на митингах на проспекте Сахарова и на Болотной площади. То, что на этих митингах собралось несколько десятков тысяч человек, недовольных политикой Путина, кое-кто почему-то стал расценивать чуть ли не как революционную ситуацию.

Хотя, как свидетельствуют опросы, например журнала «Скепсис», большинство из тех, кто туда пришел, были «офисным планктоном» – да и вообще не очень понимали, что им надо. (Заметим, что «Скепсис» – леворадикальный журнал. И состав протестантов вызывает у его авторов горестное недоумение. Революция отменяется... – *А. Б.*)

Такие люди революцию не могут сделать по определению.

А мы, по мысли Березовского, должны платить за избирательные кампании Лимонова и Удальцова.

Но! Если пошарить по социальным сетям, то может сложиться впечатление – весь народ только этого и хочет.

Остапа по-прежнему «несло».

В марте того же года Березовский объявил, что он назначил вознаграждение в размере 50 миллионов рублей «за задержание и взятие под стражу особо опасного преступника Путина Владимира Владимировича». Обратим внимание, где это было опубликовано: в Facebook. То есть в квинтэссенции «виртуального мира».

Там же есть старые песни о главном. БАБ призывает к «свержению неконституционного режима, основатель и носитель которого – Путин».

«Я пользуюсь своим правом, закрепленным во Всеобщей декларации прав человека, подписанной Россией, прибегнуть в качестве последнего средства к восстанию против тирании».

По утверждению БАБа, в день инаугурации Путин «планирует совершить преступление, описанное в статье 278 УК РФ, – насильственный захват власти. Соучастниками преступления, помимо членов ЦИКа во главе с В. Чуровым, незаконно зарегистрировавших Путина кандидатом в президенты на третий срок, станут те, кто приведет Путина к присяге, – председатель Конституционного суда В. Зорькин, председатель Государственной думы С. Нарышкин и председатель Совета Федерации В. Матвиенко».

А далее – просто песня.

«Я каюсь и прошу прощения за то, что привел к власти Владимира Путина. За то, что обязан был, но не смог увидеть в нем будущего алчного тирана и узурпатора, человека, поправшего свободу и остановившего развитие России. Многие из нас не распознали его тогда, но это не оправдывает меня. Простите меня».

Там же БАБ указал, что якобы собирался разместить свое письмо на сайте радиостанции «Эхо Москвы», но ему не позволили.

«Мне представляется совершенно недопустимым, что православному человеку в сегодняшней России запрещают публичное покаяние. У меня нет никаких претензий к главному редактору "Эха Москвы" Алексею Венедиктову, наоборот – я благодарен ему. Он держался до конца, позволяя мне вести свой блог. Теперь я использую последнее независимое СМИ в России – Фейсбук. Марка Цукерберга не смогут вызвать в Кремль и заставить продать его социальную сеть "Газпрому" под угрозой отправки в "Матросскую тишину"».

Все эти забавы уже ничем не отличаются от сетевых троцкистов, анархистов или фашистов. Они тоже постоянно публикуют разные грозные декларации.

5. Последний бой Березовского

Последним существенным эпизодом в биографии Березовского была «битва двух олигархов» – его тяжба с Романом Абрамовичем, которая длилась около года, а итог был поставлен в 2012 году. Причем этот итог вышел далеко за рамки финансовых разборок.

Истцом был Березовский, который вчинил Абрамовичу два иска общей суммой на 5,6 миллиарда долларов.

Дело обстояло так. Я тут буду много цитировать решение судьи баронессы Элизабет Глостер – потому что об этом суде пишут ну такую чушь, что хоть святых выноси. А решение суда – это документ… Тем более что в нем очень хорошо видны особенности российского бизнеса. Итак.

Первый иск касался компании «Сибнефть», которую приватизировали в 1995 году. Поскольку делалось это разными заковыристыми способами, то по версии БАБа, была заключена некая *устная* договоренность между Березовским, Абрамовичем и Патаркацишвили о том, как делить прибыль.

«Доли прибыли не должны были ограничиваться долями от прибылей “Сибнефти”, а должны распространяться в такой же пропорции на те доходы от торговых компаний г-на Абрамовича, которые были бы получены в результате торговли этих компаний с

"Сибнефтью" или в результате приобретения г-ном Абрамовичем акций "Сибнефти"». *(Из решения судьи.)*

И все бы хорошо, но в 2001 году Абрамович (по версии БАБа) угрозами вынудил Березовского продать свои акции по смехотворно низкой цене.

«Затем, как утверждает г-н Березовский, во время встреч между г-ном Абрамовичем и г-ном Патаркацишвили в период с августа 2000-го по май 2001 г. г-н Абрамович через г-на Патаркацишвили угрожал г-ну Березовскому, заявив, что, если он и г-н Патаркацишвили не продадут свою долю в "Сибнефти" ему самому или его подставному лицу, то г-н Абрамович предпримет шаги для того, чтобы (I) акции "Сибнефти", принадлежащие г-ну Березовскому и г-ну Патаркацишвили, были экспроприированы Российским государством и/или (II) близкий друг и партнер по бизнесу гг. Березовского и Патаркацишвили Николай Глушков, находившийся в то время в тюрьме, остался в заключении на продолжительный период». *(Из решения судьи.)*

Второй иск касался алюминиевой компании «Русал», которую покупали уже в 2001 году – те же трое и примкнувший к ним Олег Дерипаска. Суть в том, что Абрамович являлся юридическим хозяином, а Березовский и Патаркацишвили были «теневыми владельцами».

« I) Их 50%-ный пакет акций в "Русале" будет распределен, и владение им будет осуществляться на таких условиях, при которых г-н Абрамович будет обладать фактической собственностью на 25% "Русала", а гг. Березовский и Патаркацишвили будут обладать фактической собственностью других 25%;

II) законным собственником, контролирующим долю Березовского/Патаркацишвили, будет г-н Абрамович или же принадлежащие ему или контролируемые им компании, и он будет владеть ими в интересах гг. Березовского и Патаркацишвили». *(Из решения судьи.)*

А вот у Абрамовича было совсем иное мнение. По первому иску он заявил, что ничего такого не было. Ничем Березовский в «Сибнефти» никогда не владел, а деньги ему платились за «крышу».

«Он заявил, что никогда не было заключено никаких соглашений о передаче гг. Березовскому и Патаркацишвили какой-либо доли компании или ее акционерного капитала или прибыли, полученной от этой доли, что также не было никакого соглашения о том, что гг. Березовский и Патаркацишвили будут получать долю от прибыли, полученной торговыми компаниями г-на Абрамовича в результате их сделок с "Сибнефтью" или в результате приобретения г-ном Абрамовичем контроля над "Сибнефтью". Напротив, договор между г-ном Абрамовичем и г-ном Березовским заключался в том, что в ответ на крупные суммы, уплаченные г-ну Березовскому наличными, г-н Абрамович и "Сибнефть" могли рассчитывать на политическую поддержку г-на Березовского и его влияние, которые были необходимы при создании любого крупного бизнеса в условиях 1990-х гг., – в России подобная поддержка определяется термином "крыша". Г-н Абрамович заявил, что размеры многочисленных выплат, сделанных им в пользу г-на Березовского в обмен на его поддержку, определялись сочетанием односторонних требований со стороны г-на Березовского и, ad hoc, результатом торга между ним или г-ном Патаркацишвили и г-ном Абрамовичем, но эти суммы никогда не являлись дивидендами или другими выплатами, связанными с владением акциями "Сибнефти"». *(Из решения судьи.)*

Самое интересное, что никаких документов, подтверждавших, что упомянутыми акциями Березовский владел, он предоставить не мог. Ни о покупке, ни о продаже. И вообще, забавно, как английский судья, да еще баронесса, оперирует такими понятиями, как «крыша».

Претензий по поводу «Русала» Абрамович тоже не признал.

«Г-н Абрамович отказался признать претензии г-на Березовского, сформулированные в иске последнего к "Русалу". Суть позиции г-на Абрамовича заключается в том, что он отказался признавать претензии г-на Березовского на его капиталовложения в алюминиевых активах, предшествовавших слиянию, основанные на утверждении о существовании устного обязывающего соглашения 1995 г., определявшего, что и г-н Абрамович, и г-н Березовский или г-н Патаркацишвили должны иметь возможность участвовать в тех же долях в любом последующем деловом предприятии, начатом любым из них. Он также отрицал, что когда-либо в 1999 г.

или в любое другое время соглашался участвовать вместе с гг. Березовским и Патаркацишвили в приобретении алюминиевых активов, предшествовавших слиянию на тех же условиях, которые были определены предполагаемым соглашением 1995 г.». *(Из решения судьи.)*

Как вы уже заметили, речь идет о неких *устных* договоренностях. Могло быть такое? Вполне. Дело, конечно, не в вере в «честное купеческое слово». Просто в 90-х «кидать» Березовского было себе дороже. В 2001 году – возможно, тоже. А потом времена поменялись. Но, возможно, было и иначе. Абрамович и в самом деле мог отстегивать Березовскому за «крышу». А может быть – дело обстояло не так, не эдак, а вообще по-иному…

И пошло разбирательство.

Вообще-то и российское, и английское законодательства устные договоренности признают. Но для этого все-таки честного благородного слова тут недостаточно. Требуются либо свидетели, либо некие рабочие материалы, либо еще что-нибудь… Ничего этого Березовский предоставить не смог.

«Те документы, на которые г-н Березовский опирался как на косвенные доказательства, подтверждающие его правоту, в большинстве случаев (хотя и не всегда) были созданы значительно позже, чем были заключены предполагаемые соглашения, это не были документы, переданные г-ну Абрамовичу или его представителям, и эти документы возможно было толковать по-разному, не обязательно в поддержку претензий г-на Березовского.

… Во-вторых, устные свидетельства, касавшиеся исков, были невероятно устаревшими. По сути дела, суд просили вынести решение, основанное на ограниченном количестве непосредственных доказательств, связанных с событиями, произошедшими много лет назад. При рассмотрении дела о принятии устных соглашений доказательства, касающиеся событий, произошедших много лет назад, неизбежно порождают ряд особых проблем. Помимо того факта, что по совершенно понятным причинам свидетелям часто трудно вспомнить то, что случилось много лет назад, и они редко могут вспомнить конкретные слова, которые они тогда употребляли, свидетели кроме того могут легко убедить самих себя, что их воспоминания о том, что произошло, соответствуют действительности». *(Из решения судьи.)*

В общем-то, выиграть при таком раскладе можно только в одном случае – если суд куплен на корню. Но здесь был явно не тот случай. По некоторым сведениям все говорили БАБу, что дело это дохлое, и выиграть его нет никаких шансов. Но Березовский упорно продолжал процесс.

Элизабет Глостер отмечает, что дело в общем и целом шло в рамках приличий, хотя и упоминает о яростных перебранках.

Березовского постоянно «поздравляли соврамши». Так, он заявлял, что выставленные им свидетели не имеют никакой материальной заинтересованности в исходе процесса. Однако выяснилось, что это совсем не так.

«Особенно показательным для установления его недостоверности как свидетеля было его первоначальное утверждение во время перекрестного допроса о том, что ни один из представленных им свидетелей не получит финансовой выгоды, если он добьется успеха при рассмотрении дела в Коммерческом суде. На самом деле это было неправдой. Два свидетеля со стороны г-на Березовского, д-р Носова и ее муж, адвокат г-н Линдли, должны были бы получить очень большую выгоду, если бы г-н Березовский выиграл дело. При повторном допросе, когда впервые были оглашены условия "гонорара успеха", г-ном Березовским было дано совершенно неубедительное объяснение того, почему он до этого не дал правдивый ответ.

...

Я с сожалением должна признать, что, проанализировав достоверность показаний г-на Березовского, пришла к выводу, что он мог бы сказать почти все что угодно для обоснования собственного иска». *(Из решения судьи.)*

Как известно, Березовский суд с треском проиграл. Комментировал он это так:

«Одно очевидно – есть история, которую знает весь мир. Госпожа Глостер просто переписывает историю».

«Я не в себе. Такое ощущение, что моя вера в британское правосудие подорвана».

После этого Березовский отозвал свой иск к семье Патаркацишвили, с которым у него тоже были некие договорные отношения. Речь шла о трех миллиардах долларов. Адвоката Березовского Марк Гастингс высказался на эту тему так:

«Хотя сразу же после смерти Патаркацишвили его семья признала наличие партнерского соглашения, теперь они отказываются согласиться с утверждениями Березовского и пытаются доказать, что все 100 процентов совместного предприятия принадлежат им».

Но в Англии, как известно, прецедентное право. То есть суд чаще всего руководствуется решениями, вынесенными в схожих случаях. После такого провала рассчитывать на что-то было трудно.

Но дело даже не в исходе процесса. Самое интересное в судебном решении – это характеристика, которую Элизабст Глостер дала Березовскому:

«Проанализировав всю совокупность доказательств, я пришла к выводу, что г-н Березовский является невыразительным и по существу не вызывающим доверие свидетелем, воспринимающим правду как изменяющееся, гибкое понятие, которое может быть приспособлено для удовлетворения его нынешних нужд. Иногда его свидетельские показания были преднамеренно нечестными, иногда он явно придумывал доказательства, когда ему было трудно отвечать на вопросы так, как нужно было для ведения дела, в других случаях *у меня сложилось впечатление, что он не обязательно был преднамеренно нечестен, но убедил себя в том, что его версия событий правильна.* По временам он уклонялся от ответов па вопросы, произнося длинные и не имеющие отношения к делу речи или же заявляя, что он забыл те факты, которые он прекрасно помнил, когда формулировал свой иск или свои письменные свидетельские показания. Он приукрашивал и дополнял свои свидетельские показания или же противоречил сам себе. Он опровергал свои собственные устные показания, иногда всего через несколько минут после того, как они были высказаны. Если возникали проблемы с доказательствами, г-н Березовский просто изменял свои претензии так, чтобы как можно лучше подогнать их к новым фактам. Он неоднократно пытался дистанцироваться от подписанных или одобренных им утверждений, высказанных во время судебных прений или записанных в свидетельских показаниях, ссылаясь на "интерпретацию" его юристов, как будто это хоть в малейшей мере могло уменьшить его личную ответственность за предоставление тех фактов, которые он предоставил и правильность которых он сам подтвердил».

Напоминаю – это писал не журналист, а судья.

Согласитесь – несколько странное поведение для олигарха, которому приписывали чуть ли не демоническое могущество. Может, конечно, так оно и было. Но подобные заявления просто так не делаются. В самом деле. Раньше Березовского англичане позиционировали как героического борца с «путинской деспотией». А тут выходит – он никакой не диссидент, а просто врун, ни одному слову которого верить нельзя. Характерно, что в том же заключении ответчик (Абрамович) предстает как исключительно порядочный господин.

«Он не боялся давать такие ответы, которые менее добросовестный свидетель счел бы вредными для его дела».

Хотя а почему бы не быть порядочным? Если все козыри у тебя на руках, можно играть честно.

Но в любом случае – Абрамович очень хорошо оттеняет Березовского, который по сравнению с ним выглядит как мелкий мошенник. Кто после такого (конечно, кроме наших либералов) стал бы иметь дело с таким типом? Складывается впечатление, что Березовского просто «слили». Судя по всему, для англичан он стал отыгранной картой, которую нужно сбросить. Тем более что сверхбогатым человеком он к этому времени уже точно быть перестал. (Об этом ниже.)

Стоит отметить, что борцы за демократию стараются это решение не замечать. Потому как что получается – если судья права – то все антипутинские заявления Березовского не стоят и выеденного яйца. А если в решении неправда... Как же тогда быть с верой в «самый беспристрастный суд в мире»?

6. Итак...

Юрий Фельштинский: «Все, чего он достиг, к чему шел с конца 80-х, он потерял. Понятно, что не каждый человек в состоянии это пережить... Он в какой-то момент написал мне, что он тяжело переживает происходящее с ним, и то, что ему очень больно. Означает ли это, что все это было настолько больно, что он покончил с собой, я не знаю.

Александр Хинштейн: «Мне кажется, плясать на могилах недостойно, но мне кажется, что финал его жизни, эта точка вполне объяснима и закономерна».

Вокруг смерти Березовского чесать языки будут долго. Убийство, самоубийство или естественная смерть? Версию о том, что БАБ на самом деле жив – уже выдвинули. Про черную магию и психотронное оружие речь пока не заводили – но это впереди. Потом всплывет какое-нибудь «политическое завещание» Березовского, его «секретный архив»... Причем не только у нас. Западные газеты по своему стремлению раздуть сенсацию из чего угодно мало чем отличаются от наших. В общем, это надолго.

Но все это неважно. Свою роль БАБ уже сыграл. Сегодня много публикаций, в которых утверждается, что он стал чуть ли не нищим. В это верится с трудом. Хотя...

В середине марта 2013 года газета The Times сообщила: Березовский выставил на продажу имевшуюся у него картину Энди Уорхола «Красный Ленин» (1987 год). Картина была продана за 200 тысяч долларов. Совсем недавно для олигарха это были не деньги.

Впрочем, тут навалились и финансовые потери на личном фронте. В 2010 году подала на развод жена Березовского Галина Бешарова. Суд тянулся до июня 2011 года. Бешаровой удалось отсудить аж 100 миллионов фунтов стерлингов. Тем самым она поставила абсолютный рекорд Великобритании. До сих пор ни одной экс-супруге не удавалось прихватить на память о муже такую сумму.

(Нил Бакли, газета Financial Times): «Березовский испытывал финансовые затруднения. По словам одного его друга-британца, с 2006 года он не владел никакими долями в бизнесе и распоряжался только несколькими особняками, яхтами и самолетами.

В январе Березовскому снова пришлось судиться: его бывшая гражданская жена Елена Горбунова заявила, что не получила обещанные 5 млн фунтов от продажи поместья в Суррее, и попыталась приостановить продажу его недвижимости во Франции. Адвокаты Березовского выставили очередной счет за свои услуги – 250 тыс. фунтов.

После оглашения решения суда по тяжбе Березовский–Абрамович один из адвокатов заявил, что Березовский уже продал свое поместье в графстве Суррей, а также (вроде бы) начал распродавать активы. По некоторым оценкам долги Березовского составляли около 200 миллионов фунтов стерлингов. По некоторым источникам, все его имущество давно заложено, утверждают они. Так, в списке залогов, по словам источника журнала Forbes, имеется коллекционный «Ролс-Ройс». Под эту «тачку» БАБ будто бы занял 500 000 фунтов у сына экс-президента Киргизии Максима Бакиева.

«Примерно год назад (начало 2012-го) один наш общий с Б. А. знакомый мне сказал:

– Захожу я как-то раз в рейсовый самолет Тель-Авив–Лондон и думаю, что начинаю сходить с ума: в салоне сидит Березовский! Пригляделся: действительно он. М-да…

Для человека, который с 1993 года летал только чартерами, потеря статуса была чересчур болезненной. Его шизофренический мир из цветного стал подозрительно черно-белым. Словно отключили что-то очень важное в глубине завидущих глаз» (Станислав Белковский).

Однако все-таки вряд ли у Березовского отбирали последнее. Уж в любом случае бомжевать бы ему не пришлось.

«По словам Гольдфарба (близкого друга Березовского. – А. Б.), Березовский жаловался на классические симптомы депрессии: потеря интереса к жизни, перепады настроения, мысли, что жизнь кончена» (Нил Бакли).

Дело, скорее всего не в разорении (тем более что точно неизвестно – а было ли само разорение). Дело в ином.

«Да, конечно, нам было известно, что после проигрыша суда с Абрамовичем финансовое положение Бориса Абрамовича серьезно пошатнулось. Однако в случае с Березовским только финансовые вопросы не могли быть причиной его депрессии. Скорее, как мы сейчас понимаем, он был в глубоком мировоззренческом кризисе» (Лиана Патаркацишвили, дочь бывшего партнера Березовского).

«А процесс таки доконал Бориса. И дело не в пяти с половиной миллиардах, шанс получить которые был буквально ничтожен — это признавали все знакомые мне эксперты по англосаксонскому праву. Проблема в том, что судья Высокого суда г. Лондона баронесса Элизабет Глостер разоблачила БАБа так, как еще никто его не разоблачал. Она выявила в нем шизофреника и объявила об этом со всей силой своего прецедентного правосудия. В вердикте баронессы присутствует кошмарное слово self-delusion (самообман) – суд, равного которому не знает новейшая история, признал, что Б. А. обманывает не только (и, кстати, не столько) других, сколько себя. А это уже трагедия. Опять же, она не в том, что никто не стал бы иметь дело с жертвой такого вердикта. А в том, что после разоблачения экс-магнату было уже трудно иметь дело с самим собой. Как же жить с главным обманщиком, сидящим прямо внутри тебя, как инфернальный голливудский Чужой?!» (Станислав Белковский).

Человек, который продолжал считать себя вершителем истории России, понял, что ничего-то вершить он не может.

Стоит упомянуть о нашумевшем «покаянном» письме Березовского Путину. Впервые об этом заявил пресс-секретарь президента Дмитрий Песков. Он утверждал, что это письмо БАБ написал за два месяца до смерти.

«Это письмо было адресовано Путину лично, – пояснил Песков. – Я не знаю, захочет ли он предать огласке полный текст этого письма. Единственное, что я могу сказать, что это было личное письмо».

Впоследствии, уже после смерти Бориса Абрамовича, текст появился в Интернете. Насчет его подлинности идут жаркие споры. Правда, аргументы «за» или «против» продиктованы в основном общественно-политической позицией авторов. Хотя последняя подруга Березовского Катерина Сабирова утверждает в интервью журналу The New Times:

«Он говорил, что не видит другого способа, кроме как пойти на поклон. Я думаю, что это идея и Бориса, и его жены Елены. Он очень подолгу разговаривал с ней по телефону, разговаривал часами. Я никогда не присутствовала при их разговорах, Борис уходил, но я понимала, что они обсуждают возможность такого письма. Он не скрывал, что именно письмо они обсуждают. Я не верила, что это письмо поможет. Он говорил, что ему все равно, как он будет выглядеть, главное – ему было нужно вернуться. Елена убеждала его вернуться, помириться (с Путиным). Так же как и мама Анна Александровна, я это слышала, она говорила: "Боря, ну может быть, вы помиритесь?"»

Насчет письма Сабирова заявила:

«Да, я видела рукописный текст. Он мне его прочитал. Он приносил извинения и просил о возможности вернуться. Это был такой прогиб. Он спросил о том, что я думаю про письмо. Я сказала, что письмо опубликуют, что ты будешь выглядеть плохо. И что оно не поможет. Он ответил, что ему все равно, что на него и так все вешают, все-все грехи и что это его единственный шанс».

Она же привела свою версию, почему Березовский это сделал:

«Кардинально изменения начались сразу после суда. Буквально сразу. Никто не ожидал такого вердикта. Позже, после приговора, Борис говорил, что за день до окончания суда ему показалось, что может закончиться плохо, но это чувство быстро ушло. Он был уверен до конца, что победа на его стороне. Накануне вердикта он был в прекрасной форме, хотя, конечно, нервничал. Потом я улетела на несколько дней и вернулась примерно 10 сентября. Я помню, как съезжал офис. Борис говорил: "Все, нет офиса". Он очень много курил, пить не пил, но курил, иногда несколько пачек в день. Очень мало ел. К нашей последней встрече он очень похудел.

Он говорил: "Мне очень плохо, я не знаю, что делать, не знаю, что делать дальше". Проигрыш в суде был недопустимым для него. В октябре и ноябре все было плохо. Он часто говорил, что не знает, как дальше жить, на что дальше жить».

Письмо имеет смысл привести.

«Владимир Владимирович!
Господин Президент!

Мы оба с Вами знаем цену слову, цену памяти, особенно если это касается политики.

Я готов открыто признать свои ошибки, более того, я их признаю сейчас, в этом письме. Многое из того, что я делал, говорил, не имеет оправдания и заслуживает сурового порицания.

Но, Владимир Владимирович! Мне уже 68 лет, я старик. 12 лет я провел в изгнании. Неужели мои седины, моя вынужденная оторванность от Родины не искупили моей вины?

Владимир Владимирович, я скажу Вам честно, и прошу Вас поверить мне. Я тосковал по России с первого дня, и с каждым проведенным на чужбине днем моя тоска углублялась. Да, я еврей, но рожденный в России. Я русский, Владимир Владимирович. Я бы и рад был быть другим, – тогда я не испытывал бы этой муки, но я – русский. Оторванность от России убивает меня.

Прошу Вас, Владимир Владимирович, простить мне те проступки и слова, которые я совершил в ослеплении злости. Видит Бог, сегодня я все осознал и никогда – никогда – не поступил бы так.

Мне бы очень хотелось вернуться в Россию, на Родину. Я хочу умереть на своей земле. Это не пустые слова, поверьте, Владимир Владимирович.

Я, как Вечный Жид, устал скитаться по земле.

Разрешите мне вернуться, господин Президент.

Прошу Вас.

Умоляю.

С искренним уважением к Вам,
Борис Березовский».

Могло было написано такое письмо? А почему бы и нет?

Злорадствовать по поводу смерти Березовского никакого желания нет. Да, он нагло обворовывал страну. Но в конце-то концов – не он один. И потом – кто это допустил? Партийная номенклатура? Западные спецслужбы? Оно, конечно, так – кто же спорит?

Да только вот… А кто верил, что только стоит скинуть «проклятых коммуняк» и мы заживем как в раю? Если кто-нибудь в 1990–1991 годах высказывал сомнение в правильности курса, а уж (не дай Бог) высказывался против Ельцина – так его объявляли недобитым сталинистом и дальше просто не слушали. Такого не было?

А о чем мечтали те, кто тащил свои деньги в «МММ» и прочие «Тибеты»? Хотели разбогатеть на халяву. Березовский оказался умнее. Он не ждал халявы, а стал тащить что можно и откуда можно. И ведь БАБ был безусловно талантливым человеком.

«Я его оплакиваю, потому что с ним было очень интересно. Всю ночь – не побоюсь этого темного слова – мы могли с ним обсуждать "Великого инквизитора". А с кем еще из людей его формата/круга такое возможно? Не знаю» (Станислав Белковский).

Его бы энергию – да в мирных целях. Тем более он имел возможность убедиться: все, что он делал, в итоге пошло прахом. Осталась только выжженная земля. Трудно сказать – просил ли он в самом деле прощения у Путина. Но вот вернуться на Родину он действительно хотел…

БИБЛИОГРАФИЯ

1. *И. Агранцев.* Александр Меншиков. СПб., Нева, 2005.

2. *Н. Анисин.* После Ельцина. М.: Мангрув, 2004.

3. *Б. Березовский.* Искусство невозможного. Тт. 1–3. М.: Независимая газета, 2004.

4. *Д. М. Бернс.* Франклин Рузвельт, человек и политик. М.: Центрполиграф, 2004.

5. *Г. Бикс.* Хирохито. М.: АСТ. 2002.

6. *Ю. Болдырев.* Похищение Евразии. М.: Крымский мост-9. 2003.

7. *Ю. Болдырев.* О ложках меда и бочках дегтя. М.: Крымский мост-9. 2003.

8. *С. Валянский, Д. Калюжный.* Русские горки. Конец Российского государства. М.: АСТ. Астрель. 2004.

9. *А. Вохохов.* Новейшая история коммунистической партии. 1990–2003. ООО «Импэто». 2003.

10. *С. Голубицкий.* Как зовут вашего бога? Тт. 1–2. М.; Бестселлер. 2004.

11. *М. Делягин.* Россия после Путина. М.: Вече. 2005.

12. *Н. Зенькович.* Мальчики в розовых штанишках. М.: ОЛМА-ПРЕСС, 2005.

13. *Н. Зенькович.* Феномен Миронова. М.: ОЛМА ПРЕСС, 2005.

14. *Вал. Зорин.* Некоронованные короли Америки. М.: ИПЛ. 1970.

15. *А. Ильин.* Геннадий Зюганов. «Правда» о вожде. М.: Алгоритм. 2005.

16. *И. Ильф, Е. Петров.* Одноэтажная Америка. М.: Текст. 2004.

17. История США. Хрестоматия. М.: Дрофа. 2005.

18. *Б. Кагарлицкий.* Периферийная империя. М.: Ультракультура. 2003.

19. *М. Калашников.* Вперед в СССР–2. М.: Яуза. 2003.

20. *Д. Калюжный, Е. Ермилова.* Дело и слово. М.: Алгоритм. 2003.

21. *С. Кара-Мурза, С. Телегин.* Неполадки в русском доме. М.: Алгоритм. 2004.

22. *О. Климовец.* Международный оффшорный бизнес. Ростов-на-Дону. Феникс. 2004.

23. *В. Ключевский.* Русская история. М.: Эксмо. 2005.

24. *С. Кондрашов.* На стыке веков. 1992–2004. М.: Международные отношения. 2004.

25. *А. Коржаков.* Борис Ельцин: от рассвета до заката. Послесловие. М.: Детектив-пресс. 2004.

26. *К. Коттке.* Грязные деньги. М.: Дело и сервис. 2005.

27. *В. Красиков.* Неизвестная война Петра Великого. СПб. Нева. 2005.

28. *О. Крыштановская.* Анатомия российской элиты. М.: Захаров. 2004.

29. *В. Крючков.* Личность и власть. М.: Просвещение. 2004.

30. *А. Куликов.* Тяжелые звезды. М.: Война и мир. 2002.

31. *В. Кущенко.* Особые режимы внешнеэкономической деятельности. М.: Книжный мир. 2004.

32. *Ф. Ландберг.* 60 семейств Америки. М.: Ил. 1948.

33. *Н. Леонов.* Крестный путь России. М.: Эксмо. 2005.

34. *К. Ляова.* Тайны великих авантюристов. М.: Риполклассик. 2002.

35. *Б. Мазо.* Питерские против московских. М.: Эксмо. 2003.

36. *Ч. Макеей.* Наиболее распространенные заблуждения и безумства толпы. М.: Альпина паблишер. 2003.

37. *Л. Млечин.* Кремль. Президенты России. М.: Центрполиграф. 2003.

38. *П. Лилли.* Грязные сделки. Ростов-на-Дону. Феникс. 2005.

39. *С. Марков.* PR в России больше, чем PR. Ростов-на-Дону. Феникс. 2005.

40. *Р. Медведев.* Владимир Путин: четыре года в Кремле. М.: Время. 2004.

41. *Р. Медведев.* Московская модель Юрия Лужкова. М.: Время. 2005.

42. *А. Мухин.* Невский, Лубянка, Кремль. Проект 2008. М.: ЦПИ. 2005.

43. *А. Мухин.* Кремлевское дзюдо под ковром. М.: ЦПИ. 2004.

44. *М. Мухин, П. Козлов.* Семейные тайны. М.: ЦПИ. 2003.

45. *М. Мухин.* Новые правила игры для большого бизнеса. М.: Алгоритм. 2004.

46. *А. Мухин.* Самураи президента. М.: ЦПИ. 2005.

47. *Ю. Мухин.* За державу обидно! М.: Яуза. 2004.

48. *М. Мильштейн и А. Слободченко.* О буржуазной военной науке. М.: Воениздат. 1957.

49. *Д. и Т. Наленч.* Юзеф Пилсудский: легенды и факты. М.: Политиздат. 1990.

50. *О. Нойегард.* Полдень магов. М.: Крымский мост-9. 2004.

51. *Н. Павленко, О. Дроздова, И. Колкина.* Соратники Петра. М.: Молодая гвардия. 2001.

52. *А. Паршев.* Почему Россия не Америка? М.: Крымский мост-9. 2005.

53. *К. Писаренко.* Повседневная жизнь русского двора в царствование Елизаветы Петровны. М.: Молодая гвардия. 2003.

54. *Р. Пок де Фелиу.* Эпоха перемен. М.: Время. 2005.

55. *М. Покровский.* Русская история. Тт. 1–3. СПб. 2002.

56. *В. Печатнов.* Гамильтон и Джефферсон. М.: Международные отношения. 1984.

57. *О. Платонов.* Государственная измена. М.: Алгоритм. 2004.

58. *Б. Пушкарев.* Россия и опыт Запада. Посев. 1995.

59. *А. Рар.* Владимир Путин: «немец» в Кремле. М.: ОЛМА-ПРЕСС. 2001.

60. *Д. Робинсон.* Всемирная прачечная. М.: Альпина бизнес букс. 2004.

61. Россия в период реформ Петра I. М.: Наука. 1973.

62. *А. Рубби.* Ельциниада. М.: Международные отношения. 2004.

63. *Д. Саттер.* Тьма на рассвете. М.: 2004.

64. *Д. Саттер.* Век безумия. М.: ОГИ. 2005.

65. *С. и П. Сигрейв.* Династия Ямато. М.: АСТ. 2005.

66. *В. Сироткин.* Кто обворовал Россию? М.: Алгоритм.: 2003.

67. *С. Соловьев.* Учебная книга по русской истории. М.: АСТ. 2003.

68. *И. Стародубровская, В. Мау.* Великие революции от Кромвеля до Путина. М.: Вагриус. 2004.

69. *Е. Стригин.* ФСБ РФ при Барсукове (1995–1996). М.: Алгоритм. 2005.

70. *Е. Стригин.* КГБ был, есть и будет. От КГБ СССР до МБРФ (1991–1993). М.: Алгоритм. 2004.

71. *Е. Стригин.* КГБ был, есть и будет. От МБРФ до ФСК РФ (1994–1995). М.: Алгоритм. 2004.

72. *Е. Стригин.* Прерванный полет генерала Лебедя. Красноярское книжное издательство. 2005.

73. *Д. Строус.* Морган. М.: АСТ. 2002.

74. *А. Тарасов.* Миллионер. М.: Вагриус. 2004.

75. *Л. Телень.* Поколение Путина. М.: Вагриус. 2004.

76. *Д. Травин, О. Маргания.* Европейская модернизация, тт. 1–2. М.: АСТ. 2004.

77. *А. Уткин.* Русско-японская война. М.: Алгоритм.: 2005.

78. *В. Фартышев.* Последний шанс Путина. М.: Вече. 2004.

79. *Г. Форд.* Моя жизнь, мои достижения. Сегодня и завтра. Минск, Харвест. 2003.

80. *П. Хлебников.* Крестный отец Кремля Борис Березовский. М.: Детектив-пресс. 2004.

81. *П. Черкасов.* Кардинал Ришелье. М.: Международные отношения. 1990.

82. *Г. Черников, Д. Черникова.* Кто владеет Россией? М.: Центрполиграф. 1998.

83. *Е. Черняк.* Судьи и заговорщики. М.: Мысль. 1984.

84. *Е. Черняк.* Химеры старого мира. М.: Молодая гвардия. 1970.

85. *А. Шлезингер.* Циклы американской истории. М.: Прогресс. 1992.

86. *Б. Шпотов.* Генри Форд: жизнь и бизнес. М.: КДУ. 2005.

87. Энциклопедический словарь Ф. Павленкова. СПб. 1913.

88. *Н. Яковлев.* Рузвельт. М.: Рипол-классик. 2003.

Газеты, журналы, материалы информационных агентств: «Новая газета», «Российские вести», «Московские новости», «Независимая газета», Укринформбюро, «Время новостей», «Русский журнал», «Коммерсантъ», НСН, «Киевские ведомости», «Российская газета», «Полития», «Южно-Сибирские вести», «Профиль», Библиотека публикаций Московского центра Карнеги, «Труд», «Огонек», «Московский комсомолец», «Известия», «Сегодня», «Ведомости», Le Nouvel Observateur, EECR.

Интернет-сайты:

Компромат.ру, утро.ру, газета.ру, правда.ру, центр репутационных технологий, политком.ру, русский дом, flb.ru

СОДЕРЖАНИЕ

Александр Бушков

БОРИС БЕРЕЗОВСКИЙ.
Человек, проигравший войну

Ответственный за выпуск: *С. З. Кодзова*
Ведущий редактор: *Е. В. Демина*
Корректоры: *В. В. Саранчева*
Оформление обложки: *С. Ф. Щавелев*
Верстка: *А. В. Серебренникова*

Подписано в печать 15.04.13
Формат 60×90$^1/_{16}$. Гарнитура «Times»
Печать офсетная. Бумага офсетная.
Уч.-изд. л. 16,5. Усл.-печ. л. 24,0
Изд. № ОП-13-1457-ЗИЛ. Тираж 10 000 экз. Заказ № 2075.

В соответствии с ФЗ-436 для детей старше 16 лет.

ЗАО «ОЛМА Медиа Групп»
129085, Москва, Звездный бульвар, д. 21, стр. 3, пом. I, ком. 5
Почтовый адрес: 143421, Московская область,
Красногорский район, 26 км автодороги «Балтия»,
Бизнес-парк «Рига Лэнд», стр. 3
www.olmamedia.ru

Отпечатано в ОАО «Первая Образцовая типография»,
филиал «Дом печати — ВЯТКА» в полном соответствии
с качеством предоставленных материалов.
610033, г. Киров, ул. Московская, 122.
Факс: (8332) 53-53-80, 62-10-36
http://www.gipp.kirov.ru; e-mail: order@gipp.kirov.ru